AZIONE GRAMMATICA!

AZIONE GRAMMATICA!

DEREK AUST with MIKE ZOLLO

HODDER
EDUCATION
AN HACHETTE UK COMPANY

Acknowledgements

The authors would like to thank teachers and students in Devon whose reactions were sought on the style and layout of the earlier editions of the book and, in particular, students at South Devon College, Britannia Royal Naval College and Exeter College, upon whom some of the material was tried out. Grateful thanks also to the following friends and colleagues who assisted in the meticulous checking of the typescript and for many invaluable suggestions and comments on the content: Elena Minelli, Daniela and Alessandro Becchio; Giusi Smith, Rossella Bongi and Mrs Rita Zollo.

For the third edition we are greatly indebted to all those involved in the proofreading and production process.

Finally, thanks to our wives, Vasilija and Carol, and families for their support and encouragement.

The Publishers would like to thank the following for permission to reproduce copyright material: Italia OnLine, pp 15, 37, 46; pubblicità Star – Grazia, p 115, 308; Corriere della Sera, pp 126, 156, 216, 217, 285, 308, 309, 333; Gente, p 308, Anna p 333.

Every effort has been made to trace all copyright holders, but if any have been inadvertently overlooked the Publishers will be pleased to make the necessary arrangements at the first opportunity.

Chapters by Derek Aust: 6–7, 10, 12, 15–17, 21–47, 48*, 49*.
Chapters by Mike Zollo: 1–5, 8–9, 11, 13–14, 18–20, 48*, 49*.
* denotes joint chapters.

Although every effort has been made to ensure that website addresses are correct at time of going to press, Hodder Education cannot be held responsible for the content of any website mentioned in this book. It is sometimes possible to find a relocated web page by typing in the address of the home page for a website in the URL window of your browser.

Orders: please contact Bookpoint Ltd, 130 Milton Park, Abingdon, Oxon OX14 4SB. Telephone: (44) 01235 827720. Fax: (44) 01235 400454. Lines are open 9.00–5.00, Monday to Saturday, with a 24-hour message answering service. Visit our website at www.hoddereducation.co.uk

© Derek Aust & Mike Zollo 2006
First published in 1997
Second edition 2000
This third edition published 2006 by
Hodder Education,
an Hachette UK Company,
338 Euston Road
London NW1 3BH

Impression number   10 9 8 7 6 5
Year   2012

Cover photo © Jim Zuckerman/Corbis
Typeset in 45 Helvetica Neue Light 9/10pt by Pantek Arts Ltd, Maidstone, Kent
Printed in Spain, for Hodder Education, an Hachette UK Company,
338 Euston Road, London NW1 3BH.
A catalogue record for this title is available from the British Library

ISBN 978 0340 915 271

Contents

Introduction

Azione grammatica! aims to provide the student of Italian with a systematic presentation of grammar points and with sufficient supporting practice to ensure that these points are adequately reinforced. Whilst it assumes that students will have had some contact with most of the points of grammar, it also takes account of the fact that many will not have been studying the language for long. For such students, Chapter 1 introducing grammar and Chapters 48 and 49 introducing Italian vocabulary and pronunciation should prove particularly useful and you might like to study those first.

There is a degree of progression in the order of the chapters, but this book is not intended primarily to be used exhaustively and in the order in which the chapters occur. Chapters may be used several times: for initial input, and then for reference, revision and consolidation. Equally, there is no need for every student to do every exercise: the menu offered provides suitable practice at various levels, as befits your needs and abilities. Some exercises are best done together in class, others are best done individually, perhaps at home.

Each chapter consists of three sections progressing from input, through methodical practice, to active use:

Meccanismi – the 'mechanics' of the language
The first section of each chapter sets out a grammatical rule or usage, with a clear explanation in English. This section can be used when studying the grammar point for the first time, or equally well for later reference.

Mettetevi a punto! – 'tune up' your language skills
This section provides reinforcement exercises on the grammatical point explained in the chapter. Where possible, these exercises are set within a realistic self-contained context and most are designed to be suitable for individual study. There is a key at the end of the book for self-correction. Apart from a few translation exercises, this section is in Italian.

Mettetevi in moto! – off you go to practise your new skills on the open road!
This section, which is entirely in Italian, offers a wide variety of open-ended communicative activities, ranging from the fairly elementary to the more sophisticated. Some of these are oral, to be done in pairs or groups, and some are written. The activities are set in a variety of realistic contexts in which the grammar point is likely to be needed.

This arrow directs you from explanatory paragraphs to relevant exercises and/or to other explanatory paragraphs.

1 Grammar – what is it?

Any language is a mechanism, and grammar is the system – or the rules and patterns – by which the language works.

Although at first you might sigh heavily at 'all the grammar' that has to be absorbed, once you have done so, you will find it does in fact help you enormously. It can often provide useful short cuts. For example, once you have learned one 'regular' verb, you know the pattern for hundreds of others. And, most importantly, once you have mastered each point of grammar, you are on the way to speaking and writing the language correctly!

But why do we need technical terms, such as verb, adjective, or noun? Well, like any system or area of knowledge, such as engineering, information technology or horticulture, grammar has its technical terms, which enable us to talk about, explain and describe that subject. What follows is a brief explanation of some of the more common and useful grammatical terms which you will encounter in this book. If you really do know them all, just skip this chapter. If not, read it thoroughly and refer back to it when you need help in understanding these terms.

We have arranged this chapter so that you can use it in two ways. (1) You can read it through to revise your knowledge of grammatical terms , and perhaps learn some new ones, or (2) you can also use it as a quick reminder if you come across a term that you have forgotten in the body of the book. To this end, we have provided below a quick alphabetical reference table, giving you the number of the paragraph in which you will find the term in question.

accents	1.1.3	indirect object	1.2.3	register	1.5
adjectives	1.2.4	infinitives	1.4.1	regular verbs	1.4.5
adverbs	1.2.5	interrogatives	1.2.9	sentence	1.3
clause	1.3	irregular verbs	1.4.5	sentence structure	1.3
comparative	1.2.6	main clause	1.3	singular	1.2.1
conjugation	1.4.5	negatives	1.4.6	spelling	1.1
conjunctions	1.2.8	nouns	1.2.1	style	1.5
consonants	1.1.1	number	1.2.4	subject	1.2.3
definite article	1.2.1	object	1.2.3	subjunctive	1.4.4
diphthongs	1.1.1	parts of speech	1.2	subordinate clause	1.3
direct object	1.2.3	person	1.4.2	superlative	1.2.6
finite verbs	1.4.2	phrase	1.3	syllables	1.1.2
gender	1.2.1	plural	1.2.1	tense	1.4.2
indefinite article	1.2.1	prepositions	1.2.7	verb	1.4
indicative	1.4.3	pronouns	1.2.2	vowels	1.1.1

1.1 Spelling

1.1.1 Vowels

Letters consist of the **vowels** *a*, *e*, *i*, *o*, *u*:

a – m<u>a</u>mm<u>a</u>, c<u>a</u>ro	Mum, dear
e – m<u>e</u>l<u>e</u>, z<u>e</u>ro	apples, zero
i – qu<u>i</u>nd<u>i</u>c<u>i</u>, v<u>i</u>no	fifteen, wine
o – c<u>o</u>r<u>o</u>, g<u>o</u>nd<u>o</u>la	choir, gondola
u – c<u>u</u>c<u>u</u>lo, m<u>u</u>ro	cuckoo, wall

When two or more vowels occur together each keeps its normal sound, as in:

farmac<u>ia</u> (chemist), *p<u>iù</u>* (more), *q<u>ua</u>* (here), *q<u>ue</u>sto* (this), *c<u>ui</u>* (whom), *b<u>uo</u>no* (good)

Italian has a number of words with three vowels together such as:

cucch<u>iai</u>no, macell<u>aio</u>, m<u>aia</u>le, p<u>aio</u>   (tea)spoon, butcher, pig, pair

Or even four, such as:

a<u>iuo</u>la, cucch<u>iaia</u>ta   (flower)bed, spoonful

All the other letters are called **consonants**.

1.1.2 Syllables

Syllables are the consonant + vowel units that make up a word:

cri-si, ce-le-ste, per-sua-si-vo   cri-sis, heav-en-ly, per-sua-sive

1.1.3 Accents

Accents are the marks written over vowels with one of three functions:

- To indicate that the stress falls on the last syllable of a word with two or more syllables, but also on some single-syllable words:

porterò, città, lunedì, quaggiù, più   I will bring, city, Monday, down here, more

- To distinguish between two otherwise identical words with different meanings:

da – dà	from, by – he/she/it gives
e – è	and – he/she/it is
si – sì	him/her/itself – yes
te – tè	you – tea

- To alter the sound of a letter:

perch<u>é</u> (closed sound) – because; *caff<u>è</u>* (open sound) – coffee

(See also Chapter 49, 'Pronunciation and spelling'.)

1.2 Parts of speech

1.2.1 Noun

A **noun** is a word referring to a person, name, animal, thing or concept:

donna, Giulio, gatto, forchetta, identità – lady, Giulio, cat, fork, identity

In Italian, all nouns are either masculine or feminine. This is called **gender**. The gender of the noun determines the form of the **definite article** (the – *il, lo, la, l'*) and the **indefinite article** (a/an – *un, uno, una, un'*).

A noun can be **singular** (*un modulo* – a form) or **plural** (*due moduli* – two forms).

1.2.2 Pronoun

A **pronoun** is used in place of a noun, so that we don't have to keep repeating it:

*Ha un orologio nuovo; **l'**ha comprato ieri.*
He has a new watch; he bought **it** yesterday.

1.2.3 Subject and object

The noun or pronoun that *does an action* is called the **subject**, a noun or pronoun that *has the action done to it* is called the **direct object**. The noun or pronoun that is the *recipient* (i.e. the person or thing something is given, sent, etc. *to*) is called the **indirect object**.

- **Subject:**

  Mia sorella *abita a Roma.* ***(Lei)*** *Lavora lì.*
  My sister lives in Rome. **She** works there.

- **Direct object:**

  *Mi ha mandato **una lettera**; **l'**ho letta stamattina.*
  She sent me **a letter**; I read **it** this morning.

- **Indirect object:**

  *Il mio amico ha dato dei soldi **alla commessa.***
  My friend gave some money **to the shop assistant**.

  Le *ha dato dieci euro.*
  He gave **her** ten euros.

1.2.4 Adjectives

Adjectives describe or 'qualify' nouns. They change their form, 'agreeing' with the gender and number of the noun. **Number** in this sense means singular or plural.

un libro interessante, una lunga passeggiata, l'uomo più alto, i cappelli verdi –
an interesting book, a long walk, the tallest man, the green hats

1.2.5 Adverbs

Adverbs describe or qualify verbs, adjectives and other adverbs:

*Il ragazzo entra **lentamente**.*
The boy comes in **slowly**.

*È uno studente **abbastanza** bravo.*
He's **quite** a good student.

*Ha cantato **molto** bene.*
He sang **very** well.

1.2.6 Comparative and superlative

The **comparative** of adjectives is used to compare nouns and pronouns, and the comparative of adverbs to compare other parts of speech (i.e. 'more, less' or 'as…as'):

*una casa **più** grande, **meno** precisamente, **tanto** piccolo **quanto** –*
a bigger house, less precisely, as small as

The **superlative** of adjectives and adverbs is used to indicate 'the most' or 'the least':

*la persona **più** importante* – the most important person
Lui vuole abitare il più vicino possibile al lago. – He wants to live as near as possible to the lake.

1.2.7 Prepositions

Prepositions tell you where something/someone is in relation to another in time or place, or they can indicate direction:

con: *con il mio amico* – with my friend
dopo: *dopo cena* – after dinner
prima di: *prima della riunione* – before the meeting
vicino a: *vicino al negozio* – near the shop

They are also used to link verbs together:

*Avevamo mangiato **prima di** uscire.*
We had eaten **before** going out.

*Ascoltate **senza** parlare.*
Listen **without** speaking.

1.2.8 Conjunctions

Conjunctions join words, phrases or clauses to each other:

tè <u>e</u> caffè, rapidamente <u>ma</u> silenziosamente, torneremo a casa <u>se</u> nevica –
tea **and** coffee, quickly **but** silently, we'll go back home **if** it snows

1.2.9 Interrogatives

Interrogatives are words used to form questions – the word may remind you of 'interrogation'. Here are some examples:

chi? quando? che cosa? – who? when? what?

1.3 Sentence structure

A **phrase** is a group of meaningful words:

con mio fratello, *nella stanza*, *alla massima velocità*, *prima delle otto di sera* –
with my brother, in the room, at top speed, before eight o'clock in the evening

A **clause** is a meaningful group of words containing a verb, usually in a tense.
A **main clause** is a clause that can stand by itself:

Questo è l'uomo… – This is the man…

A **subordinate clause** is a clause that cannot stand alone:

…che parla italiano. – …who speaks Italian.

A **sentence** consists of a main clause, and any number of subordinate clauses.

1.4 Verb

A **verb** is a word describing an action or state of being:

Paolo gioca, *pensiamo*, *esistono* – Paolo plays, we think, they exist

1.4.1 The infinitive

The **infinitive** is the basic form of the verb which you will find in dictionaries and vocabulary lists. It is indeed *in-finite*, i.e. it is not in a tense or person. You could call it the verb 'in neutral':

giocare, *pensare*, *esistere* – to play, to think, to exist

1.4.2 Finite verb

A **finite verb** is a verb which is in a **tense**. A tense relates the verb (i.e. the action) to time – past, present or future – telling you for example when the action took/takes/will take place. There are a number of different tenses in Italian, which you will find explained in the body of the book.

Verb tenses vary their endings according to the **person**. There are 3 persons singular – I, you, he/she/noun subject – and 3 persons plural – we, you, they/noun subject.

1.4.3 Indicative

Most verb tenses belong to the **indicative** mood. For want of a better word, these are the 'ordinary' tenses.

1.4.4 Subjunctive

The **subjunctive** is used to express something which is 'less than fact', such as where there is doubt about the action expressed, or expressing an action as yet unfulfilled, for example future possibility.

1.4.5 Conjugation

A **conjugation** is a group of verbs which all have the same pattern of tense and person changes according to the infinitive. A **regular verb** is a verb which follows one of these conjugation patterns. An **irregular verb** is one which does not conform in this way, and whose 'irregular' parts have to be learnt separately.

1.4.6 Negative

The **negative** is when you say something does *not*/did *not* happen. It includes other negative words such as never…/nothing…etc.

1.5 Style and register

This refers to the level of formality or informality of the language you are using. Italians are very conscious of the **style** or level of language to be used in a particular situation. The *tu*/*Lei* distinction is a good example, but there is more to it than that: the informal way you would address a friend of your own age group (*Ciao, come stai?*) would be inappropriate to use with a stranger, particularly if senior to you (*Buongiorno, come sta (Lei)?*).

This book indicates when a certain style of language would not be suitable, with exercises using a variety of **registers** or types of language. Our general advice about familiar language is: don't use it to strangers unless and until they ask you to!

1.6 Italian grammar terms

While working through the exercises in the sections *Mettetevi a punto!* and *Mettetevi in moto!* you may find it helpful to refer to the following list of grammatical terms:

aggettivo	adjective
articolo	article
articolo determinativo	definite article
articolo indeterminativo	indefinite article
articolo partitivo	partitive article
ausiliare	auxiliary (eg *essere*, *avere*)
avverbio	adverb
avverbio di frequenza	adverb of frequency
avverbio di luogo	adverb of place
avverbio di modo/maniera	adverb of manner
avverbio di tempo	adverb of time
comparativo	comparative
complemento di termine	indirect object
complemento oggetto	direct object
concordanza	agreement
condizionale passato	conditional perfect
condizionale presente	present conditional
congiuntivo	subjunctive
congiunzione	conjunction
coniugare	to conjugate (a verb)
coniugazione	conjugation (category of verbs, i.e. *-are*, *-ere*, *-ire*)
dimostrativo (aggettivo, pronome)	demonstrative (adjective, pronoun)

discorso diretto	direct speech
discorso indiretto	indirect/reported speech
esclamazione	exclamation
femminile	feminine
finale	ending
futuro	future tense
futuro anteriore	future perfect tense
genere	gender
gerundio	-ing form, gerund
imperativo	imperative
imperfetto	imperfect tense
imperfetto progressivo	imperfect continuous
impersonale	impersonal
infinito	infinitive
interrogativo (aggettivo, pronome)	interrogative (adjective, pronoun)
lettera	letter
maschile	masculine
modale	modal verb (eg **potere, dovere**)
modo (del verbo)	mood (indicative, subjunctive, conditional, imperative)
nome	noun
nome composto	compound noun
numerale	numeral
numero (singolare e plurale)	number (singular and plural)
participio presente/passato	present/past participle
passato prossimo	perfect tense
passato remoto	past simple tense
passivo (verbo)	passive (verb)
possessivo (aggettivo, pronome)	possessive (adjective, pronoun)
preposizione	preposition
prefisso	prefix
presente	present tense
presente progressivo	present continuous
pronome	pronoun
pronome personale	personal pronoun
pronome relativo	relative pronoun
pronome riflessivo	reflexive pronoun
proposizione	clause
proposizione principale	main clause
proposizione subordinata	subordinate clause
riflessivo (pronome, verbo)	reflexive (pronoun, verb)
sillaba	syllable
sostantivo	noun
suffisso	suffix
superlativo	superlative
tempo (verbale)	tense
tempo composto	compound tense
trapassato prossimo	pluperfect tense
trapassato remoto	past anterior

We hope these explanations of grammatical terms will help you to use this book.

Coraggio, e in bocca al lupo!

2 Nouns

MECCANISMI

A noun is a person, a name, an animal, a country, an object or a concept, for example: 'girl', 'Aldo', 'cat', 'Italy', 'watch', 'joy'. The word 'noun' is derived from the Latin word for 'name'.

2.1 Gender

Gender means 'type' of noun, masculine or feminine. In Italian, all nouns are either masculine or feminine, whether or not they represent a masculine or feminine person or animal. The gender of a noun needs to be known because the form of the article ('the' or 'a'), or of any adjective accompanying the noun, will depend on the gender of the noun. Therefore when you come across a new noun, always note down and learn the gender, either by putting the appropriate article in front of it or by putting *m* or *f* after the noun, which is what you will find in a dictionary.

For details of the various forms of definite and indefinite articles in Italian, see Chapter 3.

Italian helps you a lot when it comes to learning the gender of nouns, as they often have an ending which is characteristically masculine or feminine.

2.1.1 Gender guidelines

- In the case of nouns referring to people and animals the gender is usually what you would expect:

| masculine: | *l'uomo* | man | *il ragazzo* | boy | *il toro* | bull |
| feminine: | *la donna* | woman | *la ragazza* | girl | *la mucca* | cow |

- Most nouns ending in *-o* are masculine, and most nouns ending in *-a* are feminine:

| masculine: | *l'ufficio* | office | *il gatto* | cat | *lo spirito* | spirit |
| feminine: | *la porta* | door | *l'idea* | idea | *la bottiglia* | bottle |

There are exceptions to the *-o/-a* rule, which include:

masculine: *il panorama, il programma, il clima, il fantasma* and many other words of Greek origin ending in *-ma*.

feminine: *l'auto* – car, *la foto* – photo, *la mano* – hand, *la moto* – motorbike, *la radio* – radio

(It is worth noting that four of these are abbreviated forms, coming from: *l'automobile*; *la fotografia*; *la motocicletta*; *la radiofonia*.)

- Nouns with the following endings are mostly masculine:

-ore and *-tore*: *il professore* – teacher, *lo scrittore* – writer
-ere and *-iere*: *il potere* – power, *l'ingegnere* – engineer, *il cameriere* – waiter
-ame, *-ale* and *-ile*: *il falegname* – carpenter, *il temporale* – storm, *il maiale* – pig, *il missile* – missile

- Nouns with the following endings are mostly feminine:

-ione: *la colazione* – breakfast, *la sospensione* – suspension (most correspond to English words ending in '-ion')
-tà and *-tù*: *la città* – city, *la povertà* – poverty, *la gioventù* – youth (most correspond to English words ending in '-ty')
-udine and *-igine*: *la solitudine* – solitude, *l'origine* – origin
-ite and *-ice*: *la meningite* – meningitis, *l'attrice* – actress
-i and *-ie*: *la crisi* – crisis, *la serie* – series

2.1.2 Gender benders

Note that:

- Change of gender can change the meaning of a noun:

| *il porto* | port | *la porta* | door |
| *l'arancio* | orange-tree | *l'arancia* | orange |

- Many nouns referring to people can be either masculine or feminine according to meaning:

il/la nipote	nephew/niece
l'atleta	male or female athlete
il/la collega	male or female colleague
il/la turista	male or female tourist (and other *-ista* words)

- Some nouns with fixed gender can be used to refer to either male or female people or animals:

la persona	person	*l'elefante*	elephant
la guida	guide	*il pesce*	fish
la vittima	victim	*il ratto*	rat
		il topo	mouse
		la giraffa	giraffe

- Many masculine nouns referring to people (relationships, occupation or profession) have equivalent feminine versions. Some simply change *-o* or *-e* ending to *-a*:

il figlio, *la figlia*	son, daughter
il cugino, *la cugina*	cousin *(m + f)*
il cameriere, *la cameriera*	waiter, waitress

Others have one of the following feminine endings:

-essa:	*il dottore*, *la dottoressa*	doctor *(m + f)*
	il poeta, *la poetessa*	poet *(m + f)*
-trice:	*l'attore*, *l'attrice*	actor, actress
	il redattore, *la redattrice*	editor *(m + f)*

A few have a less regular pattern between masculine and feminine:

l'eroe, *l'eroina*	hero, heroine
il gallo, *la gallina*	cockerel, hen
il re, *la regina*	king, queen

whilst others have separate words:

il fratello, *la sorella*	brother, sister
il padre, *la madre*	father, mother
il marito, *la moglie*	husband, wife

Finally, for some nouns, where a distinction needs to be expressed it can be done using *donna* for women or *femmina* or *maschio* for animals:

il serpente: *la femmina del serpente/il serpente femmina* – snake, female snake
la giraffa: *il maschio della giraffa/la giraffa maschio* – female giraffe, male giraffe

2.1.3 Gender trends

Some general trends in terms of gender follow.

- Metric weights and measures, percentages, and most fractions are masculine, though non-metric ones tend to be feminine:

il 10% (il dieci per cento) – 10 per cent, *l'etto* – 100 grammes, *il chilo* – kilo, *il metro* – metre, *il litro* – litre, *il quarto* – quarter, *la libbra* – pound, *la pinta* – pint, *il miglio* – mile (plural = *le miglia*, feminine)

- Days of the week and months of the year are all masculine except for one, *la domenica* – Sunday.

il lunedì, *il martedì*, *il mercoledì*, etc
gennaio, *febbraio*, *marzo*, etc

- Names of chemical elements and metals are mostly masculine:

l'oro – gold, *l'argento* – silver, *l'acciaio* – steel, *il ferro* – iron, *il fosforo* – phosphorus, *il calcio* – calcium

- Nouns imported from other languages are almost always masculine, especially if they end with a consonant:

il computer, *il manager*, *il goal*, *il rock*, *il design*, *il walkman*

- All names of languages are masculine:

il francese – French, *l'italiano* – Italian, *lo spagnolo* – Spanish

- The names of the points of the compass are masculine:

il nord, *il sud*, *l'est*, *l'ovest*, *il sud-ovest*, *il nord-est*

Note the following literary versions, also masculine:

il settentrione (N), *il meridione* (S), *l'oriente*/*il levante* (E), *l'occidente*/*il ponente* (W), and in popular use, *il Mezzogiorno*, used to refer to the south of Italy.

- Proper names of major geographical features tend to be masculine:

il Tevere – Tiber, *il Lago Maggiore* – Lake Maggiore, *il Mediterraneo* – Mediterranean, *il Monte Rosa* – Mount Rosa, *gli Appennini* – the Apennines, BUT *le Alpi* – the Alps

- Most trees are masculine:

il frassino – ash, *il pino* – pine, *il pero* – pear-tree

- Most fruits are feminine:

la mela – apple, *la fragola* – strawberry

- Names of cities, regions, islands, countries and continents tend to be feminine:

la Toscana, *la Sicilia*, *la Svizzera*, *l'Europa*, *la Genova degli anni Sessanta* – Genoa of the sixties

- School subjects are mostly feminine:

la chimica, *la fisica*, *la biologia*, *la geografia*, *la storia*

- Most abstract nouns and concepts are feminine, though there are exceptions:

la felicità – happiness, *la tristezza* – sadness, *la frequenza* – frequency, BUT *l'amore* – love, *il dolore* – pain

➤ **Exercises 1, 2**

2.2 Plurals of nouns

Being even closer to Latin than languages like French and Spanish, Italian does not form the plural of nouns by adding -*s*. Instead, the system is fairly complex, though time, practice and experience will help you to master it. Here are the main patterns.

- Masculine nouns ending in -*o* and -*a* change to -*i*:

il ragazzo	boy	*i ragazzi*	boys
il sistema	system	*i sistemi*	systems

- Feminine nouns ending in *-a* change to *-e*:

la ragazza   girl   *le ragazze*   girls

- Masculine and feminine nouns ending in *-e* change to *-i*:

il cognome   surname   *i cognomi*   surnames
la luce   light   *le luci*   lights

Some nouns follow different patterns.

- A few feminine nouns ending in *-o* do not change in the plural (they are abbreviations of their fuller forms):

l'auto   car   *le auto*   cars
la foto   photo   *le foto*   photos
la moto   motorbike   *le moto*   motorbikes
la radio   radio   *le radio*   radios

The same is true of nouns ending in *-i* and some ending in *-ie:*

la crisi   crisis   *le crisi*   crises
la serie   series   *le serie*   series

Note also:

la bici   bike   *le bici*   bikes

- Feminine nouns ending in accented vowels do not change in the plural:

la città   town   *le città*   towns
la virtù   virtue   *le virtù*   virtues

- *La mano* (hand) in the plural becomes *le mani* (hands).

- A couple of feminine nouns change their ending from *-a to -i*:

l'ala   wing   *le ali*   wings
l'arma   weapon   *le armi*   weapons

- The following masculine nouns do not change in the plural:

l'autobus   bus   *gli autobus*   buses
il bar   bar   *i bar*   bars
il re   king   *i re*   kings
lo sci   ski   *gli sci*   skis

Neither do masculine nouns ending in accented vowels:

il tè	tea	*i tè*	teas
il giovedì	Thursday	*i giovedì*	Thursdays (and other days)

- Some masculine nouns become feminine in the plural, changing both their ending and their gender:

l'uovo	egg	*le uova*	eggs
il paio	pair	*le paia*	pairs
il miglio	mile	*le miglia*	miles
il braccio	arm	*le braccia*	arms
l'orecchio	ear	*le orecchie*	ears
il ginocchio	knee	*le ginocchia*	knees
il dito	finger	*le dita*	fingers
(il) centinaio	about a hundred	*(le) centinaia*	hundreds
(il) migliaio	about a thousand	*(le) migliaia*	thousands
mille	thousand	*mila*	thousands

- Nouns ending in *-io* form their plural in *-ii* if the *-i* is stressed, and in *-i* if it is not:

lo zio	uncle	*gli zii*	uncles
il negozio	shop	*i negozi*	shops

- Many nouns ending in *-co/-ca* and *-go/-ga* need the insertion of an *-h-* to keep the *c* or *g* hard:

l'amica	friend	*le amiche*	friends
il collega	colleague	*i colleghi*	colleagues
il fico	fig	*i fichi*	figs
il lago	lake	*i laghi*	lakes

But not all such nouns do this; others simply change the pronunciation of the *c* or *g* in the plural form:

il medico	doctor	*i medici*	doctors
l'amico	friend	*gli amici*	friends

- Other irregular plurals:

la moglie	wife	*le mogli*	wives
l'uomo	man	*gli uomini*	men
il bue	ox	*i buoi*	oxen
la faccia	face	*le facce*	faces
la spiaggia	beach	*le spiagge*	beaches
il dio	god	*gli dei*	gods

(In fact as far as **Dio** is concerned, most Italians would say no plural is possible.)

- Compound nouns form their plurals according to the nature of the components of which they are made up; they follow complex rules, and it is best to learn each one individually when you come across it. Many consist of two nouns put together, others consist of a verb + a noun:

il passaporto	passport	*i passaporti*	passports
il capolavoro	masterpiece	*i capolavori*	masterpieces

- Finally, some nouns have two plural forms, each with a different meaning.

il corno	horn	*i corni* horns (instruments)
		le corna horns (of an animal)
il membro	member	*i membri* members (of group/Parliament etc.)
		le membra limbs (of body)
il muro	wall	*i muri* walls (of house)
		le mura walls (of city/castle)

 **Exercise 3**

2.3 **Summary**

The majority of nouns follow one of the patterns shown below:

Masculine		Feminine	
Singular	Plural	Singular	Plural
-o	-i	-a	-e
-e	-i	-e	-i

METTETEVI A PUNTO!

1 Genere

Metti i seguenti sostantivi nella colonna corretta: maschile/femminile; se preferisci, puoi scrivere *m* o *f* accanto ad ogni sostantivo.

Puoi anche aggiungere l'articolo determinativo (vedi 3.1.1).

Poi, volgi questi sostantivi al plurale.

Maschile	Femminile

clima; uomo; fine; occhio; stazione; yacht; mano; cane; zingaro; jazz; miseria; domenica; voce; infermiera; attore; canale; moto; uovo; costume; bici; orecchio; sale; sport; specie; poeta; turista; scultore; motel; porta; felicità

2 L'altro sesso!

a Qual è la forma femminile dei seguenti sostantivi?

il toro	il poliziotto
l'avvocato	il cugino
il parrucchiere	il pesce
il ciclista	l'eroe
l'ingegnere	l'elefante

b Qual è la forma maschile dei seguenti sostantivi?

la professoressa	la signora
la scrittrice	l'atleta
la zia	l'infermiera
la regina	la moglie
la collega	la figlia

3 Il ritaglio

Ecco un articolo di un giornale on-line. Abbiamo tagliato ogni indicazione – o quasi – del genere dei sostantivi <u>sottolineati</u>. Copia ogni sostantivo sottolineato, indicando il genere con *m* o *f*. Poi aggiungi le parole mancanti o le finali delle parole incomplete.

> **Il Capodanno degli italiani, a casa con parenti e amici**
>
> È ancora . . (1) . . <u>casa</u> . . (2) . . <u>luogo</u> preferito per . . (3) . . <u>Capodanno</u>, anche se aumentano . . (4) . . <u>italiani</u> in vacanza in Italia o che vanno a . . (5) . . <u>ristorante</u>. Spendiamo 2,7 miliardi di euro per mangiare fuori, e 265 milioni di euro per . . (6) . . <u>fuochi d'artificio</u>. Intanto, più di cinque milioni di persone stanno facendo . . (7) . . <u>valigie</u> per trascorrere . . (8) . . <u>Capodanno</u> in vacanza e altri 5 milioni sono fuori casa già da Natale.
>
> . . (9) . . <u>statistiche</u> sono di *Telefono Blu*, . . (10) . . <u>associazione</u> d . . (11) . . <u>consumatori</u>. . . (12) . . 69% viaggerà in auto, . . (13) . . <u>18%</u> in aereo, mentre . . (14) . . <u>13%</u> utilizzerà . . (15) . . <u>nave</u> o . . (16) . . <u>traghetto</u>. *Telefono Blu* calcola che circa dieci milioni d'italiani a Capodanno saranno lontani almeno 150 chilometri da casa per . . (17) . . <u>periodo</u> di almeno cinque giorni.
>
> Più di 2 milioni viaggeranno . . (18) . . <u>estero</u>. In testa a . . (19) . . <u>scelte</u> Parigi, seguita da Madrid e poi da Praga, Berlino e Vienna. Seguono . . (20) . . <u>zone</u> di montagna d . . (21) . . <u>Alpi</u> e quindi Costa Azzurra, Croazia e Slovenia. . . (22) . . <u>altro milione</u> di 'vacanzieri' sceglierà oltre . . (23) . . <u>Unione</u> Europea, con destinazione privilegiata, . . (24) . . <u>tropici</u>: Caraibi, Oceano Indiano e America . . (25) . . <u>Sud</u> dove trionfa . . (26) . . <u>Brasile</u>; seguono . . (27) . . <u>Estremo Oriente</u> e . . (28) . . <u>Stati Uniti</u>, nonostante . . (29) . . <u>difficoltà</u> per ottenere . . (30) . . <u>visto</u> d'ingresso.
>
> (*Italia Online, Canali Libero, Affari italiani,*
> *http://canali.libero.it/affaritaliani/cronache.html, mercoledì 28.12.2005*)

4 Riunione!

Forma dei sostantivi composti unendo le parole, e indica anche il genere, come nell'esempio: **capo + lavoro = il** capolavoro

A	B
porta	cielo
capo	forte
cava	lavoro
attacca	tappi
apri	panni
gratta	cenere
capo	scatole
cassa	stoviglie
sotto	passaggio
lava	stazione

 # METTETEVI IN MOTO!

5 Facciamo un po' di turismo

Parlate della vostra regione: dei paesi, delle città, dei fiumi, delle montagne ecc. Se sapete qualcosa della geografia italiana, potete anche parlare dell'Italia.

Esempio:

Abito nel sud-ovest dell'Inghilterra. Ci sono dei paesi molto belli, un fiume che si chiama Dart, le colline di Dartmoor...

6 Invasione linguistica!

L'italiano ha 'adottato' un sacco di parole inglesi. Fatene una lista, mettendo il genere, e se potete, anche l'articolo determinativo. Se avete una rivista o un giornale italiano, potete cercare delle parole inglesi in un articolo, soprattutto se si tratta di moda, di sport o di musica rock, del mondo dei computer o della scienza. Aggiungete anche il significato e l'origine della parola, e mettetela al plurale – se è possibile!

Esempi:

il manager M, manager, affari/sport, i manager
il take-over M, takeover, affari, i takeover
gli short M, shorts, moda

7 Le nozze!

Parlate dei regali che volete comprare per le nozze di un(a) compagno/a o per un(a) professore(ssa). Pensate bene al genere e al plurale delle parole che usate. Dopo, fatene un elenco.

Esempio:

A: *Compriamo una macchina fotografica?*
B: *No, meglio un orologio...*

8 La catenina d'oro

Iniziando con la parola 'oro', ognuno deve dire un sostantivo che comincia con l'ultima lettera o l'ultima sillaba della parola precedente ... ma deve ripetere tutte le parole della catena!

Esempio:

3 Articles

This chapter deals with two types of article: definite (equivalent to 'the' in English) and indefinite (equivalent to 'a' or 'an'). The partitive article ('some', 'any') is dealt with in Chapter 13.

3.1 The definite article – l'articolo determinativo

3.1.1 Forms

The definite article ('the') is usually used to specify a particular noun. In Italian it has several forms, used according to the gender, number and first letter(s) of the noun to which it is related.

The full range of definite articles in Italian is as follows:

Singular					Plural		
Masculine			**Feminine**		**Masculine**		**Feminine**
il	lo	l'	l'	la	i	gli	le

- **Masculine singular nouns:**

Most use *il*:

il professore	the teacher
il libro	the book
il ragazzo	the boy

Nouns beginning *s* + consonant, *z*, *gn*, *x*, *y/i* + vowel, *pn*, *ps* use *lo*:

lo specchio	the mirror
lo zingaro	the gypsy
lo yogurt	the yoghurt

Nouns beginning with a vowel use *l'*:

l'uomo	the man
l'argomento	the subject

- **Masculine plural nouns:**

Most use *i*:

i professori	the teachers
i libri	the books
i ragazzi	the boys

Nouns beginning with a vowel or with any of the letters listed for *lo* above use *gli*:

gli specchi	the mirrors
gli zingari	the gipsies
gli uomini	the men
gli argomenti	the subjects
gli psichiatri	the psychiatrists

- **Feminine singular nouns:**

Most use *la*:

la casa	the house
la macchina	the car
la signora	the lady

Nouns beginning with a vowel use *l'*:

l'acqua	the water
l'idea	the idea

- **Feminine plural nouns:**

All use *le*:

le case	the houses
le macchine	the cars
le signore	the ladies
le acque	the waters
le idee	the ideas

Where an adjective goes between the article and the noun, the application of the above rules depends on the spelling of the adjective and not on the noun:

la ragazza (the girl) but *l'altra ragazza* (the other girl)
lo specchio (the mirror) but *l'altro specchio* (the other mirror)
l'aereo (the aircraft) but *il nuovo aereo* (the new aircraft)

Exercises 1, 2

3.1.2 Use and omission of the definite article

The definite article is used as in English to specify something being referred to:

*Questa è **la** macchina che volevo comprare.*
This is **the** car which I wanted to buy.

The definite article is also used in Italian (but **not** in English):

- when referring to something in a generalised sense, when the nouns denote the whole of their class or an abstract concept:

  *Mi piace molto **il** vino italiano.*
  I love Italian wine.

  ***L'**insegnamento è così importante.*
  Teaching is so important.

- with courtesy titles, except when addressing a person directly:

  ***L'**ingegner Enzo Ferrari*
  Engineer Enzo Ferrari

  *C'era **la** dottoressa Rosaria Piccolo*
  Doctor Rosaria Piccolo was there.

  Buona sera, signor Radente.
  Good evening, Mr Radente.

- with geographical names such as countries, continents, islands, regions, mountains, lakes and rivers:

  *Mi piacerebbe visitare **gli** Stati Uniti e **la** Cina.*
  I'd like to visit **the** United States and China.

  ***Il** Lago di Garda è il lago più bello della* Lombardia.*
  Lake Garda is the most beautiful lake in Lombardy.

  ***Il** Monte Rosa si innalza vicino al Passo del* Sempione.*
  Mount Rosa rises up near the Simplon Pass.

*See section 3.1.3 for combination of prepositions + definite article.

✏️ This is not the case with names of towns unless a definite article is included in the name anyway, or when the name is accompanied by an adjective or an adjectival phrase:

La Spezia non è lontana da Genova.
La Spezia is not far from Genova.

L'anno prossimo vorrei visitare Venezia.
Next year I'd like to visit Venice.

La bella Venezia è la città dei miei sogni.
Beautiful Venice is the city of my dreams.

With *andare in* followed by the name of a country, no article is used with singular names or when the name of the country is not qualified by an adjective:

L'anno scorso siamo andati in Spagna, ma quest'anno andiamo negli Stati Uniti.
Last year we went to Spain, but this year we are going to the United States.

• with possessive adjectives and pronouns (but see Chapter 9, sections 9.1.2–9.1.3 for exceptions):

Il nostro professore deve correggere i nostri quaderni.
Our teacher has to correct our exercise books.

La mia casa è più grande della tua.
My house is larger than yours.

• in expressions of time:

È l'una e dieci.
It is ten past one.

Sono le dieci meno venti.
It is twenty to ten.

Il giovedì mangiamo sempre i tortellini.
On Thursdays (every Thursday) we always eat tortellini.

La settimana prossima andiamo in Italia.
Next week we go to Italy.

Per me, il 1968 è stato un anno molto importante: ho conosciuto mia moglie!
1968 was a very important year for me: I met my wife!

Note: it is not used in the following:

È mezzogiorno/mezzanotte.
It is midday/midnight.

Comincerò il corso lunedì.
I'll begin the course on Monday.

(when a specific day of the week is referred to)

• in referring to languages:

Mi piacerebbe studiare il portoghese.
I'd like to study Portuguese.

except immediately after *parlare*:

Parlo spagnolo e francese.
I speak Spanish and French.

Non parlo bene il tedesco.
I don't speak German well.

- in certain expressions of price, quantity, percentages and speeds:

  *Questo formaggio costa dieci euro **al** chilo.*
  This cheese costs 10 euros per kilo.

  ***Il** 47% dei ragazzi italiani ottiene il diploma di maturità.*
  47% of Italian youngsters obtain the school leaver's certificate.

  *La nuova Ferrari fa più di trecento chilometri **all'**ora/**l'**ora.*
  The new Ferrari goes at more than 300 kilometres per hour.

- in expressions referring to parts of the body, especially when they are the object of the verb, and instead of the English possessive adjective (see also Chapter 24, section 24.1, 'Reflexive verbs'):

  *Mi sono lavato **la** faccia prima di uscire.*
  I washed **my** face before going out.

  *Alessandro si è rotto **il** braccio nell'incidente.*
  Alessandro broke **his** arm in the accident.

  *Quando vanno a scuola con tanti libri, i bambini portano troppo peso **sulla** schiena.*
  When they go to school with so many books, children are carrying too much weight on **their** backs.

- in certain expressions such as ***tutti e due*** and ***entrambi***:

  *Tutti e due **gli** studenti avevano ottenuto il diploma.*
  Both students had obtained the certificate.

In addition to the cases mentioned above, the definite article is not used:

- in adverbial expressions of place, especially after ***in*** and ***a***:

  Andiamo a scuola a piedi.
  We go to school on foot.

  Andiamo in macchina.
  We are going in the car.

  Mio cugino è in montagna.
  My cousin is in the mountains.

  Domani tornerà a casa.
  Tomorrow he'll come home.

- when one noun is in apposition (i.e. in parallel) to another or to a name:

  Roberto Benigni, regista italiano, ha vinto tre Oscar per il film 'La vita è bella'.
  Roberto Benigni, the Italian film director, won three Oscars for the film *Life is beautiful*.

3.1.3 The definite article in combination with prepositions

The definite article combines with some common prepositions to form a single word.

	il	**lo**	**l'**	**la**	**i**	**gli**	**le**	
a	al	allo	all'	alla	ai	agli	alle	*to/at/in/on the*
di	del	dello	dell'	della	dei	degli	delle	*of the*
da	dal	dallo	dall'	dalla	dai	dagli	dalle	*from the*
in	nel	nello	nell'	nella	nei	negli	nelle	*in/to the*
su	sul	sullo	sull'	sulla	sui	sugli	sulle	*on the*

*Le lezioni durano **dalle** nove **alle** quattro. La mattina, durante la lezione di matematica, risolviamo **dei*** problemi molto difficili. Dopo pranzo, facciamo ginnastica: facciamo **degli*** esercizi **nella** palestra **della** scuola.*
Classes last from nine until four. In the morning, in the maths class, we solve very difficult problems. After lunch, we have physical education: we do some exercises in the school gymnasium.

*See also Chapter 13, sections 13.1.1–13.1.2.

3.2 The indefinite article – l'articolo indeterminativo

3.2.1 Forms

The indefinite article is used in Italian, as in English, for an 'unspecified' noun. It corresponds to English 'a' or 'an'. In Italian it has four forms, used as follows:

un is used before most masculine words:

un amico, *un ragazzo*, *un uomo*, *un libro*, *un computer*, *un Paese* –
a friend, a boy, a man, a book, a computer, a country

uno is used with masculine nouns beginning with *s* + consonant, *z*, *gn*, *x*, *y/i* + vowel, *pn*, *ps*:

uno sbaglio, *uno studente*	a mistake, a student
uno zio, *uno zabaglione*	an uncle, a zabaglione
uno xilofono, *uno yacht*	a xylophone, a yacht

una is used in front of all feminine nouns except those beginning with a vowel:

una ragazza, *una piazza*, *una macchina*, *una scuola*, *una religione* –
a girl, a square, a car, a school, a religion

un' is used before all feminine words starting with a vowel:

un'arancia, *un'esplosione*, *un'isola*, *un'occhiata*, *un'unità* –
an orange, an explosion, an island, a glance, a unit

✐ If the indefinite article is separated from the noun by an adjective, the choice of indefinite article will depend on the first letter(s) of that adjective:

uno studente	a student	but:	**un bravo studente**	a good student
un ragazzo	a boy	but:	**uno stupido ragazzo**	a stupid boy
un'amica	a (female) friend	but:	**una bell'amica**	a beautiful friend
una caramella	a sweet	but:	**un'altra caramella**	another sweet

➡ **Exercise 3**

3.2.2 Use and omission of the indefinite article

The indefinite article is used:

* to refer to a person or thing, but not a specific individual:

un ragazzo della classe   a boy in the class
una casa che si trova vicino alla nostra   a house which is near ours

> *Vorrei **un** giornale.*
> I'd like **a** newspaper.

> *Mi dia **una** tazza di tè, per favore.*
> Give me **a** cup of tea, please.

* for emphasis:

> *Abbiamo **una** paura!*
> We are so afraid!

but not in expressions with **che**:

> *Che macchina!*
> What a car!

* to express an approximation:

> *Staremo **una** quindicina di giorni qui a Stresa.*
> We'll spend about two weeks here in Stresa.

> *Ci resta **un** centinaio di chilometri da fare per arrivare a Napoli.*
> We have about one hundred kilometres to do to get to Naples.

The indefinite article is not used (where it is used in English):

* when referring to a job, role or profession, especially after **essere** and **diventare**, except when qualified by an adjective or adjectival phrase:

> *Lui vuole diventare dottore, e lei è già professoressa.*
> He wants to become a doctor, and she is already a teacher.

*La mia amica è **un'**infermiera molto brava.*
My friend is a very good nurse.

- in the following types of expression with **da**:

Quando andremo insieme in Italia, potrai fare da interprete.
When we go to Italy together, you can act as interpreter.

Da piccolo, mi piaceva giocare con il trenino.
As a child, I used to like playing with my toy train.

- before **mezzo/a**:

Vorrei mezzo chilo di riso, per favore.
I'd like half a kilo of rice, please.

Sono le tre e mezza. Enzo arriverà fra mezz'ora.
It is half past three. Enzo will arrive in half an hour.

- in 'What a …' exclamations after **che**, with or without an adjective:

Che bella bambina!
What a beautiful little girl!

Ma che peccato essere a Venezia senza soldi!
But what a shame to be in Venice with no money!

Exercises 4, 5

See also Chapter 44.

 # METTETEVI A PUNTO!

1 L'alfabeto

Metti la forma corretta dell'articolo determinativo davanti a questi sostantivi, alcuni dei quali sono irregolari (vedi 3.1.1).

Esempio:

l'angolo

> angolo, bicicletta, carta, dolore, elefante, farfalla, generale, handicap, inglese, jeans, kayak, lavoro, mano, nascita, opera, problema, questione, ragù, spettacolo, tivù, umano, valore, weekend, xenofobia, yogurt, zucchino

2 Le vacanze

Completa questo brano scegliendo la forma corretta dell'articolo determinativo. In alcuni casi devi scegliere la forma corretta dell'articolo unito ad una preposizione; ci sono anche degli spazi in cui non è necessario l'articolo. Sotto il brano troverai tutte le parole di cui avrai bisogno.

Finalmente sono arrivate . . (1) . . vacanze! . . (2) . . anno scorso siamo andati . . (3) . . (in)Italia, . . (4) . . (in) regione che si chiama Liguria. Siamo andati . . (5) . . (in) macchina . . (6) . . (da) casa fino . . (7) . . (a) Folkestone, poi abbiamo preso . . (8) . . traghetto per . . (9) . . Boulogne. Siamo arrivati . . (10) . . (in) Italia ventiquattro ore dopo. . . (11) . . viaggio . . (12) . . (in) macchina fino . . (13) . . (in) Liguria è durato più o meno dieci ore. Siamo arrivati . . (14) . . (a) campeggio . . (15) . . (a) sei di sera.

Abbiamo trascorso molto tempo . . (16) . . (in) piscina, ed abbiamo anche visitato . . (17) . . paesi e . . (18) . . città . . (19) . . (di) dintorni. Abbiamo anche visto . . (20) . . spettacolo folcloristico in un paese vicino . . (21) . . (a) campeggio. Dopo due settimane di vacanza e sole siamo tornati . . (22) . . (a) casa.

| l' | i | al (x2) | nella (x2) | dei | il (x2) | lo | le (x2) | alle |

3 Articoli senza definizione

Scrivi l'articolo indeterminativo corretto davanti a questi sostantivi, ma attenzione, perché alcuni sono un po' complicati!

Esempio:

un aereo

aereo, arancia, borsa, cappello, chianti, disegno, edicola, elenco, foto, gabbiano, gnocco, indagine, invito, jazzista, lampada, mano, moto, naso, oliva, orologio, pillola, psicologo, questione, ruota, sigaro, sigaretta, spuntino, televisione, vino, xilofono, zanzara

4 Complicazioni!

Le cose non vanno sempre come previsto. In questo esercizio, devi scegliere tra l'articolo determinativo e l'articolo indeterminativo. Ma attenzione, perché in alcuni casi non avrai bisogno di scrivere niente nello spazio!

Quest'estate, volevamo andare in Italia per . . **(1)** . . quindicina di giorni. Avevamo . . **(2)** . . intenzione di partire . . **(3)** . . (in) prima settimana di agosto. Ma, che peccato! Non possiamo fare . . **(4)** . . viaggio che volevamo fare: per andare in Italia in . . **(5)** . . macchina, si deve prenotare . . **(6)** . . biglietto per prendere . . **(7)** . . traghetto o per passare sotto . . **(8)** . . galleria della Manica. Ma perché non possiamo organizzare . . **(9)** . . vacanza dei sogni? Perché dove lavora . . **(10)** . . mia moglie ci sono soltanto due persone in tutto, e . . **(11)** . . collega di . . **(12)** . . mia moglie è andata a lavorare in . . **(13)** . . altro posto. Allora, . . **(14)** . . mia moglie non può prendere . . **(15)** . . vacanze quando vuole, ed è troppo tardi per trovare . . **(16)** . . sostituta. Chissà quando potremo andare in . . **(17)** . . vacanza!

5 Traduzione

Un amico parla delle vacanze. Traduci queste frasi in italiano, ma attenzione all'uso degli articoli!

1 My friend is a student in London: he is studying to be a doctor.
2 This summer we are going to France and Italy by Inter-Rail.
3 We hope to go to Florence, Venice and Rome if we have the time.
4 On the train we will be able to speak French and Italian to the other travellers.
5 In the two months we will be away, we will practise the languages a lot.
6 I need to find work to get the money for the trip.
7 Before we go, we will spend a few days at my friend's house on the coast in the south of England.
8 He lives close to the beach in a seaside town in Sussex.
9 His sister may come with us.
10 Like us, she loves travel and languages, but she has never been to Europe.

. . . METTETEVI IN MOTO!

6 I spy

In gruppi di tre o quattro, giocate a 'I spy', usando l'articolo determinativo o indeterminativo per fare riferimento agli oggetti intorno a voi.

Esempio:

A: *Vedo una cosa che comincia con a.*
B: *È un'arancia?*
A: *No.*
C: *È un albero?*

7 Regali

Domani è il compleanno del vostro amico/della vostra amica, o forse del vostro professore/della vostra professoressa. Che cosa gli/le volete comprare di regalo? Discutete tra di voi usando gli articoli appropriati.

Esempio:

A: *Allora, che cosa compriamo per Antonella/il professore?*
B: *Forse una penna o un dizionario . . .*
C: *Non sarebbe meglio comprare il nuovo CD di Zucchero?*
A: *No, preferisce la musica classica.*

8 Prova di geografia

Lavorando in coppia, fate la prova di geografia: uno dice il nome di un Paese, l'altro deve dire la lingua del Paese; poi dite dove abita il presidente o il monarca del Paese.

Esempio:

L'Inghilterra – l'inglese – la regina abita a Londra.

9 Il redattore malizioso

Chiedi al tuo professore la fotocopia di un articolo preso dalla stampa italiana. Poi cancella tutti gli articoli. Fa' un'altra copia dell'articolo, e dalla a un(a) amico/a che deve mettere gli articoli corretti negli spazi che avrai lasciato.

10 Le ambizioni

Discutete tra di voi che lavoro volete fare, spiegando le vostre ambizioni e facendo delle domande. State sempre attenti agli articoli: chi fa un errore perde dieci punti!

Esempio:

A: *Qual è la tua ambizione?*
B: *Vorrei diventare marinaio su una nave di linea o pilota di aereo.*
A: *Ma perché?*
B: *Perché voglio conoscere il mondo e visitare Paesi stranieri. E tu?*
A: *Voglio diventare maestro/a, perché mi piace lavorare con i bambini*

4 Adjectives

MECCANISMI

An adjective describes a noun or pronoun, adding information: this house is *small*, a *large* one. The two essential things to know about using adjectives in Italian are:

- agreement – the adjective has to match in gender (*m/f*) and number (*sing./pl.*) the noun(s) or pronoun(s) it describes;

- position – the position of adjectives is not the same as in English, so the simple rules (see section 4.2) have to be remembered.

4.1 The agreement of adjectives

4.1.1 Regular adjectives

- Adjectives with a masculine singular ending in *-o* (this is the form you will find in a dictionary) change the *-o* to *-a* in the feminine, to *-i* in the masculine plural and *-e* in the feminine plural:

il figlio biondo	⟶ *i figli biondi*	the blond son(s)
la figlia bionda	⟶ *le figlie bionde*	the blond daughter(s)
l'agente segreto	⟶ *gli agenti segreti*	the secret agent(s)
l'attrice famosa	⟶ *le attrici famose*	the famous actress(es)

- Some adjectives have one singular form ending in *-e* and one plural form ending in *-i*; they do not have different masculine and feminine forms:

il limone verde	⟶ *i limoni verdi*	the green lemon(s)
la moglie intelligente	⟶ *le mogli intelligenti*	the intelligent wife (wives)
il compito semplice	⟶ *i compiti semplici*	the simple task(s)
la macchina elegante	⟶ *le macchine eleganti*	the elegant car(s)

The exception to this is that adjectives ending in *-one* in the masculine singular change to *-ona* in the feminine singular and to *-oni* and *-one* in the masculine and feminine plural:

un alunno chiacchierone	a talkative pupil
un'alunna chiacchierona	a talkative (girl) pupil
degli alunni chiacchieroni	talkative pupils
delle alunne chiacchierone	talkative (girl) pupils

Singular		Plural	
Masculine	**Feminine**	**Masculine**	**Feminine**
-o	-a	-i	-e
-one	-ona	-oni	-one
-e		-i	

4.1.2 Irregular adjectives

- Adjectives ending in **-a** in both masculine and feminine singular have a masculine plural form ending in **-i** and a feminine plural ending in **-e**.

un uomo egoista	a selfish man	*uomini egoisti*	selfish men
una donna egoista	a selfish woman	*donne egoiste*	selfish women

- Combinations of two adjectives need special treatment: the first remains in the masculine singular form, the second agrees with the noun/pronoun in the usual way.

    Il Merlin è un elicottero anglo-italiano, risultato della cooperazione anglo-italiana.
    The Merlin is an Anglo-Italian helicopter resulting from Anglo-Italian cooperation.

    Alcuni italo-americani abitano nelle comunità italo-americane.
    Some Italian Americans live in Italo-American communities.

Other examples of frequently used combination adjectives:

un ragazzo sordomuto	a deaf and dumb boy
la macchina grigioverde	the grey-green car
(and other colour combinations)	

- A few adjectives do not change at all; they are usually listed as 'inv.' (invariable) in the dictionary. Examples are: adjectives ending in **-i**, most adjectives of foreign origin, and some which are in fact primarily nouns, mostly describing colour.

un numero pari	an even number
numeri dispari	odd numbers
una battaglia impari	an unequal battle

il cappello blu	the blue hat
i pantaloni blu	the blue trousers
la minigonna blu	the blue miniskirt
le scarpe blu	the blue shoes

Other such colours: *marrone* – brown, *viola* – violet, *rosa* – pink.

- Changing the final letter means that many adjectives need a spelling change to preserve their original pronunciation. This affects adjectives ending in **-co** or **-go**, where an **h** is used in some forms to 'protect' the **c** or **g** and thus maintain their 'hard' pronunciation.

4.1.3 Adjectives ending in -co with stress on the penultimate syllable:

poco/poca/pochi/poche – little

Exception: *greco/greca/greci/greche* – Greek

4.1.4 Adjectives ending in -co with stress before the penultimate syllable usually have masculine plural in -ci:

pubblico/pubblica/pubblici/pubbliche – public

Exception: *carico/carica/carichi/cariche* – loaded/laden

4.1.5 Adjectives ending in -go, wherever stressed:

lungo/lunga/lunghi/lunghe – long
analogo/analoga/analoghi/analoghe – similar

- The other group of adjectives that needs a spelling change is that ending in *-io*. Their masculine plural form ends in *-i*:

contrario/contraria/contrari/contrarie – contrary

except when the adjective ends in a stressed *i* followed by *o*:

natio/natia/natii/natie – native
stantio/stantia/stantii/stantie – stale

- A few adjectives ending in consonant + *-cio* and *-gio* have an irregular feminine plural form in which the *-i-* drops out:

liscio/liscia/lisci/lisce – straight, smooth
saggio/saggia/saggi/sagge – wise

- The following adjectives, when they precede a noun, have forms which depend on the first letter(s) of the following noun:

buono – good, *grande* – big, great, large, *bello* – beautiful.

They are all regular when they follow the noun.

Exercises 1, 2, 3

4.1.6 *Buono*

Buono behaves like **uno**, and shortens to **buon** before all masculine nouns other than ones beginning with **z** or **s** + consonant, **gn**, **ps** and **x**, and to **buon'** before feminine nouns beginning with a vowel. In the plural it is regular. It is shown with the forms of **uno** for comparison:

	Masculine			Feminine	
generally	*s + cons, etc.*	*+ vowel*	*generally*	*+ vowel*
un	uno	un	una	un'
buon	buono	buon	buona	buon'

un buon libro, **un buon amico**, **un buono spuntino** – a good book/friend/snack
una buon'arancia, **una buona pera** – a good orange/pear

4.1.7 *Grande*

Grande may be shortened to **grand'** before words beginning with a vowel, and **gran** before consonants, except for **s** + consonant, **z**, **gn**, **ps** and **x**, which take the full form; increasingly, the full form **grande** is used rather than one of the shortened forms.

un gran cantante, **un grand'uomo**, **una gran casa**, **una grand'eroina** –
a great singer/man/house/heroine

4.1.8 *Bello*

Like **quello**, **bello** has forms which follow the same pattern as the definite article (see Chapter 3, section 3.1.1):

Singular					Plural		
Masculine			Feminine		Masculine		Feminine
il	lo	l'	la	l'	i	gli	le
bel	bello	bell'	bella	bell'	bei	begli	belle

un bel Paese, **un bell'uomo**, **un bello scoglio**, **una bella bimba** –
a beautiful country/ (handsome) man/rock/little girl

dei bei Paesi, **dei begli uomini**, **dei begli scogli**, **delle belle bimbe** –
beautiful countries/ (handsome) men/rocks/little girls

One final irregular adjective worth noting is **santo**.

Santo is only used before masculine names beginning with **s** + consonant: **santo Stefano**.
Santa is used with all feminine names beginning with a consonant: **santa Margherita**.
Sant' is used with all names beginning with a vowel: **sant'Emilio**, **Sant'Erminia**.
San is used before masculine names beginning with a consonant other than **s** + consonant:
san Michele, **san Pietro**, **san Lorenzo**.

4.2 The position of adjectives

- When an adjective is the complement of a verb – **essere**, **diventare**, **sembrare** – it will be in the same position as it would be in English, usually after the verb which follows the noun it describes:

  Questa ragazza è un po' **chiacchierona**, *e mi sembra un po'* **strana**.
  This girl is a bit **talkative**, and to me she seems rather **strange**.

- The majority of Italian adjectives follow the noun they describe, even when there are several adjectives. Compare the following example with its translation:

  Vorrei comprare una casa **grande**, **moderna**, **comoda** *e* **tranquilla**.
  I'd like to buy a **large**, **modern**, **comfortable**, **quiet house**.

  Note that they are linked by a comma and then **e** between the last two.

- A small number normally go in front of the noun; note that those marked with an asterisk* have irregular forms when they precede the noun, as detailed above.

bello*	beautiful	**cattivo**	bad	**largo**	wide
buono*	good	**giovane**	young	**lungo**	long
breve	short	**grande***	big, large	**piccolo**	small
brutto	bad	**grosso**	big, large	**vecchio**	old

- Adjectives which normally go in front of the noun can be put after it, and those which normally go after can be put in front of the noun, either for effect or as a set phrase:

  Abito in una **grande casa**.
  I live in a **large house**.

  Abito in una **casa grande**.
  I live in a **large house**.

In the second, the size of the house is emphasised because the adjective is in an unusual position: it attracts attention to itself.

  Eravamo in una **pericolosa situazione**.
  We were in a **dangerous situation**.

  La **situazione pericolosa** *in cui ci trovavamo era inevitabile*.
  The **dangerous situation** we were in was inevitable.

- A group of adjectives actually have two different meanings depending on whether they go before or after the noun. The meanings given in the table are not necessarily the only possible meanings for these adjectives, but they will give you some idea of the differences made by position.

	Before noun	After noun
alto	*high*	*tall*
basso	*low*	*small (number)*
buono	*good, able*	*good (quality)*
caro	*dear (person)*	*dear, expensive*
cattivo	*bad, unpleasant*	*bad, evil*
certo	*a certain, some*	*certain, reliable*
diverso	*various, several*	*different*
dolce	*good, sweet*	*fresh (water)*
grande	*great*	*big, tall*
grosso	*big, serious (abstract)*	*big, well built (person)*
nuovo	*new (another)*	*(brand) new*
numeroso	*numerous, many*	*large in number*
povero	*poor, unfortunate*	*poor (financially)*
santo	*blessed (expletive)*	*holy*
semplice	*just, simply*	*simple, easy*
unico	*(only) one*	*unique, special*
vario	*various, several*	*different*
vero	*real (emphatic)*	*true, authentic*

- You need to remember that, whatever their position in the sentence, adjectives take the gender and number of the person or thing they describe:

  La mia amica *è molto* **alta** *ed è veramente* **bella**.
  My girlfriend is very **tall**, and she is really **beautiful**.

- When an adjective stands apart from its noun, but the noun is 'understood', it still has to agree with it:

  I soldati *che ho visto sul treno erano molto* **simpatici**.
  The soldiers I saw on the train were very **nice**.

  Non mi sono piaciuti **i pantaloni grigi** *e nemmeno quelli* **neri**.
  I didn't like **the grey trousers**, nor (even) **the black** ones.

 Exercise 4

4.3 Miscellaneous

- When an adjective refers to two or more nouns:

if both/all are of the same gender, the adjective will agree with them as normal but in the plural:

  La tavola *e* **le sedie** *sono* **vecchie**.
  The table and **chairs** are **old**.

if they are of different gender, the adjective will always be masculine plural:

> *Il televisore, il divano e la moquette sono nuovi.*
> The television, the sofa and the carpet are new.

• In Italian, a noun cannot be used as an adjective as often happens in English, such as in the example 'kitchen window' or the newspaper headline:

SOUTH DEVON PIER FIRE BOY QUIZZED

That headline consists of an adjective, four nouns and a verb in past participle form; three nouns act upon the noun 'boy' as if they were adjectives. Such expressions have to be explained in full: **la finestra della cucina**, and for the headline:

> Un ragazzo è stato interrogato sull'incendio che ha danneggiato un molo del Sud del Devon

• Many adjectives can be used as nouns, expressed in the masculine form in expressions such as:

> *I giornalisti cercano sempre di esagerare il vero.*
> Journalists always try to exaggerate what is true.

> *Lo strano è che i lettori non sempre se ne rendono conto.*
> The strange thing is that the readers don't always realise it.

A more complex way of expressing a similar notion is to use **qualcosa** and **niente** followed by **di** + an adjective:

qualcosa di buono	something good
niente di grave	nothing serious

• Italian has few adjectives to describe the materials objects are made of. The most common way of describing them is to use **di** + noun:

una tavola di legno	a wooden table
un anello d'oro	a gold ring
una forchetta di plastica	a plastic fork

- A whole series of idiomatic expressions are based on the verb **avere** followed by a noun (instead of 'to be' + adjective as in English):

avere caldo	to be hot	**avere torto**	to be wrong
avere freddo	to be cold	**avere paura**	to be afraid
avere fame	to be hungry	**avere vergogna**	to be ashamed
avere sete	to be thirsty	**avere sonno**	to be sleepy
avere ragione	to be right		

Note that many weather expressions in English using 'to be' + adjective are expressed in Italian using **fa** or **c'è** + the appropriate noun, for example:

fa caldo   it's hot   **c'è il sole**   it's sunny

METTETEVI A PUNTO!

1 Armonia

Completa le frasi con la forma corretta degli aggettivi tra parentesi.

1 Questa macchina non è …!   (*nuovo*)
2 I professori d'italiano sono molto …   (*simpatico*)
3 Gli esami sono molto …, però!   (*difficile*)
4 Vorrei una zucca …, per favore.   (*grande*)
5 Prendiamo sempre gli autobus …   (*locale*)
6 Preferisco le ceramiche …   (*artigianale*)
7 Chi è il ragazzo con i capelli …?   (*lungo*)
8 Vi piace la musica …?   (*classico*)
9 Vorremmo due pizze …, per favore. (*napoletano*)
10 In vacanza abbiamo visitato le isole … (*greco*)

2 Un incontro segreto

Devi incontrare una persona sconosciuta all'aeroporto; qualche giorno prima dell'incontro scrivi un messaggio nel quale descrivi in modo dettagliato le tue caratteristiche fisiche e il tuo abbigliamento.

Esempio:

occhi blu, capelli lunghi …
pantaloni rossi, maglietta verde …

Tra le cose che puoi descrivere ci sono:

occhi	scarpe	naso	orecchie	camicetta/camicia/maglietta
giacca	borsa	gambe	gonna	piedi capelli pantaloni

e tra gli aggettivi utili:

nuovo	verde	piccolo	corto	azzurro	lungo	riccio
liscio	leggero	blu	vecchio	di cuoio	bianco	di lana
moderno	di seta		di cotone		marrone	di plastica
nero	rosso	ondulato	giallo	grande	alla moda	grigio

3 Fashion/Montezemolo il più elegante del mondo

Quest'articolo tratta dell'uomo più elegante del mondo, Luca di Montezemolo. Abbiamo tolto tutti gli aggettivi: inserisci le parole mancanti, usando gli aggettivi elencati sotto l'articolo. Nota bene: la lettera finale degli aggettivi ti aiuterà.

Il termine. . (1) . . *elegantia* può avere . . (2) . . significati. Si può essere
. . (3) . . nei modi, nel vestire, nel comunicare e nell'agire. Secondo il   mensile
. . (4) . . *Men's EX* il presidente di Confindustria, Fiat e Ferrari, Luca Cordero di
Montezemolo, è in assoluto l'uomo più . . (5) . . del mondo.

Per la rivista . . (6) . . (che vende . . (7) . . copie) Montezemolo: " È colui che
meglio riesce a bilanciare tra eleganza e originalità, cosa molto . . (8) . . da trovare
nel mondo di oggi, dove esistono uomini d'affari di . . (9) . . spessore, ma non
molto . . (10) . ., oppure uomini d'affari molto . . (11) . ., ma . . (12) . . di
talento".

E ancora: "Montezemolo ha un gusto . . (13) . . nello stile e nella qualità di
. . (14) . . . . (15) . . capo di abbigliamento. Uno stile . . (16) . . al quale riesce
sempre ad aggiungere quel tocco di originalità che lo rende . . (17) . . ".

"La differenza con gli altri – continuano da Tokio – non è data solo dal
. . (18) . . abbigliamento, ma dalla . . (19) . . identità e dal carisma che trasmette".
Nella classifica del mensile promossa tra 450 stilisti, imprenditori del settore,
giornalisti e opinion leader Montezemolo ha superato Ralph Lauren, Primo
Guercilena, Luciano Barbera, Kofi Annan e il Principe Carlo che figura solo
all' . . (20) . . posto.

> (*ItaliaOnLine, Canali Libero, Affari italiani,*
> *http://canali.libero.it/affaritaliani, lunedì 05.12.2005 16:54*)

singolo	classico	diversi	elegante	forte	latino	nipponica
centomila	difficile	eccellente	eleganti	giapponese	grande	privi
sofisticati	ogni	sofisticati	undicesimo		suo	unico

4 Traduzione pericolosa!

Traduci queste frasi in italiano, facendo attenzione alle concordanze!

1 I'd like a nice hot cup of tea!
2 We all live in a yellow submarine.
3 This house is too busy and noisy to work in.
4 She is waiting for a tall, dark, handsome stranger.
5 Both men and women are afraid of growing old.
6 These bicycles and motorbikes are costly.
7 I need new trousers and shirts.
8 Some television programmes are violent and not at all funny.
9 Saint Francis of Assisi was wise, generous and humble.
10 He was looking for something cheap and practical.

 # METTETEVI IN MOTO!

5 Indovinello ...

Guardatevi intorno. Dovete giocare a 'I-spy', usando anche degli aggettivi: indicate le due lettere iniziali delle parole che gli altri compagni dovranno indovinare.

Esempio:

Indovinate che cos'è: *l.b. (lavagna bianca)*
   m.g. (maglietta gialla)

Potete anche provare la versione tradizionale italiana:

È arrivato un bastimento carico di p.v. (piselli verdi!)

6 Guardate bene!

Questa volta dovete scrivere: ogni studente deve scrivere alla lavagna le iniziali di cinque parole che formano una frase. Senza dire niente, gli altri devono indovinare e scrivere le frasi complete, ma senza fare errori di concordanza.

7 Indovina: chi è?

Dovete descrivere qualcuno che non è con voi: che aspetto ha e che cosa indossa?

Esempio:

È un uomo molto bello, bravo e intelligente: chi è? (il professore di latino!)

8 Oggetti smarriti

Hai perso qualcosa, e devi andare all'ufficio oggetti smarriti. Devi descrivere l'oggetto all'impiegato (il tuo compagno/la tua compagna), usando aggettivi appropriati per spiegare quant'è grande, di che colore e di che materiale, ecc.

Esempio:

A: *Che cosa ha perso, signore/signorina?*
B: *Una borsa di plastica azzurra.*
A: *E che cosa c'era dentro?*
B: *Allora, c'erano dei libri d'italiano, una penna stilografica nera ed i miei compiti d'italiano!*

9 Il mercato

Avete una bancarella al mercato: siete fruttivendoli, macellai, pescivendoli, ecc. Ognuno deve gridare, dicendo quanto sono buone le sue merci e spiegando perché. Ma bisogna avere una buona scusa per gridare, perché il/la preside vorrà sapere che cosa sta succedendo in classe!

Esempio:

A: *Ecco delle mele deliziose! Sono state raccolte ieri!*
B: *No, le mie sono più fresche: sono state raccolte questa mattina!*

10 Com'era?

Adesso un'attività un po' più intellettuale: dovete parlare di vari argomenti utilizzando aggettivi astratti. Dopo, fatene un riassunto. Tra gli argomenti possibili:

un film	una guerra
un programma televisivo	una bella/brutta esperienza
un DVD	una vacanza
un libro	un'avventura
un CD	una discoteca
un disastro	una stazione radio
un esame	una notizia
un incontro di calcio/tennis	una religione

Esempio:

Il film "La vita è bella" è appassionante, divertente e tragico.
Questa discoteca è scadente.

5 Adverbs

MECCANISMI

Just as adjectives qualify nouns and pronouns, adverbs qualify:

- verbs (They ate their meal **quickly.**)
- adjectives (The meal was **extremely** delicious.)
- other adverbs (The meal had been prepared **incredibly** carefully.)

Adverbs in Italian fall into one of two categories:

- adverbs which are based on adjectives, just as English adds -ly to an adjective: silent ⟶ silently
- adverbs which are words in their own right, not based on adjectives, though they may be related to one: **bene** – well, **spesso** – often

5.1 Formation of adverbs from adjectives

Most adverbs in Italian are formed by adding **-mente** to the feminine form of the adjective:
silenzioso ⟶ *silenziosa* ⟶ *silenziosamente*

5.1.1 Adjectives whose masculine singular form ends in -o follow the pattern:

fortunato ⟶	*fortunata* ⟶	*fortunatamente*	fortunately
lento ⟶	*lenta* ⟶	*lentamente*	slowly
sincero ⟶	*sincera* ⟶	*sinceramente*	sincerely

5.1.2 Adjectives ending in -e simply add -mente:

dolce ⟶	*dolcemente*	sweetly
frequente ⟶	*frequentemente*	frequently
recente ⟶	*recentemente*	recently

✐ Exception:

violento ⟶	*violentemente*	violently

5.1.3 Adjectives ending in *-le* and *-re* drop the final *-e*, then add *-mente:*

artificiale ⟶	*artificialmente*	artificially
facile ⟶	*facilmente*	easily
particolare ⟶	*particolarmente*	particularly
regolare ⟶	*regolarmente*	regularly

except when the *-le* and *-re* are preceded by another consonant:

folle ⟶	*follemente*	madly
mediocre ⟶	*mediocremente*	mediocrely

5.1.4 One adverb doesn't quite fit the patterns described:

altrimenti   otherwise, differently

5.1.5 These common adverbs are related to adjectives but in irregular ways:

buono	good	⟶	*bene*	well (often abbreviated to *ben*)
migliore	better (adjective)	⟶	*meglio*	better (adverb)
peggiore	worse (adjective)	⟶	*peggio*	worse (adverb)
cattivo	bad	⟶	*male*	badly

5.1.6 Adjectives as adverbs.

The masculine form of an adjective is often used in an adverbial sense:

Marina grida forte.	Marina is shouting aloud.
Ho parlato chiaro?	Have I spoken clearly?
abitare vicino/lontano	to live nearby/far away
lavorare sodo	to work hard
mirare alto	to aim high
picchiare sodo	to hit hard
stare fermo	to keep still
tagliare corto	to cut short
tenere duro	to stand fast
vestire leggero	to dress lightly
andare forte	to go fast, to be fashionable
dormire sodo	to sleep soundly

5.2 Other adverbs

The following are the commonest adverbs not connected to adjectives; some can also be used as adjectives or prepositions.

5.2.1 Adverbs of degree

Used to qualify an adjective or another adverb, these indicate the degree of the quality described:

abbastanza	quite, fairly	*molto*	very
affatto	(not) at all (after a negative)	*più*	more
assai	very	*poco*	little, not very
così	so, in this way	*tanto*	so, so much
meno	less	*troppo*	too (much)

*È una casa **abbastanza** grande.*
It is **quite** a large house.

*Siamo arrivati **molto** presto.*
We arrived **very** early.

5.2.2 Adverbs of time

adesso	now	*oggi*	today
allora	then, at that time	*ora*	now
ancora	yet	*ormai/oramai*	by now
appena	hardly, scarcely	*per ora*	for the time being
domani	tomorrow	*poi*	then, next
dopo	afterwards	*presto*	soon, quickly, fast
già	already	*subito*	at once, immediately
ieri	yesterday	*tardi*	late

5.2.3 Adverbs of frequency

mai	never	*sempre*	always
ogni tanto	every so often	*spesso*	often

5.2.4 Adverbs of place

davanti	in front	*giù*	down
dentro	inside	*lontano*	far away
dietro	behind	*qui, lì*	here, there
dove	where	*sotto*	underneath
dovunque/ovunque	wherever	*su*	above, up
fuori	outside	*vicino*	nearby

5.2.5 Miscellaneous adverbs

anche	also	*nemmeno*	not even
certo	certainly	*perfino*	even
come	as, like	*piano*	slowly
forse	perhaps	*proprio*	exactly, just
forte	strongly, hard, loud, quickly	*pure*	also, too, as well
inoltre	besides	*quanto*	as/how much, as/how many
insieme	together	*quasi*	almost
insomma	in short, all in all	*sicuro*	of course, certainly
neanche	not even	*vero*	really

5.2.6 *-oni* adverbs

A number of adverbs end rather curiously in **-oni**, being based on parts of the anatomy or bodily action:

bocconi	flat on one's face (based on **bocca** mouth)
carponi	on all fours
ciondoloni	dangling, hanging
ginocchioni	on one's knees
a tastoni	gropingly

 Exercise 2

5.3 Adverbial expressions

The addition of **-mente** often makes for rather long adverbs; therefore Italian sometimes uses instead an expression using **con** or another preposition + noun, or the expression **in (un) modo/in (una) maniera** + adjective:

*Arriverà **con certezza** domani.*
He will **certainly** arrive tomorrow.

*Mamma lo farà **senza dubbio**.*
Mum will **undoubtedly** do it.

*Gianni si comporta **in un modo nervoso**.*
Gianni behaves **nervously**.

*Paola si comporta **in una maniera strana**.*
Paola is behaving **oddly**.

There are also many adverbial expressions using *di*, *in*, *a* and *da*, for example:

di certo	certainly	*in alto*	up
di nuovo	again	*in basso*	down
di recente	recently	*in breve*	in short
di sicuro	certainly	*in generale*	generally
di solito	usually	*in grande*	on a grand scale
a lungo	at length	*in mezzo*	in the middle
da lontano	from a distance	*in orario*	punctually, on time
da vicino	closely	*in piccolo*	on a smaller scale

5.4 Position of adverbs

- Adverbs usually follow the verb they qualify:

*Suona **bene** il piano.*
He plays the piano **well**.

*Ho pagato **troppo**.*
I paid **too much**.

- Adverbs of time and those expressing certainty or doubt often precede the verb:

***Oggi** mangiamo i cannelloni.*
Today we are eating cannelloni.

***Forse** andremo in Italia.*
We will **perhaps** go to Italy.

- In compound tenses, a few adverbs of time (***ancora**, **appena**, **già***) go between the auxiliary and the past participle:

*Ha **già** cominciato.*
He has **already** begun.

There is much flexibility and the position of the adverb can alter the emphasis of the sentence.

- Adverbs qualifying adjectives and other adverbs always go in front of the word qualified, just as they do in English.

più frequente	more frequent
meno facilmente	less easily

 Exercises 1, 3

 # METTETEVI A PUNTO!

1 Formiamo degli avverbi!

Trasforma i seguenti aggettivi in avverbi.

Esempio:

abusivamente

abusivo	affettuoso	breve	buono	cattivo
difficile	diretto	efficiente	estremo	facile
gioioso	goloso	impulsivo	innocente	inutile
liberale	migliore	maggiore	necessario	negativo
offensivo	ovvio	particolare	peggiore	radicale
regolare	sensibile	sincero	tragico	vero

Poi inventa una frase nuova per utilizzare alcuni avverbi della lista.

Esempio:

Un signore sta occupando abusivamente la casa di fronte.

2 Motonautica, Cappellini suona la nona

Ecco un articolo che riguarda il campione mondiale di Formula 1 motonautica. Tutti gli avverbi utilizzati nell'articolo sono stati tolti. Inserisci l'avverbio più adatto tra quelli elencati sotto l'articolo.

Il comasco campione del mondo festeggia lo straordinario risultato di Abu Dhabi

Guido Cappellini non rientrerà . . **(1)** . . in Italia perché c'è l'ultimo impegno della stagione da affrontare a Sharjah, negli Emirati. Ma il titolo Mondiale, il nono titolo della sua incredibile carriera – 12 anni di F1 – l'ha . . **(2)** . . vinto nella gara di venerdì ad Abu Dhabi, penultima prova del Mondiale di Formula 1 motonautica. Gli è bastato arrivare terzo al traguardo per guadagnare i punti che . . **(3)** . . gli regalano l'ennesimo trionfo. Nove volte campione del mondo, un record . . **(4)** . . straordinario per il campione del team Tamoil.

"La tensione si tagliava con il coltello prima della corsa di Abu Dhabi, . . **(5)** . . . . **(6)** . . di altre volte. In genere sono . . **(7)** . . freddo, ma questa volta ad ogni rumore strano mi si gelava il sangue. Abbiamo ragionato: era la corsa . . **(8)** . . importante. Vorrei ringraziare . . **(9)** . . i miei sponsor e chi (Tamoil in testa) mi ha lanciato la sfida dei dieci Titoli Mondiali. Per il momento c'è ancora tanta voglia di andare . . **(10)** . . , di raggiungere quota 10. Non lo faccio nell'intento di inseguire un incredibile record, ma solo perché questa è la mia vita. Nove titoli pesano sulle spalle, ma per fortuna sono . . **(11)** . . piazzato".

. . **(12)** . . il Tamoil Team si concede qualche giorno di riposo visto che la prossima settimana è in programma l'ultima prova a Sharjah.

(ItaliaOnLine, sport libero, Affari italiani
http://sport.libero.it/altrisport, domenica 11.12.2005 17:40)

abbastanza	davvero	molto	ora	più (x 2)
avanti	ben	matematicamente	già	pubblicamente	subito

3 Come si fa?

Completa i seguenti consigli e suggerimenti scegliendo un avverbio adatto tra quelli elencati qui sotto e mettendolo nella posizione corretta.

attentamente	educatamente	dolcemente	fuori	sodo	in orario
insieme	piano	regolarmente	silenziosamente		

1 Devi fare i compiti di italiano.
2 Domani mattina dobbiamo andare dal dottore.
3 La prossima volta, dovresti guidare la macchina più …
4 L'anno prossimo, andremo in Francia, va bene?
5 Sarebbe meglio che il cane dormisse in giardino.
6 È meglio andare dal dentista.
7 Se vuoi andare all'università, dovresti lavorare.
8 Quando arrivi a casa dopo mezzanotte, dovresti entrare …
9 Quando vai dal preside, devi parlargli.
10 Se vuoi che la tua ragazza ti ami, devi trattarla …

 # METTETEVI IN MOTO!

4 Facciamo le cose a puntino!

Lavorate in coppia. Uno deve suggerire un'attività, l'altro deve dire come bisogna svolgerla, utilizzando una serie di avverbi appropriati.

Esempio:

Facciamo una pizza? Velocemente, presto, subito.

5 Pubblicità

Ti piacerebbe lavorare in un'agenzia pubblicitaria? Inventa degli slogan per lanciare i seguenti prodotti; fatti suggerire degli avverbi dai tuoi colleghi.

Esempio:

Con un paio di scarpe 'Cagnolino', si camminerà sempre comodamente!

una macchina nuova	uno shampoo speciale
un nuovo tipo di spaghetti	una minigonna alla moda
una vacanza a Venezia	delle scarpe da ginnastica
un vino analcolico	un CD di musica rock
un televisore a schermo grande	un nuovo treno ad alta tecnologia

6 The comparative of adjectives and adverbs

 **MECCANISMI**

There are various ways of comparing people, things, actions: 'more … than', 'less … than', 'as … as', 'not as … as'.

6.1 Adjectives

6.1.1 More … than

In English we either add '-er' to an adjective ('bigger', 'prettier') or use 'more' before the adjective ('more difficult'). In Italian, in all but a few cases, you use *più* + adjective. The word for 'than' is either *di* or *che*.

- *più … di*

    *Elena è **più** giovane **di** Marco.*
    Elena is young**er than** Marco.

    *Mia sorella è **più** ambiziosa **di** me.*
    My sister is **more** ambitious **than** me.

  Note that *di* is used before names (*di Marco*) and pronouns (*di me*). It is also used before numerals and adverbs:

    Questo libro mi è costato più di 25 euro.
    This book cost me more than 25 euros.

    Questo studente è più diligente di prima.
    This student is more diligent than before.

It is not always necessary to express the object of comparison (so you don't need 'than'):

    Giorgio è più portato per le lingue.
    Giorgio is more talented in languages.

- *più … che*

Che is used when comparing two adjectives, adverbs, nouns, pronouns, past participles, infinitives and prepositional phrases that are dependent on the same verb.

    *Il mio compagno di classe è **più** introverso **che** estroverso.*
    My classmate is **more** introvert **than** extrovert.

    *Lo studente ha risposto **più** spontaneamente **che** razionalmente alla mia domanda.*
    The student answered my question **more** spontaneously **than** rationally.

*In genere, abbiamo **più** prove scritte **che** interrogazioni.*
In general, we have more written tests **than** oral tests.

*I nostri docenti hanno criticato **più** me **che** gli altri.*
Our university lecturers criticised me **more than** the others.

*La preside è **più** temuta **che** rispettata.*
The headmistress is **more** feared **than** respected.

*È **più** facile prendere appunti **che** scrivere il tema.*
It's easi**er** to take notes **than** to write the essay.

*Siamo andati alla lezione di informatica **più** per curiosità **che** per necessità.*
We went to the IT lesson **more** out of curiosity **than** necessity.

6.1.2 There are a small number of adjectives with both regular and irregular forms:

buono	good	*più buono*	or	*migliore*	better
cattivo	bad	*più cattivo*	or	*peggiore*	worse
grande	big	*più grande*	or	*maggiore*	bigger
piccolo	small	*più piccolo*	or	*minore*	smaller

On many occasions there is no difference in meaning:

Secondo me, questo vocabolario è più buono/migliore.
In my opinion, this dictionary is better.

On other occasions, however, the irregular forms give rise to a more figurative meaning.

Quello che dicono è di minore importanza.
What they say is of minor importance.

Aspettiamo un'occasione migliore per iscriverci al corso.
Let's wait for a better occasion to enrol on the course.

I genitori devono assumere una maggiore responsabilità per l'indisciplina dei figli.
The parents have to assume greater responsibility for the indiscipline of their children.

If you wish to consider in greater detail the variety of contexts in which these regular and irregular forms can be used, it is worth consulting a good dictionary.

6.1.3 Less ... than

This works in the same way as the 'positive' comparative: you simply use ***meno di*** or ***meno che*** + adjective.

*Questi esami sono **meno** difficili **di** quelli che ho dato al primo anno.*
These exams are **less** difficult **than** the ones I sat in the first year.

Gli altri studenti sono **meno** *dotati* **di** *noi.*
The other students are **less** gifted **than** us.

Voglio fare un compito **meno** *impegnativo.*
I want to do a **less** demanding task.

 Exercise 1

6.1.4 Comparison with a clause

When the object of comparison is a clause, it is possible to use either of the following two constructions.

Per le tasse universitarie abbiamo speso **meno di quanto** *ci aspettassimo.*
Per le tasse universitarie abbiamo speso **meno di quel che** *ci aspettavamo.*
We spent less than we expected on (university) tuition fees.

Note that the subjunctive is used after **di quanto** whereas the indicative is used after **di quel che**.

6.1.5 More and more, less and less

sempre più – more and more   **sempre meno** – less and less

Man mano che la grammatica diviene **sempre più facile**, *gli esercizi che facciamo divengono* **sempre meno difficili**.
As the grammar becomes **easier and easier**, the exercises we do become **less and less difficult**.

6.1.6 Comparing equals

You use *tanto ... quanto* or *così ... come* for 'as ... as':

La nostra scuola è **tanto** *moderna* **quanto** *la vostra.*
Our school is **as** modern **as** yours.

Questa lezione non è **così** *interessante* **come** *quella di ieri.*
This lesson is not **as** interesting **as** yesterday's.

Tanto and *così* are frequently omitted:

La nostra scuola è moderna quanto la vostra.
Our school is as modern as yours.

Tanto/**quanto** are invariable when they qualify adjectives:

Quest'aula non è tanto affollata quanto quella di fronte.
This classroom is not as crowded as the one opposite.

but they **must** agree in number and gender when they qualify nouns:

Ho letto tante riviste quanti giornali.
I've read as many magazines as newspapers.

Exercise 2

50

6.2 Adverbs

Adverbs can be compared in exactly the same ways as the adjectives above:

*Ultimamente abbiamo marinato la scuola **più** spesso **che** in passato.*
Recently we have played truant **more** often **than** in the past.

*Il nostro professore parla **più** lentamente in inglese **che** in italiano.*
Our teacher speaks **more** slowly in English **than** in Italian.

*Gianni non suona **così** bene la chitarra **come** mio fratello.*
Gianni doesn't play the guitar **as well as** my brother.

*Lo scuolabus è partito **più** presto **di quanto** pensassero.*
The school bus left earl**ier than** they thought.

*Quando non ho capito la spiegazione la prima volta, l'insegnante me l'ha spiegata **sempre più** lentamente.*
When I didn't understand the explanation the first time, the teacher explained it to me **more and more** slowly.

Note the irregular comparatives of the following adverbs:

bene	well	**meglio**	better
male	badly	**peggio**	worse
molto	very, much	**più**	more
poco	little	**meno**	less

Oggi mi sento meglio di ieri.
Today I feel better than yesterday.

Tu studi poco ma io studio meno.
You study little but I study less.

Note the expression *il più/il meno* + adverb + ***possibile***:

Le ho spiegato la regola di grammatica il più chiaramente possibile.
I explained the grammatical rule to her as clearly as possible.

Note also the use of ***di più/di meno*** – more/less, most/least – in the following type of construction:

Delle due lingue mi piace di più l'italiano.
Of the two languages I like Italian more.

Quale disegno ti ha colpito di più/di meno?
Which drawing impressed you most/least?

6.2.1 The more … the more, the more … the less

 Note the following:

Più *viaggio,* **più** *voglio viaggiare.*
The more I travel, **the more** I want to travel.

Meno *studio,* **meno** *imparo.*
The less I study, **the less** I learn.

Più *ripasso,* **meno** *capisco.*
The more I revise, **the less** I understand.

➡ **Exercise 3**

METTETEVI A PUNTO!

1 Riflettiamoci bene

Cancella la forma errata, come nell'esempio.

Esempio: Secondo me le lingue sono più interessanti ~~che le~~/delle scienze.

1   L'italiano è sempre stato più facile *che il/del* francese.
2   Io sono molto più diligente *di/che* lei.
3   A casa mio fratello preferisce suonare la chitarra *di/che* fare i compiti.
4   Per l'italiano devo comprarmi un dizionario *maggiore/più grande.* Quello che uso adesso mi è costato *meno che/meno di* 19 euro.
5   In genere la mia amica è più altruista *che/di* egoista. Il suo atteggiamento nei confronti degli altri compagni di classe è *migliore del/più buono che il* mio.

2 Non c'è paragone!

Una ragazza paragona i suoi progressi scolastici a quelli di suo fratello Carlo e dei suoi compagni di classe. Abbina le frasi 1–10 con quelle a–l.

1 Devo confessare che Carlo è molto più motivato	a quanti molti suoi compagni di classe.
2 Ha fatto molti più progressi quest'anno	b sempre più attenzione.
3 A dire il vero ha fatto molti più progressi	c migliori dei miei.
4 È incredibile perché non fa mai tanti compiti	d quante interrogazioni.
5 Va da sé che i suoi voti sono sempre	e come suo cugino, che è veramente una cima.
6 Carlo si rende conto che non è così bravo	f che l'anno scorso.

7	Adesso io cerco di dedicare più tempo ai miei studi	g	che ai miei passatempi.
8	Durante le lezioni faccio	h	di me.
9	Non sono tanto distratta	i	di quanti si aspettassero i suoi professori.
10	Ultimamente ho superato tante prove scritte	l	quanto ero prima.

3 L'ultimo ripasso delle regole!

Traduci in italiano le seguenti frasi.

1 The more I study, the more I like it.
2 In general the lessons I attend are more interesting than boring.
3 In our class there are as many girls as boys.
4 In their area there are more primary schools than secondary schools.
5 When my sister studies at home she eats more fish than meat!
6 The course is more expensive than we thought.
7 Our chemistry teacher is more patient than the one I had last year.
8 The other school is nearer the centre but we like this one more.
9 As I have taken all my exams I go out more often than before.
10 At school we do more sport in winter than in summer.

 # METTETEVI IN MOTO!

4 Che tipo sei?

Utilizzando le varie forme comparative, scrivi almeno dieci frasi che descrivono il più accuratamente possibile il tipo di persona che sei. Confronta la tua descrizione con quella di un compagno di classe.

Esempi:

Sono più estroverso di mio fratello.
Sono molto più ambizioso di una volta.
Alla sera mi piace di più leggere che guardare la televisione.
Mangio più pesce che carne.

5 Sotto tutti gli aspetti io sono più bravo/a di te

A coppie scambiatevi delle osservazioni, utilizzando naturalmente le forme comparative più adatte. Potete farvi dei complimenti oppuro essere un po' critici l'uno dell'altro, se volete!

Non dimenticatevi di concordare gli aggettivi!

Esempi:

Io sono più diligente, più dotato/a e più simpatico/a di te.
Tu sei meno comprensivo/a, meno ambizioso/a e non sei così socievole come me.

6 Ecco le maggiori differenze

Scrivi una lettera a un/a amico/a italiano/a in cui paragoni una città (regione) italiana che hai appena visitato con la città (regione) in cui vivi. Puoi inoltre riferire certe osservazioni che hai fatto durante il soggiorno.

Esempio:

La mia città è molto più grande di Firenze. Però, è più industriale e, senz'altro, meno turistica. C'è più da vedere a Firenze che in tutta la mia regione. Durante il mio soggiorno ho incontrato più stranieri che italiani, più di quel che si poteva immaginare. Il costo della vita è più alto che da noi.

7 Che cosa è cambiato?

A coppie fate un paragone fra la vita attuale e quella di cinque anni fa, prendendo in considerazione il tenore di vita, i vari problemi sociali (povertà, disoccupazione, criminalità, droga ecc.), ed ambientali (traffico, inquinamento) ecc.

Esempi:
- *Secondo me, la qualità della vita attuale è migliore rispetto a cinque anni fa, per esempio...*
- *Fino a un certo punto sono d'accordo, però, ci sono più disoccupati, più senzatetto...*
- *Ma in genere bisogna dire che stiamo meglio, l'inflazione è più bassa, la disoccupazione non è così alta come in tanti altri paesi europei, la gente viaggia di più...*

Annotate tutti i paragoni che fate e confrontateli con quelli di un'altra coppia, discutendo le eventuali differenze.

8 Come ero una volta!

Descrivi come eri una volta – cinque/dieci anni fa – a un compagno di classe. Per facilitare la descrizione puoi portare in classe una foto.

Esempio:

Cinque anni fa avevo più capelli ed erano meno grigi. Adesso non vedo così bene come una volta, per cui devo portare gli occhiali. Ero più grasso perché mangiavo di più e conducevo una vita più sedentaria.

Se preferisci, puoi descrivere un membro della famiglia o una persona che conosci bene.

9 Pubblicità

Cerca sul giornale (italiano o inglese) due annunci per un posto di lavoro che contengano parecchi dettagli. Possono essere per lo stesso tipo di mestiere o per un mestiere differente. Fa'un paragone fra i due annunci sottolineando le differenze e specificando le tue preferenze.

Esempio:

Per poter svolgere questo mestiere bisogna avere più qualifiche.
Questo mestiere mi sembra più interessante ed è anche meglio pagato.
Questo posto di lavoro offre più possibilità di promozione.

Un'importante opportunità nel settore Pubblicità
Ricerchiamo
AGENTI DI VENDITA
Per le zone di Milano, Bergamo, Brescia

Si chiede:
- Un'età compresa tra 24 e 32 anni
- Titolo di studio superiore
- Disponibilità immediata
- Auto Propria
- È gradita precedente esperienza di vendita

Si offre:
- Portafoglio Clienti
- Trattamento economico adeguato all'esperienza maturata
- Un lavoro dinamico e stimolante

Per colloquio preliminare telefonare al n. 0326/325702
oppure inviare curriculum dettagliato a:
M. Rossi – Corso Cavour 35 20123 MILANO

7 The superlative of adjectives and adverbs

MECCANISMI

7.1 The superlative of adjectives

The superlative in English ends in '-est' ('biggest, smallest'), or we use 'most' before the adjective ('most interesting'). For the negative superlative we use 'least' before any adjective. In Italian you use the definite article **il/la/i/le più/meno** followed by the adjective.

> *Di tutte le stazioni balneari questa è sicuramente **la più** rinomata.*
> Of all the seaside resorts this is certainly **the most** renowned.

When the adjective follows the noun, as most do, the article is **not** repeated.

> *Questa è **la** stazione balneare **più** rinomata della regione.*
> This is **the most** renowned seaside resort in the region.

> *Quest'anno dobbiamo scegliere **il** viaggio organizzato **meno** caro.*
> This year we have to choose **the least** expensive package tour.

Note:

• the use of **di** for 'in' after a superlative, as in the example above;

• the use of the subjunctive in a following relative clause dependent on a superlative (see Chapter 37, section 37.1.3 for further details):

> *È il centro storico più interessante che abbiano mai visitato.*
> It's the most interesting historic centre they have ever visited.

The following adjectives have both regular and irregular forms:

il più buono	or	*il migliore*	the best
il più cattivo	or	*il peggiore*	the worst
il più grande	or	*il maggiore*	the biggest
il più piccolo	or	*il minore*	the smallest

> *Il turismo è l'industria maggiore di questa zona.*
> Tourism is the biggest industry in this area.

> *Alcuni turisti si sono comportati nel peggiore nei modi.*
> Some tourists behaved in the worst possible way.

(See Chapter 6, section 6.1.2 for some other differences in meaning.)

 Exercise 1

To say something is 'very', 'extremely', etc. + adjective, you can add **-issimo** to the adjective after removing the final vowel. The **-issimo** ending must agree as usual with the noun it describes. This form is known as **il superlativo assoluto**, 'the absolute superlative'.

Questa guida illustrata è chiarissima.
This illustrated guide is very clear.

La nostra guida era gentilissima.
Our guide was extremely kind.

 Remember that some adjectives ending in **-co**, **-go** and **-io** need spelling adjustments before adding **-issimo** (see Chapter 4, sections 4.1.3–4.1.5 for more detail):

Il primo giorno abbiamo visitato una chiesa antichissima (< antico).
The first day we visited a very old church.

Adjectives can be emphasised in a similar way by placing an adverb such as **molto/assai** – 'very' or **veramente** – 'really' in front of the adjective.

*Grazie di tutto, siete stati **molto** ospitali.*
Thanks for everything, you have been **very** hospitable.

*Questo itinerario mi sembra **assai** complicato.*
This itinerary seems **very** complicated to me.

*Questa gita in pullman è stata **veramente** indimenticabile.*
This coach trip has **really** been unforgettable.

Note the following adjectives that have both regular and irregular absolute superlative forms:

buonissimo	or	**ottimo**	very good
cattivissimo	or	**pessimo**	very bad
grandissimo	or	**massimo**	very big
piccolissimo	or	**minimo**	very small

Durante tutto il viaggio il cibo è stato buonissimo/ottimo.
Throughout the trip the food was very good.

Che andiate a settembre o a ottobre la differenza di costo è minima.
Whether you go in September or October the difference in cost is very small/negligible.

Consult a good dictionary to observe the different uses and meanings of the above forms.

7.2 The superlative of adverbs

These are formed in basically the same ways as for adjectives. A commonly used structure is **il più** or **il meno** + adverb + **possibile**.

*Malgrado il pessimo servizio nell'albergo ho parlato col personale **il più** cortesemente*
possibile.
Despite the very bad service in the hotel I spoke with the staff **as** courteously as **possible**.

When **possibile** is omitted the definite article **il** is not required.

Fra tutti gli operatori turistici Lei ha risposto più velocemente alla mia richiesta di
informazioni.
Of all the tour operators you have replied the quickest to my request for information.

Not all adverbs have a comparative and superlative form. The ones that do are mainly
adverbs of manner, with the exception of adverbs ending in **-oni** (see section 5.2.6) and
some adverbs of time and place such as **spesso**, **tardi**, **presto**, **lontano** and **vicino**.

Chi di voi abita più vicino al mare?
Which of you lives nearest the sea?

Note the superlative and absolute superlative forms of the following adverbs:

bene	*il meglio*	the best	*ottimamente/*	very well
			benissimo	
male	*il peggio*	the worst	*pessimamente/*	very badly
			malissimo	
molto	*il più*	the most	*moltissimo*	very much
poco	*il meno*	the least	*pochissimo*	very little

Questo agente di viaggi è il meglio pagato ma il meno qualificato.
This travel agent is the best paid but the least qualified.

Ieri ho visto pochissimo della città.
Yesterday I saw very little of the town.

The absolute superlative forms of **tardi**, **presto**, **lontano** and **vicino** are frequently used.

Sono arrivati tardissimo a destinazione anche se il pullman è partito prestissimo.
They arrived very late at their destination even if the coach left very early.

Exercise 2

The absolute superlative of adverbs ending in **-mente** is formed by adding **-mente** to the
feminine singular superlative of the corresponding adjective:

lento ⟶ *lentissima* ⟶ *lentissimamente*   very slowly

However, the absolute form of most adverbs is seldom used as it is much more common to
convey the same meaning by placing **molto** or **assai** before the adverb:

*La guida ha sempre spiegato tutto **molto** chiaramente.*
The guide always explained everything **very** clearly.

METTETEVI A PUNTO!

1 Davvero!

Rispondi alle seguenti domande come nell'esempio. Attenzione all'ordine delle parole e alla posizione degli aggettivi!

Esempio:

– Era antica la chiesa? (*visitare*)
– Era la chiesa più antica che io abbia mai visitato.

1 Erano educati i tuoi ospiti? (*conoscere*)
2 Era spazioso l'appartamento? (*affittare*)
3 Sono care le cartoline? (*comprare*)
4 È simpatica la guida? (*avere*)
5 Era selvaggio il paesaggio? (*vedere*)
6 È stata difficile la decisione? (*prendere*)
7 Era lunga la lettera di reclamo? (*scrivere*)
8 Sono belle le foto delle vacanze? (*fare*)
9 È molto dettagliata la guida della città? (*leggere*)
10 Era buono il vino da tavola? (*bere*)

2 Una vacanza superlativa!

Completa la lettera con i seguenti aggettivi o avverbi al superlativo, facendo attenzione alla concordanza, come nell'esempio.

Bari, 25 settembre

Caro Giovanni

Quest'estate ho trascorso due **(1)** *bellissime settimane in Grecia. Purtroppo il viaggio è stato . . (2) . . per via dei ritardi e quindi sono arrivato . . (3) . . al mio albergo... . (4) . . dopo questo viaggio massacrante, sono andato subito a letto. Per fortuna, il letto era . . (5) . . e ho dormito . . (6) . .*

La mattina seguente mi sono alzato . . (7) . . perché volevo approfittare al massimo di queste due settimane. La cucina in albergo era . . (8) . . e tutto il personale . . (9) . . Ti ricordi come sono goloso e una sera, a cena, ho mangiato . . (10) . . e durante la notte mi sono sentito . . (11) . . e quindi per i due giorni successivi ho mangiato . . (12) . . Nel giro di queste due settimane ho fatto delle gite . . (13) . . e ho conosciuto gente . . (14) . . Per fortuna l'albergo si trovava . . (15) . . alla spiaggia la quale era sempre . . (16) . . Ogni giorno ho fatto il bagno in un'acqua . . (17) . . , . . (18) . . e dopo mi sono sdraiato al sole.

Come puoi immaginare sono tornato a casa . . (19) . . E tutto questo a un prezzo . . (20) . . Ti ho convinto? La prossima volta andremo insieme.

Ciao, ci sentiamo presto

Gianluca

caldo	poco	vicino	limpido	raffinato	basso	interessante
cortese	bene	affollato	lungo	comodo	abbronzato	bello
presto	simpatico	tardi	tanto	male	stanco	

 METTETEVI IN MOTO!

3 Lo studente ideale

All'interno della vostra scuola/università ecc. bisogna trovare lo studente che possa rappresentare meglio l'Associazione degli studenti. Dovete parlare di voi stessi e dei compagni che conoscete bene, utilizzando, dove possibile, i superlativi. Potete prendere in considerazione i loro tratti personali, il loro carattere, il modo di vestirsi, il loro atteggiamento nei confronti degli altri ecc. Avete il diritto di accennare ai lati sia negativi che positivi.

Esempio:

– *Penso che Helen sia la più motivata e diligente della nostra classe. Parla molto correntemente la lingua, riceve sempre i voti migliori. È senz'altro la ragazza più simpatica che abbia mai conosciuto. Tratta tutti con il massimo rispetto ... ecc.*

– *Frank invece è il più pigro, fa sempre il minimo sforzo, è il meno puntuale di tutti noi. Si veste il più trasandatamente possibile, parla malissimo di molti suoi compagni ... ecc.*

4 Un'esperienza indimenticabile

Racconta a un compagno di classe un'esperienza di cui sei stato tanto entusiasta che continui ad usare il maggior numero di superlativi possibile ogni volta che la descrivi (vedi *Mettetevi a punto! 2* che può servire da esempio). Altre idee: una festa, un colloquio, un film, una persona che hai incontrato, uno spettacolo teatrale, un paese/una città che hai visitato.

5 Venite a trovarci

Vuoi attirare più turisti italiani nella città/zona in cui vivi e sei stato incaricato di scrivere un opuscolo pubblicitario in cui devi mettere in rilievo tutte le sue attrazioni. Naturalmente tendi ad esagerare un po' e perciò usi il maggior numero di superlativi possibile.

Esempio:

La rete di trasporti pubblici è la più efficiente del Paese. Gli alberghi sono modernissimi e i prezzi convenientissimi. Le nostre spiagge sono le più pulite del mondo.

8 Demonstratives

MECCANISMI

Demonstrative adjectives and pronouns are used to 'demonstrate' or pinpoint specific nouns to your listener or reader. In English they are 'this/these' and 'that/those'. Because they refer to nouns, in Italian they have masculine/feminine and singular/plural forms to match the nouns to which they refer. The adjectives are used with the noun, the pronouns instead of the noun.

8.1 Demonstrative adjectives

Questo, *questa*, and *questi*, *queste* are used in the sense of 'this' and 'these' respectively. They precede the noun referred to.

*Mi piace molto **questo** CD, soprattutto **questa** canzone.*
I like this CD a lot, especially this song.

***Questi** CD sono meno cari di **queste** cassette.*
These CDs are less expensive than these cassettes.

Quel, *quello*, *quell'*, *quella*, and *quei*, *quegli*, *quelle* are used in the sense of 'that' and 'those' respectively, in front of the noun referred to; which one to use depends on the first letter of the noun.

The various forms are similar to those of the definite article (see Chapter 3, section 3.1.1):

	Singular				Plural		
	Masculine			**Feminine**		**Masculine**	**Feminine**
il	lo	l'	la	l'	i	gli	le
quel	quello	quell'	quella	quell'	quei	quegli	quelle

*Per essere di moda, dovresti comprare **quel** cappello, **quello** smoking, **quell'**orologio, **quell'**elegantissima cravatta, **quella** camicia, **quei** pantaloni, **quegli** occhiali da sole e **quelle** scarpe.*
To be fashionable, you should buy that hat, that dinner jacket, that watch, that very elegant tie, that shirt, those trousers, those sunglasses and those shoes.

8.2 Demonstrative pronouns

'This (one)' and 'these (ones)' are expressed as above by **questo**, **questa**, **questi**, and **queste**.

'That (one)' and 'those (ones)' are rendered by **quello**, **quella**, **quelli**, and **quelle**; the other forms are not needed, precisely because pronouns stand alone, and are **not** used with a noun, which might otherwise affect their spelling.

> *Quale giornale preferisci? Non mi piace* **questo**, *preferisco* **quello**.
> Which newspaper do you prefer? I don't like **this one**, I prefer **that one**.

> *Non so quale camicetta comprare,* **questa** *o* **quella**.
> I don't know which blouse to buy, **this one** or **that one**.

> *Tutti gli occhiali da sole sono cari, ma* **questi** *sono più cari di* **quelli**.
> All the sunglasses are expensive, but **these** are dearer than **those**.

> *Maria ha scelto delle scarpe bellissime.* **Queste** *sono di cuoio, ma* **quelle** *sono di pelle scamosciata.*
> Maria has chosen some very pretty shoes. **These** are leather, but **those** are suede.

➡ **Exercise 1**

8.3 Emphasis and clarity

For emphasis and clarity, **qui/qua** (here) and **lì/là** (there) can be added after the demonstratives:

> *Questa casa qui è la mia, e quella lì è la sua.*
> This house (here) is mine and that one (there) is hers.

> *Questi ragazzi qua sono simpatici, ma quei ragazzi là sono pazzi!*
> These boys (here) are pleasant, but those (there) are mad!

➡ **Exercise 2**

8.4 Other uses

Questo and **quello** in their various pronoun forms can be used to express the idea of 'the latter' and 'the former' respectively.

> *La Spagna è più grande dell'Italia, ma questa ha più abitanti di quella.*
> Spain is bigger than Italy, but the latter has more inhabitants than the former.

Questo and *quello*, in masculine singular form only, are often used to convey something as yet unspecified or to express a general idea.

Questo, che cos'è?
What is this?

Si dice che questo studente studi poco: questo mi preoccupa molto.
They say this student doesn't study much: this worries me a lot.

The pronouns *quello di*, *quella di*, *quelli di* and *quelle di* are used to express possession, replacing ''s' in a pronoun sense (see also Chapter 9).

Questi sono i figli di Mario, e quelli di Guglielmo sono fuori.
These are Mario's sons, and Guglielmo's are outside.

Ti piacciono queste foto? Sì, quella di Giulia è bellissima!
Do you like these photographs? Yes, Giulia's (= the one of Giulia) is very beautiful!

 # METTETEVI A PUNTO!

1 Una lettera di presentazione

Scrivi per la prima volta a un(a) nuovo/a corrispondente. Mandi anche delle foto della tua famiglia, della tua casa, dei tuoi amici, ecc. Aggiungi una spiegazione o descrizione delle foto: chi sono le persone, che cosa fanno. Mancano, però, gli aggettivi ed i pronomi dimostrativi.

1   … è mio fratello Alberto, e … sono le mie sorelle: … si chiama Francesca e … si chiama Elisabetta.
2   … sono i miei genitori, e dietro si vede una casa: … non è la nostra – è la casa dei nonni.
3   … casa è la nostra; la finestra che si vede a destra è … della mia camera da letto; le finestre che si vedono a sinistra sono … del salotto.
4   … ragazzi sono i miei amici; … a sinistra si chiama Adriano, … in mezzo è Davide, e … a destra sono Luigi e Marcello.
5   In … foto si vede la città: … chiesa a destra è la cattedrale; … edificio a sinistra è la scuola, e in fondo … altri sono i negozi del centro.
6   … sono i nostri professori: … signore a sinistra insegna storia, … a destra insegna l'inglese; … professoressa in mezzo insegna il francese.

2 Confronto di merci al mercato

Devi comprare della frutta e della verdura, ma non sai cosa scegliere. Completa i seguenti confronti con i dimostrativi necessari – aggettivi o pronomi. Puoi anche aggiungere *qui/qua e li/là*.

Ecco delle mele; . . (1) . . sono più care di . . (2) . . . Poi, ho bisogno di un cavolo: . . (3) . . è più grande di . . (4) . . . Vorrei anche dei pomodori: quali sono più freschi, . . (5) . . o (6) . . .?

Ti piacciono . . (7) . . fragole, o sarebbe meglio comprare un cestino di . . (8) . . ? Non voglio comprare le patate: . . (9) . . sono troppo care, e . . (10) . . sono troppo piccole... (11) . . melone è migliore di . . (12) . . .

Posso provare . . (13) . . arancia . . (13) . . e . . (14) . . arancia . . (14) . . ? Se non è abbastanza dolce . . (15) . . , comprerò un chilo di . . (16) . . . Vorrei due pompelmi: . . (17) . . mi sembrano buonissimi.

Quanto costano . . (18) . . zucchini? Sono meno cari di . . (19) . . . Ho bisogno di una testa d'aglio. Quanto costano . . (20) . . piselli? Mi sembrano migliori di . . (21) . . piselli . . (22) . .

 ## METTETEVI IN MOTO!

3 Le foto delle vacanze!

Hai ricevuto le foto delle tue vacanze in Italia: rispondendo alle domande dei tuoi compagni, devi spiegargli a cosa si riferiscono. Se hai veramente delle foto delle vacanze, o magari dei DVD, puoi rendere quest'esercizio più autentico!

Esempio:

A: *Come si chiama questo lago?*
B: *Quello è il Lago di Garda.*
C: *Di chi è questa moto?*
B: *Quella moto è di un ragazzo ...*
A: *Chi è questo ragazzo?*
B: *Preferisco non ricordare quel ragazzo!*
C: *Chi è questa ragazza?*
B: *È l'amica di quel ragazzo, ed è molto gelosa di me!*

4 Un cliente difficile

Hai un lavoro? Se lavori in un negozio, riconoscerai questo tipo di cliente: non lo soddisfa nulla! Questa volta sei tu il cliente difficile, e il tuo compagno/la tua compagna lavora in questa boutique ...

Esempio:

Commesso: *Le piace questa camicia?*
Cliente: *No, è troppo grande. Preferisco quella, ma è troppo cara!*
Commesso: *Allora, questi pantaloni? Sono più eleganti di quelli lì.*
Cliente: *No, questi qua sono troppo lunghi, e quelli là sono brutti!*

Tra le cose che potete comprare/vendere:

dei vestiti
dei CD/libri/DVD
uno stereo/un televisore/una macchina fotografica
una moto/macchina
una vacanza organizzata
una casa

5 Il mio bambino è carino!

Siete i giudici di un concorso di bellezza – per bambini! Dovete confrontare i bambini
secondo le loro caratteristiche fisiche, ma senza offendere i genitori!

A: *Questo bambino è più bello di quello lì.*
B: *E questa bimba è carina. È più bella di quei bambini lì.*
C: *Ma questo bimbo qui ha il naso più grande di tutti gli altri.*
D: *Zitto! Questo bambino è mio!*

6 Il bambino viziato!

Devi fare delle spese con il tuo fratellino/la tua sorellina o tuo/tua nipote. Ma è molto viziato/a
e non gli/le va bene niente di quello che vuoi comprare. Scrivi la conversazione.

Esempio:

Tu: *Vuoi queste caramelle qui?*
Lui: *Ma non mi piacciono quelle lì. Voglio queste qua!*
Tu: *Ti piacciono questi fumetti?*
Lui: *No, sono orribili! Preferisco quelli!*

7 Un tipo sospetto

Sei stato testimone di un furto: un(a) giovane ha rotto il finestrino di una macchina, e ha
rubato varie cose. Al commissariato, un poliziotto ti fa vedere delle foto di tipi sospetti. Il tuo
compagno/la tua compagna fa la parte del poliziotto.

Esempio:

*No, non è questo qui; questo è troppo grasso, e quello è troppo alto. Quei due hanno
i capelli troppo lunghi, ma questa ragazza ... sì, quello che ho visto mi sembrava un
tipo abbastanza effeminato ... Ma no, aveva i baffi lunghi come questo tipo qui!*

9 Possessives

Where English uses ''s' to express possession, Italian uses other structures as follows:

- When in English you can say, for example, 'Peter's car' or, unusually, 'the car of Peter', in Italian you use **di** + the possessor:

  La macchina di Pietro ha il motore nuovo.
  Pietro's car has a new engine.

  Il compleanno della mamma è il quattro febbraio.
  Mum's birthday is the 4th of February.

  Le figlie del professore sono simpatiche.
  The teacher's daughters are nice.

  Questi libri sono di Angelo.
  These books are Angelo's.

- If the noun possessed is not expressed, but the owner is, you use
  quello/quella/quelli/quelle di + the possessor (these are demonstrative pronouns, see Chapter 8):

  La nostra barca è più grande di quella di Antonio.
  Our boat is bigger than Antonio's.

  Le scarpe che ho comprato sono più care di quelle di Marina.
  The shoes I bought are more expensive than Marina's.

  L'economia italiana è altrettanto prospera quanto quella del Regno Unito.
  The Italian economy is as healthy as that of the United Kingdom.

  La casa a destra è quella della famiglia Mauri.
  The house on the right is (that of) the Mauri family's.

9.1 Possessive adjectives and pronouns

Possessive adjectives ('my', etc) precede nouns; possessive pronouns ('mine' etc) can stand alone in place of nouns. Note that being adjectives and pronouns they have to agree with the thing(s) possessed, and not with the possessor.

Singular		Plural		
Masculine	**Feminine**	**Masculine**	**Feminine**	
il mio	la mia	i miei	le mie	*my, mine*
il tuo	la tua	i tuoi	le tue	*your, yours (familiar)*
il suo	la sua	i suoi	le sue	*his, her(s), its*
il suo	la sua	i suoi	le sue	*your, yours (formal)*
il nostro	la nostra	i nostri	le nostre	*our, ours*
il vostro	la vostra	i vostri	le vostre	*your, yours (familiar)*
il loro	la loro	i loro	le loro	*their, theirs*
il loro	la loro	i loro	le loro	*your, yours (formal)*

These act as both adjectives and pronouns; both are normally used with the definite article:

*Non trovo **il mio** cappello; **il tuo** è lì.*
I can't find **my** hat; **yours** is over there.

*Questa è **la mia** lettera e quella è **la sua**.*
This is **my** letter, and that is **his/hers** (letter).

*Dove sono **i nostri** amici? **I vostri** sono già arrivati.*
Where are **our** friends? **Yours** have already arrived.

*Se non trovate **le vostre** chiavi, potete prendere **le nostre**.*
If you can't find **your** keys, you can take **ours**.

Note that *loro* is invariable.

Note that there are four sets of pronouns/adjectives to express 'your/yours' depending on whether you are addressing one or more people, in familiar or formal style.

9.1.1 *Il suo, la sua*

Il suo, *la sua*, etc can mean 'his', 'hers', 'its' or 'yours', which clearly could give rise to confusion. The context will usually clarify matters, but there are several ways to avoid ambiguity:

- *di* + disjunctive pronoun (see Chapter 10, section 10.5):

Bruno mangia la sua mela.	Bruno is eating his/her/your apple.
Bruno mangia la mela di lui.*	Bruno is eating his apple.
Bruno mangia la mela di lei.*	Bruno is eating her apple.
Bruno mangia la mela di Lei.*	Bruno is eating your apple.

(*These are unlikely to be seen/heard, but are possible.)

- The adjective ***proprio*** – own can be used:

  Bruno mangia la propria mela.
  Bruno is eating his own apple.

- In formal writing you may come across **Suo** and **Loro** (meaning 'your'), written with a capital letter, which also helps avoid ambiguity:

  La ringraziamo per la Sua lettera.
  Thank you for your letter.

Expressions such as 'a friend of mine', 'that book of yours' using the pronoun forms in English, are not expressed in Italian by the pronouns, but by the following expressions:

un mio cugino/uno dei miei cugini	a cousin of mine
alcuni dei vostri amici	some friends of yours
Alcuni miei amici/alcuni amici miei sono simpatici.	Some of my friends are nice.
quell'amico mio/quel mio amico	that friend of mine
queste mie zie	these aunts of mine
due miei professori	two of my teachers

9.1.2 Possessive adjectives with members of the family

When the possessive adjective is used with members of the family in the singular, the definite article is omitted, except with *loro*:

mia sorella	my sister
Conoscete nostro fratello?	Have you met our brother?

However, the definite article must be used:

- with members of the family in the plural:

i nostri fratelli	our brothers
le vostre zie	your aunts

- with members of the family used with **loro**:

    Avete visto il loro padre?
    Have you seen their father?

- when there is another adjective as well as the possessive adjective:

mia madre   my mother ——▶ **la mia cara madre**   my dear mother

- when the noun for the family member has a prefix or a suffix such as a diminutive ending:

    *Questa è la mia **bis**nonna.*
    This is my great-grandmother.

    *Questo è il mio fratell**ino**.*
    This is my little brother.

The definite article is optional with other terms of endearment such as the following:

(il) mio babbo	my Dad	**(il) mio nonno**	my Grandad
(il) mio papà	my Dad	**(la) mia nonna**	my Grandma
(la) mia mamma	my Mum		

9.1.3 Other expressions in which the definite article is omitted

Note that the possessive adjective in some of these cases follows the noun.

- Expressions such as:

Vieni a casa mia?	Are you coming to my house?
È colpa sua.	It's his fault.
Lavora molto, ma a modo suo.	She works hard in her own way.
a mio avviso	in my opinion
a sua disposizione	at his disposal
a nostro parere	in our opinion

- Exclamations such as:

Mamma mia!	Goodness me!
Dio mio!	My God!
Cari amici miei!	My dear friends!

- The article is sometimes omitted after **essere**:

    Finalmente! Abbiamo finito di stirare le camicie; questa è tua, quella è sua, e quelle lì sono nostre.
    At last! We have finished ironing the shirts; this one is yours, that one is his, and those are ours.

▶ **Exercises 1, 2, 3**

9.2 **Omission of the possessive**

The possessive adjective is not normally used, as it is in English, with actions involving clothes and/or parts of the body. The idea of possession in these is expressed by using a reflexive verb (see Chapter 24, section 24.1), or an indirect object pronoun (see Chapter 10, section 10.3):

Si è rotto la gamba nell'incidente.
He broke his leg in the accident.

La signora si è messa le scarpe.
The lady put her shoes on.

Quel ragazzo mi ha dato uno schiaffo sul viso!
That boy smacked my face!

Questa ragazza mi ha rubato la sciarpa!
This girl stole my scarf!

The same is true when the relationship between the possessor and the thing possessed is obvious:

Allora, hai portato la carta d'identità?
So, you brought your ID card?

Avete preso i quaderni?
Have you taken your exercise books?

METTETEVI A PUNTO!

1 Il cesto della biancheria

In una famiglia numerosa, è sempre difficile mettere in ordine la biancheria dopo averla lavata e stirata. Rispondi alle seguenti domande come negli esempi, usando il nome o il pronome tra parentesi.

Esempio:

Questa camicia, di chi è? (Aldo) – È di Aldo./È la camicia di Aldo.
Questi pantaloni, di chi sono? (io) – Sono miei.

1 Di chi è questo cappello? (*Luigi*)
2 Questa camicetta, di chi è? (*Elisa*)
3 Di chi sono questi calzini? (*papà*)
4 Sono della mamma questi collant? (*tu*)
5 Non mi piace quella maglietta – di chi è? (*Rosella*)
6 Mamma mia! Che bella minigonna! È di Maria? (*Sandra*)
7 E questi slip, sono di Dario? (*Gianni*)
8 Di chi è quel maglione? Di Silvio? (*Alessandro*)
9 Sono di Iolanda queste mutandine o di mamma? (*io*)
10 Questo cardigan è di Salvo, non è vero? (*Franco*)

2 Confronti

Esiste sempre rivalità tra i giovani. Questi giovani fanno dei confronti: completa le frasi come nell'esempio.

Esempio:

Mio padre lavora più di tuo padre. – Non è vero! Mio padre lavora più del tuo.

1 Chi è più bella, tua madre o la mia?
2 Qual è la macchina più veloce, la nostra o la vostra?
3 Chi ha la casa più grande, io o lui?
4 Chi è più intelligente, la mia ragazza o la tua?
5 Quali occhiali costano di più, i miei o i loro?
6 Di chi sono le scarpe più comode, le mie o le tue?

3 L'albero genealogico

Ecco la storia della famiglia Pitassi, vista dal punto di vista di Alberto, 50 anni, sposato con figli. Completa la storia con gli aggettivi o i pronomi possessivi più adatti.

Allora, mi chiamo Alberto Pitassi. Sono sposato, e . . **(1)** . . moglie si chiama Rosa . . **(2)** . . figli si chiamano Alessandro, Guglielmo e Patrizia . . **(3)** . . casa si trova vicino a Napoli, dove ha origine . . **(4)** . . famiglia . . **(5)** . . nonno lavorava al museo di Napoli; . . **(6)** . . nonni si sono sposati nel 1916, e hanno avuto . . **(7)** . . primo figlio due anni dopo. Tutti . . **(8)** . . figli si sono sposati; . . **(9)** . . primo figlio abita a Napoli; il secondo abita a Genova, e anche i . . **(10)** . . figli. Anche . . **(11)** . . figlie si sono sposate. La maggiore si è sposata con un inglese, ed è andata in Inghilterra . . **(12)** . . figli sono andati a scuola in Inghilterra, ma uno di questi è tornato in Italia. Sono io!

 **METTETEVI IN MOTO!**

4 Il cleptomane!

Uno per volta impersonate un cleptomane: il cleptomane ruba tutti gli oggetti che può rubare ai suoi compagni. Questi devono chiedergli di restituire tutti gli oggetti, usando gli aggettivi o i pronomi possessivi.

Esempio:

Cleptomane:	Mi piace molto quest'orologio ... è (il) mio.
Vittima:	No, impossibile! È mio!
Compagno:	È vero, è il suo! Non è tuo!
Gli altri:	No, non è tuo. È di Paolo! Guarda, il tuo è lì sul tavolo.

5 Il mio è più feroce!

Fate dei confronti tra di voi, parlando delle vostre case, famiglie, macchine, degli animali che avete in casa, degli effetti personali, ecc. Ogni studente deve anche prendere nota dei dettagli: dopo, uno per volta potete riportare la conversazione, o farne un riassunto.

Esempio:

Angela: Il mio cane è più feroce del tuo.
Bruno: Non è vero! Il mio è più feroce: l'altro ieri ha mangiato il postino!...
Il cane di Bruno è più feroce di quello di Angela, perché ha mangiato il postino.

6 Rapporti internazionali

Siete stati in Italia o in un altro Paese straniero? Fate dei confronti tra vari aspetti del Paese straniero e il vostro.

Esempio:

A: Le donne italiane sono più belle delle nostre, non è vero?
B: Sì, ed anche gli uomini sono più belli!
A: E la cucina italiana è più deliziosa della nostra.
B: No, fa ingrassare di più della nostra!

10 Personal pronouns

MECCANISMI

Pronouns stand in place of nouns, and the personal pronouns are those meaning 'I', 'you', 'he', 'she' etc. In Italian there are five types of personal pronoun: subject, direct object, indirect object, reflexive and disjunctive/emphatic.

Subject	Direct object	Indirect object	Reflexive	Disjunctive/ emphatic	
io	mi	mi	mi	me	*I/me*
tu	ti	ti	ti	te	*you (fam.)*
Lei	La	Le	si	Lei	*you (formal sing.)*
lui (egli)	lo	gli	si	lui	*he/him*
lei (ella)	la	le	si	lei	*she/her*
esso/essa	lo/la	gli/le	si	esso/essa	*it*
si			si	sé	*one (we/you/they)*
noi	ci	ci	ci	noi	*we/us*
voi	vi	vi	vi	voi	*you (fam. pl.)*
Loro	Li/Le	Loro	si	Loro	*you (formal pl.)*
loro	li/le	loro (gli)	si	loro	*they/them*
essi/esse				essi/esse	*they/them*

10.1 Subject pronouns

Subject pronouns are frequently omitted in Italian as in most circumstances the verb ending and/or other contextual references tell you who the subject is.

Dove andate? – Andiamo in banca.
Where are you going? – We are going to the bank.

Sono tornato a casa molto tardi.
I returned home very late.

Dovresti dirgli qualcosa.
You should say something to him.

However, they are used:

to place emphasis on the subject	Tu hai scritto questo.	*You* wrote this.
after adverbs such as anche, neanche, nemmeno	Torni a casa anche tu?	*Are you going home too?*
	Non ho fattto i compiti nemmeno io.	*I haven't done the homework either.*
when the subject pronoun stands alone	Vuoi darmi una mano? – Chi, **io**?	*Do you want to give me a hand? – Who, **me**?*
to contrast two different subjects	Noi siamo inglesi, **loro** sono italiani.	***We** are English, **they** are Italian.*
to avoid ambiguity or confusion	Vogliono che tu* vada con loro.	*They want you to go with them.*

* As the endings of the first three persons singular of the present subjunctive are identical (see Chapter 32, section 32.1.1), it is usually necessary to use the subject pronoun. Without the inclusion of the subject **tu** in the above example, **vada** might equally be referring to **io**, **lui**, **lei** or **Lei**. The same applies when using the imperfect subjunctive where the *io* and *tu* forms are identical.

Il mio amico pensava che **io** avessi un cane.
My friend thought that **I** had a dog.

- **lui** – 'he', **lei** – 'she' are used in spoken Italian and they have to a great extent replaced the more formal **egli** and **ella** in the written language. Similarly, **loro** – 'they' has replaced **essi** and **esse**.

- **esso/essa** – 'it' and the plural forms **essi/esse** – 'they' are used with reference to things:

  Parlano da anni di questa riforma scolastica. Finalmente, **essa** è entrata in vigore.
  They have been speaking for years about this school reform. At last, **it** has come into effect.

  The same pronouns can also be used with reference to animals although it is becoming much more common to use **lui/lei/loro**.

Remember that the formal **Lei/Loro** take the third person singular and plural of the verb. They are often written with a small *l* in informal writing.

10.2 Direct object pronouns

The direct object 'suffers' or 'undergoes' the action of the verb:

I wrote **the letter**.
I wrote **it**.

Direct object pronouns generally precede the verb:

> *Vedi spesso i tuoi nipoti? – Sì,* ***li*** *vedo due volte alla settimana.*
> Do you often see your grandchildren? – Yes, I see **them** twice a week.

> *Dove hai conosciuto la tua amica italiana? –* ***L****'ho conosciuta al mare.*
> Where did you meet your Italian friend? – I met **her** at the seaside.

For rules regarding the agreement of the past participle with a preceding direct object in compound tenses, see Chapter 16, section 16.2.1.

Note phrases such as *lo so* – I know, *l'ha detto lui* – he said so.

10.3 Indirect object pronouns

The indirect object 'receives' the action: it is usually the equivalent of ***a*** + a person – 'to me', 'to him', etc, and occasionally 'for us' or 'from you', etc. Indirect object pronouns also precede the verb with the exception of ***loro*** which comes after.

> ***Le*** *abbiamo mandato le foto.*
> We've sent the photos **to her**.

> *Non* ***mi*** *hanno detto niente.*
> They didn't say anything **to me**/told (to) me nothing.

> *Ho spiegato* ***loro*** *che non era possibile farlo.*
> I explained **to them** that it wasn't possible to do it.

In spoken Italian ***gli*** is used to mean 'to him' as well as 'to them', although ***loro*** is still used in speech and writing in more formal situations.

As explained above, direct and indirect object pronouns generally precede the verb. However, with the exception once again of *loro*, they are attached at the end of:

an infinitive, after removing the final *-e* or *-re* for verbs modelled on *produrre* and *trarre*	*Abbiamo deciso di andare a trovarli a giugno.*	We have decided to go and see them in June.
a gerund	*Conoscendola meglio, vedrai che è veramente simpatica.*	When you get to know her better, you will see that she is really nice.
a past participle (standing alone or used as an adjective)	*Spiegatagli la soluzione, sono partito.*	Having explained the solution to him, I left.
	Il pacco inviatomi dai miei amici italiani è danneggiato.	The parcel sent to me by my Italian friends is damaged.
an imperative (see Chapter 15, section 15.3)	*Svegliati! Dimmi la verità. Dille di aspettare.*	Wake up! Tell me the truth. Tell her to wait.
Ecco	*Eccoci finalmente! Eccola!*	Here we are at last! There she is!

With the modal verbs *sapere*, *volere*, *dovere*, *potere*, the pronouns can either immediately precede the modal verb or be attached to the following infinitive.

Non gli voglio scrivere or *Non voglio scrivergli.*
I don't want to write to him.

 Exercise 1

10.4 Reflexive pronouns

These are dealt with fully in Chapter 24 on reflexive verbs. They can be either the direct or indirect object.

Mentre mi facevo la barba, mi sono tagliato l'orecchio.
While I was shaving, I cut my ear.

Remember that the reflexive pronoun of verbs used in the infinitive must correspond with the subject of the verb it is linked to:

Dobbiamo prepararci adesso se non vogliamo fare tardi.
We must get ready now if we don't want to be late.

10.5 Disjunctive pronouns

These are also sometimes known as 'emphatic' pronouns, for reasons you will see below.

- They are used after prepositions:

  *Mi ricorderò sempre di **te**.*
  I shall always remember **you**.

  *Non mi va di uscire con **loro**.*
  I don't feel like going out with **them**.

  Remember that some prepositions such as ***contro***, ***dentro***, ***dietro***, ***dopo***, ***senza***, ***sopra***, ***sotto***, ***su*** and ***verso*** require an additional preposition ***di*** before a disjunctive pronoun:

  *Non possiamo contare su di **lui**.*
  We can't count on **him**.

  *Dopo di **Lei**, signora.*
  After **you**, madam.

- Since you cannot put stress on an object pronoun ('they are looking for **us**, they said it **to me**') to provide emphasis, you use a disjunctive pronoun:

Cercano noi. (emphatic) They are looking for **us**. ***Ci cercano.*** (unemphatic)
L'hanno detto a me. (emphatic) They said it to **me**. ***Me l'hanno detto.*** (unemphatic)

- Disjunctive pronouns must be used whenever the verb has two or more direct or indirect objects:

  Cercano me non te.
  They are looking for me not you.

  Abbiamo regalato la bicicletta a lui non a lei.
  We gave the bicycle to him not to her.

- They are also used in comparisons after ***di***, ***che***, ***tanto ... quanto/così ... come***:

  Sei più bravo di me in matematica.
  You are better than I am at maths.

- The disjunctive pronouns followed by ***stesso/a/i/e*** convey the emphatic forms 'myself', 'yourself' etc. These are **not** reflexive pronouns, they just emphasise the doer of the action:

  Giorgio pensa solo a se stesso e mai agli altri.
  Giorgio thinks only of himself and never about the others.

10.6 *Tu* v. *Lei*

Tu/ti/te are used only when talking to members of your family, close friends, young people of about the same age or younger, and pets. You would use this mode of address with your Italian exchange partner or correspondent but not with their mother or father. If in doubt, use *Lei* + the 3rd person singular of the verb until invited to do otherwise.

✐ Note the expression *dare del tu/Lei* – to use the *tu/Lei* form:

> *Diamoci del tu.*
> Let's use the *tu* form.

10.7 *Ne*

Ne is used to replace *di* + a noun or pronoun. As *di* has a number of uses in Italian, *ne* gives rise to a whole range of meanings such as 'of him/her/them', 'of it/this/that', 'some', 'any'.

> *Una mia amica è stata ricoverata in ospedale in seguito all'incidente ma, purtroppo, non **ne** ho più notizie.*
> A friend of mine was admitted to hospital following the accident but, unfortunately, I have no further news **of her**.

> *Tu conosci questi scrittori? – No, non **ne** ho mai sentito parlare.*
> Do you know these writers? – No, I've never heard **of them**.

> *Cosa **ne** dici? Andiamo al concerto o no?*
> What do you say (**about it**)? Shall we go to the concert or not?

> *Non hai spiccioli? – Mi dispiace ma non **ne** ho.*
> Haven't you got change? – I'm sorry, I haven't (**any**).

> *Questi pomodori sono buonissimi. – Lo so, ma **ne** ho già comprati alcuni.*
> These tomatoes are very good. – I know, but I've already bought **some**.

For agreement of *ne* with the past participle in compound tenses, see section 16.2.1.

✐ Remember that *ne* often appears with expressions of quantity, many of which are followed by *di*:

> *Quante sorelle hai? – Ne ho tre.*
> How many sisters have you got? – I've got three (of them).

> *Ci sono ancora alcuni problemi da risolvere. – A mio parere, ce ne sono parecchi.*
> There are still a few problems to solve. – In my opinion, there are several (of them).

> *Non hai detto che vuoi mezzo chilo di formaggio? – No, ne voglio un chilo.*
> Didn't you say you want half a kilo of cheese? – No, I want a kilo (of it).

Ne is also used to convey 'from here/there':

> *Adesso devo fare un salto in banca prima che chiuda. Quando ne torno ti posso spiegare come compilare il modulo.*
> Now I have to dash to the bank before it closes. When I get back (from there) I can explain to you how to fill in the form.

➡ **Exercise 2**

10.8 *Ci, vi*

Ci and *vi*, in addition to meaning 'us/to us', 'you/to you', also mean 'there' when they function as adverbs.

> ***Ci*** *vado ogni giorno.*
> I go **there** every day.

> ***Ci*** *siamo andati a luglio.*
> We went **there** in July.

Ci 'there' is used more frequently than *vi*.

Ci is also used:

- to replace other adverbial expressions such as 'in there, by there':

  > *Vai spesso da tua sorella? –* ***Ci*** *passo quasi ogni sera tornando dal lavoro.*
  > Do you often go to your sister's? – I drop **by** (there) almost every evening on my way back from work.

- to replace *a* or *in* + a thing, an infinitive or an entire phrase, but **not a person**.

  > *Sto pensando al mio esame di guida. – Non serve a nulla pensar**ci** troppo.*
  > I'm thinking about my driving test. – There's no point in thinking **about it** too much.

  > *Siete riusciti a contattarlo? – No, non **ci** siamo ancora riusciti.*
  > Did you manage to contact him? – No, we still haven't managed **to do so**.

  > *Non guardo più la televisione e ormai mi **ci** sono abituato (ci = a non guardare più la televisione).*
  > I don't watch television any more and now I've got used **to it**.

- in various idiomatic expressions to convey meanings such as 'about/of/to/on/from it'.

  > *Ma cosa **ci** posso fare io?*
  > But what can I do **about it**?

  > *Dicono che verranno ma non **ci** possiamo contare.*
  > They say they will come but we can't count **on it**.

  > *Quello che dici non **c'**entra.*
  > What you say doesn't come **into it**.

10.9 *Si*

When you use the impersonal pronoun *si* 'one (we/you/they)', any accompanying pronouns will precede it, with the exception of *ne*, which follows. *Si* changes to *se* before *ne*.

> *Li si* *vede ogni giorno.*
> One sees them every day.

> *Se ne* *parla spesso durante la lezione.*
> We often speak about it during the lesson.

For more information on the use of *si*, see Chapter 30, sections 30.2.1–30.2.3.

10.10 The order of object pronouns when used with verbs

When two object pronouns are used together, the order is as follows:

me lo	*me la*	*me li*	*me le*	*me ne*
te lo	*te la*	*te li*	*te le*	*te ne*
glielo	*gliela*	*glieli*	*gliele*	*gliene*
se lo	*se la*	*se li*	*se le*	*se ne*
ce lo	*ce la*	*ce li*	*ce le*	*ce ne*
ve lo	*ve la*	*ve li*	*ve le*	*ve ne*

The above list also includes the reflexive pronoun *si*.

> *Te le* *spedirò fra qualche giorno.*
> I shall send **them to you** in a few days.

> *Gliene* *abbiamo già parlato.*
> We've already spoken **to her/to him about it**.

Notice that *mi*, *ti*, *ci*, *vi* and *si* become *me*, *te*, *ce*, *ve*, *se*, when they precede another pronoun.

Gli – to him, *le* – to her and *Le* – to you (formal) all become *glie* before combining with *lo*, *la*, *li*, *le* and *ne*. As there is a greater tendency nowadays to use *gli* in place of *loro* – to them, particularly in spoken Italian, this gives rise to a number of possible translations for *glielo*, *gliela*, etc.

Glieli ho restituiti could mean any of the following: 'I gave them back to him/to her/to you (formal)/to them'. However, the person referred to is usually clear from the context.

➡ **Exercises 3, 4, 5**

METTETEVI A PUNTO!

1 Pignola o ipocondriaca?

Mariella si preoccupa per ogni piccola cosa. Spesso tende ad esprimere ad alta voce i suoi pensieri, rafforzandoli una seconda volta con l'uso di un pronome, come nell'esempio. Sostituisci questi 'pensieri' con pronomi adatti – diretti o indiretti.

Esempio:

Questa ricetta **la** *devo portare in farmacia.*

1 Le vitamine … prendo ogni giorno.
2 Per fortuna quel mal di pancia … è passato. Ma adesso … fa male la schiena.
3 Allora telefono al medico o no? Sì, … telefono subito per prendere un appuntamento.
4 Quel vino rosso non … piace. Ogni volta che … bevo … gira la testa.
5 Questi spaghetti non … voglio mangiare perché non sono al dente.
6 La prima colazione … salto ogni tanto perché non voglio ingrassare.
7 Luisa, di questo sciroppo per la tosse … è rimasto così poco. – Sì, … so.
8 Io e la mia amica abbiamo deciso di cambiare appartamento perché i nostri vicini … danno sui nervi.

2 Quale pronome?

Cancella la forma errata.

1 Se avete bisogno di aiuto potete contare su di *io/me*.
2 L'hai aggiustata *te/tu* la lavastoviglie?
3 Non ci vado nemmeno *me/io*.
4 Quando parliamo del programma? – *Ne/lo* parliamo più tardi.
5 I miei amici non si fidano più di *te/tu*.
6 Io ho tre sorelle, il mio amico *le/ne* ha cinque.
7 Quanti cioccolatini hai mangiato oggi? – *Li/ne* ho mangiati dieci.
8 Vuoi venire con *me/io* al concerto?
9 Lucia è andata al mare. Quando *ci/ne* torna, *dille/digli* che ha telefonato Giacomo.

3 Quante risposte positive!

Completa le risposte alle domande sostituendo le parole sottolineate con pronomi adatti, come nell'esempio. Fa' attenzione all'ordine dei pronomi.

Esempio:

<u>Mi</u> *hai dato la* <u>ricevuta</u>? *– Sì,* <u>te</u> *l'ho data stamattina.*

1 Hai spedito <u>la cartolina a Enrico</u>? – Sì, … ho spedita.
2 Hai parlato <u>della nostra vacanza con Silvia</u>? – Sì, … ho parlato.
3 <u>Ti</u> ho dato <u>il mio indirizzo email</u>, vero? – Sì, … hai dato ieri.
4 <u>Mi</u> hai già restituito <u>il dizionario</u>? – Certo che … ho restituito.
5 Hai inviato <u>il fax ai nostri clienti</u>? – Sì, … ho inviato poco fa.
6 <u>Ci</u> avete spiegato <u>i vari problemi</u>? – Sì, … abbiamo già spiegati.
7 Tua sorella <u>si</u> lava <u>i capelli</u> ogni giorno? – Sì, … lava ogni giorno.
8 <u>Vi</u> abbiamo comunicato <u>le notizie</u> dei parenti? – Sì, … avete comunicate tre volte.

4 Un interrogatorio

La mamma di Pierino gli fa un sacco di domande. Completa le sue risposte con i seguenti pronomi.

ne (x2)	me lo	le (x2)	lo	ci	li	la (x2)	gli

– Quando fai i compiti?
– . . **(1)** . . faccio dopo.
– Quando metterai in ordine la tua camera?
– . . **(2)** . . metterò a posto prima di uscire.
– Sai dov'è tuo fratello?
– No, oggi non . . **(3)** . . ho proprio visto.
– Non ti ha detto che andava dalla nonna?
– No, questo non . . **(4)** . . ha detto. Oggi non . . **(5)** . . ho parlato per niente.
– Allora perché non vai a cercarlo?
– Perché non . . **(6)** . . ho voglia. Puoi andar . . **(7)** . . tu.
– A proposito, hai scritto tutte quelle cartoline?
– No, . . **(8)** . . ho scritta solo una.
– Allora spero che sia quella per Giovanna?
– No, perché . . **(9)** . . scriverò una lettera la prossima settimana.
– Ma domani è il suo compleanno.
– Ah già, è vero! . . **(10)** . . chiamerò stasera per far . . **(11)** . . gli auguri.

5 Una questione di orgoglio

Giacomo decide di non andare in vacanza con i suoi amici, i quali ne spiegano il motivo. Completa il dialogo con pronomi corretti, come negli esempi.

– Allora Giacomo non viene in Turchia con noi.
– Sì, **lo** so. **Ci** ha detto che non . . (1) . . piace viaggiare in aereo ma secondo me è una questione di soldi. Naturalmente non . . (2) . . vuole dire perché si sente in imbarazzo.
– Da quando . . (3) . . conosciamo non è mai riuscito a trovare un lavoro stabile. Io e gli altri amici siamo disposti ad aiutar . . (4) . . ma anche se siamo disposti a prestar . . (5) . . dei soldi non . . (6) . . vuole mai accettare, dicendo che la sua precaria situazione finanziaria non . . (7) . . permetterà mai di restituir . . (8) . .
– Il suo atteggiamento . . (9) . . possiamo capire benissimo perché è senz'altro un tipo molto orgoglioso. Una volta io . . (10) . . ho telefonato per cercare di convincer . . (11) . . a cambiare idea: . . (12) . . ha risposto che . . (13) . . avrebbe pensato ma sapevo già che la sua risposta sarebbe stata di nuovo negativa.
– Partiremo alla fine del mese. Nel frattempo, se . . (14) . . capita di uscire con Giacomo, cercheremo di non parlar . . (15) . . .

METTETEVI IN MOTO!

6 Pronomi al posto dei nomi!

Ogni studente deve scrivere un elenco di dieci cose che ha già fatto o che farà in un prossimo futuro senza precisare quando le ha fatte o le farà.

Esempi:

telefonare al corrispondente italiano
comprare dei regali per Natale
andare negli Stati Uniti
fare i compiti
mandare la cartolina a un'amica

A coppie, scambiate gli elenchi e poi, a vicenda, fatevi delle domande, utilizzando dove possibile i pronomi corretti, come negli esempi:

– Hai telefonato al tuo corrispondente italiano?
– Sì, **gli** ho telefonato un paio di giorni fa.
– Perché **gli** hai telefonato?
– Perché volevo dir**gli** che speravo di andare a trovar**lo** a metà luglio.
– Hai comprato dei regali per Natale?
– **Ne** ho comprati alcuni ma gli altri **li** comprerò quando riceverò la paga.
– E quando **la** riceverai?
– Alla fine del mese come al solito.

Cercate di sfruttare al massimo ogni idea che trovate sull'elenco.

7 Indovina chi è

A turno, ogni studente rivela un 'segreto' di un altro membro della classe. Tocca agli altri scoprire di chi è questo segreto. L'obiettivo dell'attività è utilizzare una grande varietà di pronomi, come negli esempi:

Esempi:

– *Questa persona ha chiesto al professore di ripassare tutti i pronomi.*
– *Scommetto che sei stato tu a chiederglielo.*
– *No, ti giuro, non sono stato io. Secondo me, è stata lei, Barbara.*
– *Mi dispiace, ma hai torto, non gliel'ho chiesto io perché i pronomi li so usare alla perfezione!*

– *Questo studente va al cinema ogni fine settimana.*
– *Questo deve essere lui, John.*
– *Non sono io perché al cinema non ci vado mai.*
– *Sei tu allora, Maria.*
– *No, non sono nemmeno io.*

8 Dimmi cosa ha detto

A coppie, sostenete un breve dialogo su un argomento qualsiasi. Poi confrontate il vostro dialogo con quello di un'altra coppia.

Esempio:

– Helen mi ha chiesto di prestarle i miei appunti.
– Che cosa le hai risposto?
– Le ho detto che, purtroppo, non era possibile perché ne avevo bisogno io per scrivere un tema e questo lo devo fare per domani mattina. Comunque, glieli posso prestare dopodomani.

9 Una questione di quantità

Lavorate a gruppi di tre o quattro. A vicenda, ognuno fa una domanda che inizia con *quanto/a/i/e*. La persona a cui tocca rispondere deve utilizzare *ne* nella risposta. Le domande possono essere basate sul cibo, la famiglia, le abitudini in genere, ecc. Ciascun gruppo dovrebbe cercare di fare un minimo di 15 domande.

Esempi:

Quante email hai mandato oggi? – Ne ho mandate cinque.
Quanta frutta mangi in una settimana? – Ne mangio poca.
Quanti fratelli hai? – Non ne ho, sono figlio/a unico/a

11 Numerals

11.1 Cardinal numbers: counting 1, 2, 3, . . .

1	*uno*	11	*undici*	21	*ventuno*	31	*trentuno*
2	*due*	12	*dodici*	22	*ventidue*	32	*trentadue*
3	*tre*	13	*tredici*	23	*ventitré*	33	*trentatré*
4	*quattro*	14	*quattordici*	24	*ventiquattro*	40	*quaranta*
5	*cinque*	15	*quindici*	25	*venticinque*	50	*cinquanta*
6	*sei*	16	*sedici*	26	*ventisei*	60	*sessanta*
7	*sette*	17	*diciassette*	27	*ventisette*	70	*settanta*
8	*otto*	18	*diciotto*	28	*ventotto*	80	*ottanta*
9	*nove*	19	*diciannove*	29	*ventinove*	90	*novanta*
10	*dieci*	20	*venti*	30	*trenta*	100	*cento*

101	*centouno*
102	*centodue*
128	*centoventotto*
173	*centosettantatré*
200	*duecento*
300	*trecento*
400	*quattrocento*
500	*cinquecento*
600	*seicento*
700	*settecento*
800	*ottocento*
900	*novecento*

1,000	*mille*
2,000	*duemila*
5,000	*cinquemila*
10,000	*diecimila*
1,000,000	*un milione*
2,000,000	*due milioni*
1,000,000,000	*un miliardo*
1,000,000,000,000	*un bilione*

Numbers are written as one word, no matter how long they might be.

ottocentoventottomilionitrecentosessantasettemilanovecentocinquantuno = 828,367,951

Mercifully, however, such long numbers can be split, using *e*!

novecentotrentamilioni e duecentomila = 930,200,000

Note the lack of 'and' between hundreds, tens and units.

- **Uno** is used with masculine nouns beginning with *s* + consonant, *z*, *x*, *y*, *i* + vowel, *gn*, *pn* and *ps*, it is shortened to **un** before all other masculine nouns; the feminine form **una** is used before feminine nouns except those beginning with a vowel when **un'** is used; for use of **uno** as indefinite article, see Chapter 3, section 3.2.1.

un CD, duecentoventun CD – a CD, 221 CDs
uno specchio, trecentotrentuno specchi – a mirror, 331 mirrors
una lettera, cinquecentoquarantun lettere – a letter, 541 letters
un'arancia, settecentonovantun'arance – an orange, 791 oranges

- *Mille*, *milione*, *miliardo* and *bilione* have plural forms: *mila*, *milioni*, *miliardi*, *bilioni*. The latter three are used with *di* when followed by a noun, but not when followed by a number:

mille euro; tremila euro; cinquemilaseicento – 1,000 euros, 3,000 euros, 5,600
un milione di euro; quattro milioni di euro; cinquemilioniseimila – 1 million euros, 4 million euros, 5,006,000
un miliardo di euro; otto miliardi di euro; ottomiliardiduemilioni – 1,000 million euros, 8,000 million euros, 8,002,000,000
un bilione di euro; tre bilioni di euro; trebilioniduecentomila – 1 billion euros, 3 billion euros, 3 billion 200,000

- *Zero* is the normal word for 'zero/nought', and has a plural form:

tre con sei zeri – three with six noughts (3,000,000).

- All other numbers are invariable, whether used with a noun or with other numbers:

Abbiamo tre cavalli, quattro gatti, cinque figli e sei pesci!
We have three horses, four cats, five children and six fish!

- When *uno* and *otto* are used in numbers above 20, the final vowel of the 'tens' word is omitted:

ventuno, quarantuno, sessantotto, novantotto

- *Tre* has an accent when used after another number:

trentatré, quarantatré, sessantatré, novantatré

- As in other European languages (and unlike English), Italian uses a comma to separate units from decimal points:

(Italian) 9,751 = (English) 9.751

and a full stop to denote thousands (though the latter is not always used):

(Italian) 10.000 = (English) 10,000

- Spoken Italian often uses abbreviated forms, especially when indicating the hundreds after thousands:

Questa macchina costa novantamila e cinque.
This car costs 90,500 euros.

There is little likelihood of this being mistaken for 90.005, as this method is used especially with prices which are unlikely to include odd small numbers.

Exercise 1

11.2 Ordinal numbers: 1st, 2nd, 3rd, . . .

1st	*primo*	9th	*nono*
2nd	*secondo*	10th	*decimo*
3rd	*terzo*	11th	*undicesimo*
4th	*quarto*	12th	*dodicesimo*
5th	*quinto*	20th	*ventesimo*
6th	*sesto*	100th	*centesimo*
7th	*settimo*	1,000th	*millesimo*
8th	*ottavo*	1,000,000th	*milionesimo*

- The ordinal numbers (used for the order in which things come) have forms for 1st to 10th which need to be learnt individually; those above 10th simply add the ending ***-esimo*** to the end of the cardinal number without its final vowel.

- Ordinal numbers are adjectives, and so have to agree in gender and number in the normal way. Note that they precede their noun:

il terzo giorno	(on) the third day
la quarta strada a destra	the fourth street on the right
il ventesimo secolo	the 20th century

- ***Primo*** is used for the first of the month, but other dates use cardinal numbers:

il primo marzo	March 1st
il sette settembre	September 7th

✎ Note that when referring to monarchs and popes, for example, the ordinal number follows the noun/name:

Vittorio Emanuele III (terzo)	Victor Emanuel the Third
il Papa Benedetto XVI (sedicesimo)	Pope Benedict the Sixteenth

- For centuries since the 1200s, Italian has often used the following:

il Duecento	the 13th century (literally 'the 1200s')
l'Ottocento	the 19th century (literally 'the 1800s')

The forms *il tredicesimo secolo* and *il diciannovesimo secolo* also exist, usually used for history.

➡ **Exercise 2**

11.3 Fractions

The most common are:

un quarto	a quarter	*tre quarti*	three quarters
un terzo	a third	*due terzi*	two thirds
mezzo/(la) metà	a half		

The rest are formed using ordinal numbers:

un quinto	a fifth	*un sesto*	a sixth
tre quinti	three fifths	*cinque sesti*	five sixths

Mezzo is an adjective, and has to agree with its noun:

mezzo chilo di burro	half a kilo of butter
mezza bottiglia di Chianti	half a bottle of Chianti

So also:

sono le due e mezza	it's half past two
un'ora e mezza	one and a half hours
un chilo e mezzo	a kilo and a half

(La) metà is a noun meaning 'a half':

(la) metà degli inglesi	half of the English

The same structure is used with other fractions; being nouns they are linked to another noun with *di*:

un quinto di litro	one fifth of a litre

 METTETEVI A PUNTO!

1 Numeri

Scrivi i seguenti numeri in parole (il punto indica le migliaia):

a	2,7	4,6	5,3	7,2
b	49	68	71	93
c	101	145	246	257
d	348	357	478	489
e	555	566	668	689
f	777	749	843	878
g	969	999	1.001	1.875
h	3.435	5.641	7.784	9.475
i	12.876	15.678	33.543	47.897
l	1.000.100	4.943.532	67.343.000	452.694.570

2 Traduzione

Traduci queste espressioni in italiano (oralmente o per iscritto):

Elizabeth II of the United Kingdom	May 18th
Pope Pius XII	July 24th
King Louis XIV	August 21st
The 25th anniversary	September 2nd
His 10th birthday	1492
February 4th	1868
March 1st	1926
April 16th	

Adesso di' o scrivi in italiano:

il tuo numero di telefono
l'età di un parente
l'anno in cui sei nato/a
quanti anni hai
quanti anni ha il tuo professore/la tua professoressa
quanti ne abbiamo oggi?

 METTETEVI IN MOTO!

3 Operazioni

Sapete addizionare, sottrarre, moltiplicare, dividere? Dovete inventare delle operazioni per i compagni:

Esempi:

Quanto fa dieci più trentatré? Fa quarantatré.
Quanto fa trenta meno dieci? Fa venti.
Quanto fa tre moltiplicato (per) sei? Fa diciotto.
Quanto fa quaranta diviso (per) cinque? Fa otto.

4 Sei bravo/a in matematica?

Lavori in un ristorante, e devi fare il conto ai clienti ... ma questa volta hai fatto degli errori! Quando spieghi il conto, il cliente deve farti notare gli errori e chiederti spiegazioni. Il tuo compagno sarà il cliente. Ecco il conto sbagliato (la virgola separa le unità dai decimali):

2	lasagne al forno	×	8,50 €	18,50 €
2	bistecche al pepe	×	15,50 €	32,00 €
2	gelati	×	6,00 €	11,00 €
1	Chianti classico	×	15,00 €	30,00 €
2	espresso	×	2,00 €	2,00 €
				99,75 €

Poi potete inventare altri conti sbagliati!

5 Quanto dista

Parla della distanza tra casa e scuola/la discoteca/i negozi: quanto tempo ci vuole per andarci? Dove andate in vacanza? Quanto tempo ci vuole per arrivarci?

Potete anche guardare una carta geografica del mondo e calcolare la distanza e il tempo necessario per raggiungere le città più importanti di vari paesi partendo dalla vostra città; potete usare miglia o chilometri:

Esempio:

Roma dista/è lontana 1000 miglia – ci vogliono due ore d'aereo per arrivarci.

o

Roma è a 1000 miglia di distanza – ci vogliono 3 giorni di macchina per arrivarci.

6 Scusi, per andare a... ?

Spiegate come andare, per esempio, al supermercato, alla stazione; dovete usare gli ordinali:

Esempio:

A *Scusi, per andare alla stazione?*
B *La prima a sinistra, poi la terza a destra e la seconda a sinistra.*

Potete anche dire a quale piano del palazzo si trova, ad esempio, lo studio dell'avvocato o lo studio medico:

Esempio:

A *Scusi, dov'è lo studio medico?*
B *Al terzo piano.*

12 Measures and dimensions

 **MECCANISMI**

12.1 Length, breadth, depth, height, thickness, diameter

The most common way to express dimensions of this sort is with **essere** + the adjective, or occasionally **avere** with the noun.

*Questa stanza **è lunga** 8 metri e **larga** 5 metri.*
Questa stanza misura 8 metri per 5.
This room **is** eight metres **long** and five metres **wide**.

*Qui l'acqua **è profonda** 80 metri/**ha** 80 metri **di profondità**.*
Here the water is 80 metres deep.

*La neve **era alta** 3 metri.*
The snow **was** three metres **deep**.

***Sono alto** un metro e 75.*
I am one metre 75 **tall**.

*Questo muro **è spesso** 70 centimetri.*
This wall **is** 70 centimetres **thick**.

*Il tavolo **ha** 1 metro e 40 **di diametro**.*
The table **is** 1.40 metres **in diameter**.

➡ Exercises 1, 2

12.2 Area, volume, capacity

*Il cortile **misura (è di)** quattrocento **metri quadrati**.*
The courtyard **is** four hundred **metres square**.

*Questa **è** una bottiglia **da un litro**/questa bottiglia **contiene/ha la capacità di un litro**.*
This **is a litre** bottle.

*Questa valigia **pesa** 15 **chili**.*
This suitcase **weighs** 15 **kilos**.

Una motocicletta di grossa/piccola cilindrata.
A high-/low-powered motorbike.

*Un ciclomotore **da 50 c.c.***
A **50 c.c.** moped.

12.3 Shapes

Il sostantivo		L'aggettivo	
un quadrato	*a square*	quadrato	*square*
un rettangolo	*a rectangle*	rettangolare	*rectangular*
un triangolo	*a triangle*	triangolare	*triangular*
un cerchio	*a circle*	circolare/rotondo	*circular/round*
una sfera	*a sphere*	sferico	*spherical*
un ovale	*an oval*	ovale	*oval*
un poligono	*a polygon*	poligonale	*polygonal*
un pentagono	*a pentagon*	pentagonale	*pentagonal*
un cubo	*a cube*	cubico	*cubic*
un cilindro	*a cylinder*	cilindrico	*cylindrical*

12.4 Measures

un millimetro	*un centimetro*	*un metro*	*un chilometro*
un millilitro	*un centilitro*	*un litro*	
un milligrammo	*un centigrammo*	*un grammo*	*un chilo(grammo)*

12.5 Percentages

*Durante la stagione estiva ci saranno riduzioni del **20 per cento** su tutti gli abiti da sera.*
During the summer season there will be reductions of **20 per cent** on all evening dresses.

*Il tasso di interesse è sceso al **5,7 (cinque virgola sette) per cento**.*
The interest rate has gone down to **5.7 per cent**.

*Quest'anno l'inflazione è aumentata del **2 per cento**.*
This year inflation has gone up by **2 per cent**.

 Exercise 3

METTETEVI A PUNTO!

1 Misure necessarie

Date le dimensioni delle seguenti illustrazioni:

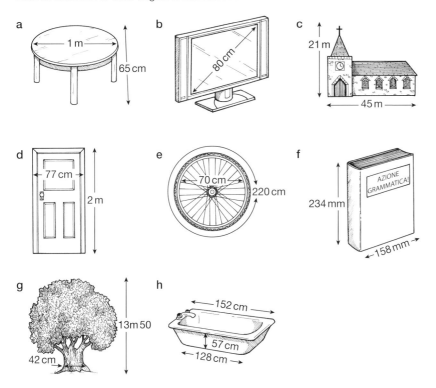

a — 1 m / 65 cm

b — 80 cm

c — 21 m / 45 m

d — 77 cm / 2 m

e — 70 cm / 220 cm

f — AZIONE GRAMMATICA! / 234 mm / 158 mm

g — 13 m 50 / 42 cm

h — 152 cm / 57 cm / 128 cm

2 Il piano della casa

Ecco il piano di una casa nuova con terrazza. Date tutte le misure in italiano.

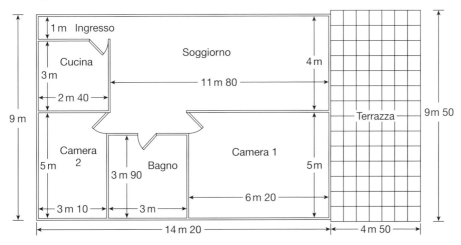

1 m Ingresso — Cucina — Soggiorno — 4 m — 3 m — 11 m 80 — 2 m 40 — 9 m — Terrazza — 9 m 50 — Camera 2 — Bagno — Camera 1 — 5 m — 3 m 90 — 5 m — 3 m 10 — 3 m — 6 m 20 — 14 m 20 — 4 m 50

3 X per cento

Bisogna dare la prima cifra come percentuale della seconda. Puoi usare la calcolatrice se ne hai bisogno! Buon divertimento!

Esempio: 5 : 20 – *Questo fa venticinque per cento.*

a   30 : 60
b   8 : 24
c   14 : 70
d   8 : 80
e   180 : 200
f   250 : 400
g   550 : 1000
h   30 : 80
i   136 : 178
l   1996 : 2050
m   1100 : 1000
n   1477 : 1999

 # METTETEVI IN MOTO!

4 Stimate le misure

A coppie, descrivete la forma e stimate il più esattamente possibile le misure dei seguenti oggetti.

Esempio: *La porta dell'aula.*

È rettangolare. È alta un metro e novantacinque e larga un metro e dieci.

1   L'aula in cui siete in questo momento.
2   La penna o matita con cui scrivete.
3   Il vostro cellulare.
4   Il banco o tavolo su cui lavorate.
5   Una delle pareti dell'aula.
6   Una pallina da tennis, o un pallone da rugby/da calcio.

5 Tutto pesato!

Ognuno deve indovinare il peso in chili e l'altezza in centimetri di cinque compagni di classe. Chi non sa con esattezza il suo peso in chili e l'altezza in centimetri dovrebbe verificare questi dettagli prima di incominciare l'attività.

Esempio:

– *Allora Robert, secondo me, tu pesi novanta chili.*
– *Ma dai, non esagerare, peso molto meno di novanta chili.*
– *Ma pesi più di settanta chili?*
– *Sì, hai ragione, ecc.*
– *Quanto all'altezza, direi che tu sei alto un metro e cinquanta.*
– *No, di più, ecc.*

6 La casa dei miei sogni

A coppie, disegnate la casa dei vostri sogni. Ecco diversi punti da considerare: dove la farete costruire; dimensioni del terreno, giardino, orto; dimensioni dell'esterno della casa e delle varie stanze all'interno; la forma e l'altezza della casa, ecc.

Confrontate il vostro disegno con quello di un'altra coppia.

7 Vendite estere

Lavori per una ditta inglese che vuole incominciare ad esportare certi suoi prodotti in Italia. Prima devi pensare a quattro o cinque prodotti che vuoi esportare, per esempio un mobile antico (tavolo, divano, orologio a pendolo), un televisore portatile, delle palline da golf, ecc. Bisogna saper descrivere dettagliatamente ogni prodotto – forma, dimensioni, materiale di fabbricazione, colore, prezzo. Per calcolare il prezzo sarebbe meglio verificare il tasso di cambio sul giornale.

Adesso devi telefonare in Italia e parlare con la persona responsabile delle importazioni (un/a tuo/a compagno/a di classe). Bisogna spiegargli/le il motivo della telefonata e fornire tutti i relativi dettagli. Siccome sei ansioso di esportare i tuoi prodotti in Italia, puoi offrire, se necessario, un piccolo sconto.

Adesso tocca al tuo compagno descrivere i suoi prodotti.

13 The partitive article and other determiners

MECCANISMI

13.1 L'articolo partitivo

13.1.1 Formation

Italian has various forms of the partitive article, all meaning 'some' or 'any', or in a negative sense, 'not ... any ...', 'no ...'. The partitive article is so called because it refers to part of a class of object or concept, not all of it. Rather like what happens in French, the partitive article consists of a combination of the preposition *di* and the definite article. They combine as follows:

	il	**lo**	**l'**	**la**	**i**	**gli**	**le**
di	del	dello	dell'	della	dei	degli	delle

13.1.2 Uses

* Meaning 'some':

  *Per questa ricetta, ci vuole **del** riso, **dello** strutto, **dell'**aglio e **della** carne tritata. Si possono aggiungere anche **dei** pisellini, **degli** zucchini e **delle** patate.*
  For this recipe one needs **some** rice, **some** lard, **some** garlic and **some** minced meat. One can also add **some** green peas, **some** courgettes and **some** potatoes.

* Meaning 'any':

  *Vuoi **del** pane?*
  Do you want **any** bread?

  *Avete **degli** amici a Rimini?*
  Do you have **any** friends in Rimini?

* Used when not needed in English:

  *Andiamo al mercato per comprare **della** carne e **degli** zucchini.*
  We are going to the market to buy meat and courgettes.

➡ **Exercises 1, 2**

13.1.3 Omission

The partitive article is omitted in Italian where often used in English:

- After negative verbs when the noun object is plural:

  Sono orfani: non hanno i genitori.
  They are orphans: they have no parents.

- After the preposition ***di***:

  Laura ha bisogno di soldi per andare all'università.
  Laura needs (some) money to go to university.

  Possiamo andare a Viticuso a casa di amici.
  We can go to some friends' house in Viticuso.

- When the idea of 'some' or 'any' is not expressed particularly positively, instead expressing something indefinite.

  Al ristorante di solito mangio o i cannelloni o le lasagne al forno.
  At the restaurant I usually eat (some) cannelloni or lasagne.

  Non posso andare in discoteca – non ho tempo.
  I can't go to the disco – I haven't got (any) time.

  Avete moneta?
  Have you got (any/some) change?

➡ **Exercise 3**

13.2 Other determiners

The articles, demonstratives, possessives, interrogatives and numerals dealt with in this chapter and previous chapters can all be referred to with the heading 'determiners', because they specify or 'determine' certain information about the noun(s) they qualify. Although they behave as adjectives – agreeing in number and gender with the noun – they do not actually describe a noun the way an adjective does. Many of them, such as possessives and demonstratives, also have a corresponding pronoun form which replaces the noun they qualify.

The following section details the determiners which do not fall within the other groups already covered.

13.2.1 *Molto, molta, molti, molte* – much, many, lots of, a lot of (adjective); *molto* – a lot (adverb)

*Ho **molto** da fare oggi!*
I have **a lot** to do today.

*Ci sono **molte** mosche qui!*
There are **lots of** flies here!

13.2.2 *Troppo, troppa, troppi, troppe* – too much/many

*Abbiamo portato **troppi** vestiti!*
We've brought **too many** clothes!

13.2.3 *Tanto, tanta, tanti, tante* – so much, so many

*Papà fuma **tante** sigarette!*
Dad smokes **so many** cigarettes!

13.2.4 *Tutto, tutta, tutti, tutte* – all, every

Note that 'every' has to be expressed in the plural:

*Ho visto **tutta** la città.*
I've seen **all** of the city.

*Ci vanno **tutti** i miei amici.*
All my friends are going.

***Tutti i** giorni leggo il giornale.*
I read the paper **every** day.

13.2.5 *Ogni* – each, every

Note that this word is invariable, and is always used with a singular noun, though it can be followed by a number:

***Ogni** giorno, andiamo a scuola.*
Every day we go to school.

*Ho dato una caramella a **ogni** bambino.*
I gave a sweet to **each** child.

***Ogni** due anni andiamo in Italia.*
Every two years we go to Italy.

13.2.6 *Ciascuno/a* – each, every

Another way of expressing 'each/every'; this word follows the model of the indefinite article (see Chapter 3, section 3.2.1):

***Ciascuno** studente deve comprare questo libro.*
Each student must buy this book.

13.2.7 *Altrettanto/a/i/e* – as much/many

*Sono venuti dieci inglesi e **altrettanti** italiani.*
Ten English people came, and **as many** Italians.

13.2.8 *Più, meno* – more, less

These words are both invariable:

> *Luigi ha **più** capelli di me.*
> Luigi has **more** hair than I.

> *Io ho **meno** capelli di Luigi.*
> I have **less** hair than Luigi.

13.2.9 *Parecchi/parecchie, diversi/diverse, vari/varie* – several

These are always plural:

> *Abbiamo intervistato **parecchi**/**diversi**/**vari** candidati.*
> We have interviewed **several** candidates.

13.2.10 *Qualche* – some

This word is invariable, and though it implies a plural, it is used only with countable nouns in the singular:

> *Qualche giorno dopo…*
> A few days later …

13.2.11 *Poco, poca, pochi, poche* – (a) little, few, not much

> ***Pochi** mesi fa…*
> **A few** months ago…

> *Siamo stati **poco** tempo a Genova.*
> We spent **little** time in Genoa.

Note also ***un po' di*** – a bit/little of:

> *Dammi **un po'di** pane.*
> Give me **a bit of** bread.

13.2.12 *Qualsiasi, qualunque* – any

> *Portami un dizionario **qualsiasi**/**qualunque**.*
> Bring me **any** dictionary.

13.2.13 *Altro, altra, altri, altre* – other, another

> *Ho **un altro** CD di Zucchero.*
> I have **another** CD by Zucchero.

> ***Gli altri** non ne vogliono.*
> **The others** don't want any.

13.2.14 *Alcuno, nessuno* – no, not any

These words follow the pattern of the indefinite article (see section 3.2.1) in agreeing with the noun referred to. In the singular, where they can only be used with countable nouns, they have a negative value; as such, when used after a verb, the verb will be preceded by **non**:

*Non abbiamo **alcun/nessun** dubbio …*
We have **no** doubt …

*Non c'è **alcuna/nessuna** alternativa.*
There is **no** alternative.

13.2.15 *Tale, tali* – such

*Non avevo mai visto una **tale** confusione.*
I had never seen **such** chaos.

13.2.16 *Certo, certa, certi, certe* – (a) certain

***Un certo** studente non ha ancora fatto **certi** compiti.*
A certain student has not yet done **certain** pieces of homework!

13.2.17 *Stesso, stessa, stessi, stesse* – same

This could be classified as a type of demonstrative; as an adjective it matches the noun it describes in number and gender.

*Al **tempo stesso***
At the **same time**

*Abbiamo tutti e due **gli stessi libri**.*
We both have **the same books**.

13.2.18 Both

There are various ways to express 'both':

***tutti/tutte e due**: **tutti e due** parlano.*
both are talking

***entrambi/e**: **entrambi** sono stati a Roma.*
both have been to Rome

***ambedue**: **ambedue** siamo arrivati alle due.*
we **both** arrived at two
(This latter is quite rare.)

METTETEVI A PUNTO!

1 La lista della spesa

Lavori al ristorante *Amalfi*. Fai la lista degli ingredienti necessari per preparare le seguenti ricette. Se non le conosci, dovrai cercarle in un libro di ricette! (Se preferisci, puoi scegliere delle ricette inglesi.)

Esempio:

Lasagne ... delle lasagne, dei pomodori, della carne tritata, del formaggio, dell'aglio, dell'olio ...

spaghetti alla carbonara	macedonia di frutta
minestrone	cappuccino
pizza napoletana	pane all'aglio
tiramisù	frittata al prosciutto
gelato al cioccolato	cannelloni al forno

2 Ricerca spaziale!

Metti l'aggettivo determinativo o l'articolo partitivo corretto nello spazio; ma nota bene – in un caso non ne avrai bisogno.

1 Vorrei ... patate fritte, per favore.	(some)
2 Dammi ... trancio di quel pesce.	(a few)
3 Ha ... carne di manzo?	(any)
4 Come, non avete ... carne di manzo?	(no)
5 Io ho quattro fratelli, e lui ne ha ...	(as many)
6 Sono già state qui ... persone.	(several)
7 Perché hai bisogno di ... soldi?	(so much)
8 Sono partiti ... fa.	(a little while)
9 ... anni fa, abitavano qui.	(a few)
10 Compriamoci un gelato ...	(each)

3 Traduzione 'partitiva'!

Traduci le seguenti frasi in italiano scegliendo la forma corretta dell'articolo partitivo. Ma in alcuni casi non ne avrai bisogno.

1 I don't need any milk today ...
2 ... but can you buy some matches?
3 And you can buy some sugar at the supermarket.
4 The car needs some petrol ...
5 ... but it does not need any oil.
6 Dad likes to have some fruit in the house.
7 You must get some new shoes!
8 Why don't your brothers buy themselves some nice clothes?
9 What's on at the cinema? Ornella Muti has made some very good films ...
10 ... but I have not yet seen any films by this actress.

 METTETEVI IN MOTO!

4 Ricette!

Cominciando con l'espressione *Ci vuole/vogliono del/dello/dell'/della/dei/degli/delle…*, scrivi tutto ciò che è necessario per:

- fare lo zabaglione
- giocare a calcio
- lavarsi i capelli
- scrivere una lettera
- prepararsi per andare in discoteca
- prendere il sole sulla spiaggia
- organizzare una festa
- cambiare la ruota a una macchina
- imparare l'italiano
- fare quest'esercizio!

5 In tasca

Il contenuto delle tasche e delle borse è sempre interessante! È meraviglioso vedere le cose che di solito si portano dietro uomini e donne … E tu, che cosa hai di solito in tasca o nella borsa? Metti tutto sulla tavola, e fanne un elenco.

In tasca ho delle chiavi, dei soldi, un fazzoletto …

6 Andiamo in vacanza!

Che cosa metteresti in valigia quando vai in vacanza? E che cosa ci sarà nella valigia al tuo ritorno? Discutetelo tra di voi, usando gli articoli partitivi, e gli altri determinativi.

Esempio:

Prima di partire, metterei in valigia dei pantaloni, delle camicie, varie cravatte … Al mio ritorno, avrei in valigia del vino italiano, delle riviste italiane, parecchi pacchi di pasta …

14 The present tense

MECCANISMI

14.1 Uses

The present tense in Italian, sometimes known as the simple present, is used to convey the idea of an action taking place at the present time. It can be translated into English in two ways, e.g. 'he eats' and 'he is eating'. The Italian present tense is used:

14.1.1 To describe what happens regularly or repeatedly, or something which is true or valid at the moment:

*Francesca **parla** italiano, spagnolo, francese e inglese.*
Francesca **speaks** Italian, Spanish, French and English.

14.1.2 To describe what is going on at the moment:

*Giorgio **parla** con i suoi amici in inglese.*
Giorgio **is talking** to his friends in English.

This could also mean 'Giorgio talks to his friends in English' (see section 14.1.1).

See also Chapter 18, section 18.2 for the present continuous, which could also be used here:

Giorgio sta parlando…

14.1.3 To denote an action in the immediate future, as in English:

*La mamma **arriva** con il treno delle 14.00.*
Mum **is arriving** on the 2 o'clock train.

14.1.4 To describe actions in the past in a dramatic way, to give added immediacy:

This is known as the historic present:

*Allora, **vado** a casa del mio amico, e gli **dico** che **non esco** con lui.*
So, I **go** to my friend's house and **tell** him that **I'm not going out** with him.

14.1.5 To indicate how long you have been doing something, where English uses a past tense:

✍ Note that this can only be used if the action is still going on at the time of speaking (see Chapter 40).

Marietta aspetta da dieci minuti.
Marietta has been waiting for ten minutes (and is still waiting).

✍ English often uses the verb 'to do' for emphasis or in questions. In Italian this is not the case: emphasis is achieved by use of a suitable expression, and questions are identified by intonation pattern when speaking and by the question mark in written form.

*Parla **proprio** bene l'italiano!*
He **does** speak Italian well!

Viaggiano molto?
Do they travel a lot?

14.2 Forms

14.2.1 Regular verbs

	parlare	**vendere**	**dormire**	**finire**
	to speak	*to sell*	*to sleep*	*to finish*
I speak, etc.	parlo	vendo	dormo	finisco
you (sing. fam.) speak, etc.	parli	vendi	dormi	finisci
he/she/it speaks, etc.	parla	vende	dorme	finisce
we speak, etc.	parliamo	vendiamo	dormiamo	finiamo
you (pl.) speak, etc.	parlate	vendete	dormite	finite
they speak, etc.	parlano	vendono	dormono	finiscono

The present tense of regular verbs is formed as follows:

• In each case, the basic part of the word – the 'stem' or the 'root' – consists of the infinitive with the **-are**, **-ere** or **-ire** taken off.

• The various forms are then made by adding an appropriate ending to that stem.

• The 2nd person plural – the **voi** form – always has the vowel of the infinitive ending.

• The **-isc-** which is placed between the stem and the ending of the **finire** family of verbs affects only the 1st, 2nd and 3rd persons singular, and the 3rd person plural forms of the verb.

• Because each form is distinct from the others in both spoken and written Italian, there is no need to use the subject pronoun unless necessary for emphasis or clarity. So, these verb forms can all stand alone. (See Chapter 10, section 10.1.)

14.2.2 Verbs with spelling changes

Italian has a number of verbs in which spelling changes occur in some forms, but which are otherwise regular. These spelling changes occur to preserve the sound of a consonant which would otherwise be affected by a change in the following vowel. Other types have forms in which the sound is 'reinforced'.

There are several types:

- *Cercare, pagare*

Some verbs follow *cercare* and *pagare* in using an *h* to preserve the hard *c* or *g* sound when the verb ending begins with *i*, (in the *tu* and *noi* forms):

cercare: cerco, cerchi, cerca, cerchiamo, cercate, cercano
pagare: pago, paghi, paga, paghiamo, pagate, pagano

- *Conoscere*

The spelling remains the same, but the pronunciation of the *c* becomes hard in the forms whose ending begins with *o*.

conoscere: conosco, conosci, conosce, conosciamo, conoscete, conoscono

Riconoscere follows the same pattern.

- *Tenere*

This verb and its many compounds have irregularities related to spelling and pronunciation:

tenere: tengo, tieni, tiene, teniamo, tenete, tengono

- *Venire*

This verb is similar to *tenere*:

venire: vengo, vieni, viene, veniamo, venite, vengono

- *Rimanere*

This verb has a *g* in the 1st person singular and the 3rd person plural:

rimanere: rimango, rimani, rimane, rimaniamo, rimanete, rimangono

* *Mangiare*

A few verbs lose the *i* of the stem before another *i*, specifically in the 2nd person singular and 1st person plural of the present tense:

mangiare: mangio, mangi, mangia, mangiamo, mangiate, mangiano
cominciare: comincio, cominci, comincia, cominciamo, cominciate, cominciano
lasciare: lascio, lasci, lascia, lasciamo, lasciate, lasciano
viaggiare: viaggio, viaggi, viaggia, viaggiamo, viaggiate, viaggiano

Others like this are **fischiare**, **pronunciare** and **studiare**; also **pigliare**, often used for **prendere** in colloquial Italian.

* *Sedere*

This verb (normally used in reflexive form: **sedersi**, see Chapter 24) and its compound forms have a spelling change which affects the 1st, 2nd and 3rd persons singular and the 3rd person plural forms:

sedere: siedo, siedi, siede, sediamo, sedete, siedono

* *Nuocere*

This verb has two types of spelling change:

nuocere: nuoccio/noccio, nuoci, nuoce, nociamo, nocete, nuocciono/nocciono

14.2.3 Irregular verbs

The following are some of the most common irregular verbs. For others, consult the verb table at the end of this book.

andare: vado, vai, va, andiamo, andate, vanno
avere: ho, hai, ha, abbiamo, avete, hanno
dare: do, dai, dà, diamo, date, danno
dovere: devo/debbo, devi, deve, dobbiamo, dovete, devono/debbono
essere: sono, sei, è, siamo, siete, sono
fare: faccio, fai, fa, facciamo, fate, fanno
morire: muoio, muori, muore, moriamo, morite, muoiono
potere: posso, puoi, può, possiamo, potete, possono
salire: salgo, sali, sale, saliamo, salite, salgono
sapere: so, sai, sa, sappiamo, sapete, sanno
uscire: esco, esci, esce, usciamo, uscite, escono
volere: voglio, vuoi, vuole, vogliamo, volete, vogliono

➡ **Exercises 1, 2**

METTETEVI A PUNTO!

1 Un incubo

Volgi i verbi tra parentesi al presente, scegliendo la forma corretta.

Quel giorno . . **(1)** . . (*partire*) di casa alla solita ora, verso le sette, e mi . . **(2)** . .
(*dirigere*) in fretta verso la stazione che si . . **(3)** . . (*trovare*) a duecento metri da casa
mia . . **(4)** . . (*mancare*) tre minuti alla partenza del treno . . **(5)** . . (*fare*) in tempo a
prendere un caffè, mi . . **(6)** . . (*chiedere*)? Dietro di me, . . **(7)** . . (*sentire*) una voce
che . . **(8)** . . (*rispondere*). «Sì, . . **(9)** . . (*venire*) anch'io, . . **(10)** . . (*avere*) proprio
bisogno di un buon caffè.» . . **(11)** . . (*essere*) un mio collega.
  Il treno . . **(12)** . . (*arrivare*) con cinque minuti di ritardo. Io e il mio collega
. . **(13)** . . (*salire*) e . . **(14)** . . (*cercare*) un posto a sedere. Come sempre, il treno
. . **(15)** . . (*essere*) pieno zeppo di pendolari e . . **(16)** . . (*dovere*) stare in piedi.
Quando . . **(17)** . . (*arrivare*) alla nostra stazione, . . **(18)** . . (*decidere*) di prendere
un tassì perché non . . **(19)** . . (*volere*) arrivare in ufficio in ritardo. Finalmente ci
. . **(20)** . . (*essere*)! Il mio collega si . . **(21)** . . (*offrire*) di pagare l'autista perché io
non . . **(22)** . . (*avere*) spiccioli.
  «Ci . . **(23)** . . (*vedere*) stasera» . . **(24)** . . (*dire*) al mio collega e me ne
. . **(25)** . . (*andare*) . . **(26)** . . (*spingere*) la porta d'ingresso ma non si . . **(27)** . .
(*aprire*); . . **(28)** . . (*suonare*) al citofono ma nessuno . . **(29)** . . (*rispondere*). Tutt'a
un tratto . . **(30)** . . (*sentire*) un rumore, . . **(31)** . . (*aprire*) gli occhi,
. . **(32)** . . (*essere*) la sveglia che . . **(33)** . . (*suonare*): . . **(34)** . . (*dovere*) alzarmi.
Che barba!

2 La mia zona

Inserisci in ogni spazio la forma corretta di uno dei verbi elencati qui sotto. Alcuni dei verbi
non vengono usati, mentre altri possono essere usati più di una volta.

abitare   coltivare   chiudere   dare   tenere   gettare   potere
avere   chiamare   correre   essere   trovare   venire   scendere   vedere

. . **(1)** . . con la mia famiglia in una bellissima zona del Devon che si . . **(2)** . . South
Hams. In questa zona si . . **(3)** . . parecchie cittadine, ciascuna delle quali . . **(4)** . . più
o meno diecimila abitanti. Le più famose . . **(5)** . . Totnes, Dartmouth e Kingsbridge.
Oltre alle cittadine ci . . **(6)** . . molti paesini pittoreschi. In questa regione si . . **(7)** . .
molti prodotti agricoli, soprattutto frutta e verdura. Inoltre si . . **(8)** . . molte mucche e
pecore, perché questa regione . . **(9)** . . famosa per il latte e la panna. Ma l'attività
economica più importante . . **(10)** . . il turismo: i turisti . . **(11)** . . per le spiagge, le
cittadine e i paesini pittoreschi; si . . **(12)** . . fare un giro per la regione in macchina,
in bicicletta, e anche in battello, perché c' . . **(13)** . . un fiume molto bello che
. . **(14)** . . da Dartmoor a Dartmouth, dove si . . **(15)** . . nel mare.

I turisti . . (16) . . non solo dall'Inghilterra, ma anche da molti Paesi d'Europa. Soprattutto, si . . (17) . . macchine francesi, italiane, tedesche e olandesi. La zona del South Hams . . (18) . . veramente una delle regioni più pittoresche della Gran Bretagna.

 **METTETEVI IN MOTO!**

3 Con quale frequenza?

Scrivi una lista di alcune cose che fai di solito durante la settimana. Confrontala con quella di un compagno e, seguendo il modello qui sotto, specifica se fai queste cose spesso o raramente.

Esempio:

A: *Guardo la tivù ogni sera, e tu?*
B: *Anch'io guardo la tivù, ma solo due o tre volte alla settimana. Personalmente preferisco andare al cinema. Ti piace andare al cinema?*
A: *Sì, ma ci vado raramente perché è troppo caro.*

Dopo, scrivi un breve riassunto della conversazione.

4 Un indovinello

Scegli un giorno della settimana e prova a indovinare quello che fa il tuo compagno/la tua compagna durante tale giorno. Lui o lei conferma se hai ragione o no. Dopo cinque minuti scambiatevi le parti.

Esempio:

A: *Sabato mattina fai colazione alle undici.*
B: *Non è vero, non faccio colazione alle undici!*
A: *Prima delle otto, allora?*
B: *Ti sbagli, faccio colazione alle undici e mezzo!*
A: *Allora, ti alzi alle dieci e mezzo ...*
B: *No, a mezzogiorno!*

Adesso, scrivi un riassunto della conversazione.

5 Questa sera

Volete uscire questa sera? In coppia parlate di tutto quello che volete fare, usando il presente, come nell'esempio.

Esempio:

A: *Questa sera andiamo al bar dopo la lezione, vieni?*
B: *D'accordo, e dopo ceniamo a casa di Jo, va bene?*

6 Il fine settimana

Parla con i tuoi amici di quello che volete fare insieme questo fine settimana.

Esempio:

A: *Venerdì sera ci troviamo a casa mia alle otto.*
B: *D'accordo, poi andiamo in città. Come ci andiamo?*
C: *Prendiamo l'autobus.*
D: *Mangiamo prima di uscire, va bene?*

7 Abitudini

Intervista almeno cinque compagni di classe sulle loro abitudini. Gli argomenti possono includere l'alimentazione, lo sport, i passatempi, gli studi, il lavoro.

Esempio:

A: *Cosa mangi a pranzo?*
B: *Generalmente mangio carne, patate e verdura. E tu?*
A: *Preferisco pasta – spaghetti al pomodoro per esempio. Cosa bevi?*
B: *A volte bevo vino, a volte acqua.*

Dopo l'intervista cerca la persona con cui hai più abitudini in comune. Usa circa 100 parole per descrivere per iscritto le abitudini di questa persona.

8 Siamo artisti!

Sai disegnare? Saprai almeno disegnare come i bambini! Anche se non sei un/un'artista, disegna schematicamente una piazza, per esempio, con delle persone che svolgono attività diverse; poi descrivila al tuo compagno, che senza guardare il tuo disegno deve riprodurlo basandosi su quello che dici.

Esempio:

A destra, vicino all'albero, due ragazzi leggono una rivista ...

9 L'articolo

Scrivi un articolo per un giornale italiano, nel quale descrivi il tuo paese o la tua città e parla anche delle attività svolte dagli abitanti in un giorno qualunque.

10 Una lettera

Scrivi una lettera a un(a) corrispondente italiano/a nella quale descrivi la tua zona e parli di alcune delle tue abitudini.

15 The imperative

15.1 Uses

The 'imperative' form of the verb has a number of functions. These include giving advice, warnings, instructions, orders and making requests and invitations. Because Italian has four ways of saying 'you', there are four positive (DO!) and four negative (DON'T!) forms, plus the positive and negative forms for 'us'.

15.2 Formation

	tu	**Lei**	**voi**	**Loro**
mangiare	**mangia**	mangi	mangiate	mangino
mettere	metti	metta	mettete	mettano
finire	finisci	finisca	finite	finiscano
aprire	apri	apra	aprite	aprano

- The formation of the imperative is fairly straightforward. With the exception of the *tu* form of verbs in *–are*, all the other *tu* and *voi* forms are the same as those of the present indicative. The formal *Lei* and *Loro* forms are identical to the corresponding forms of the present subjunctive (see section 32.1.1). The *Lei* form is frequently used in Italian, *Loro* less so. You will hear it used for example by restaurant and hotel staff when they are addressing customers

  Mangiate *più cibi biologici!*
  Eat more organic foods!

  Apri *la bottiglia di acqua minerale, per favore!*
  Open the bottle of mineral water please!

- Some verbs are irregular in the **tu** and, occasionally, **voi** forms. These are highlighted in the table.

	tu	**Lei**	**voi**	**Loro**
andare	**va' / vai**	vada	andate	vadano
avere	**abbi**	abbia	**abbiate**	abbiano
dare	**da' / dai**	dia	date	diano
dire	**di'**	dica	dite	dicano
essere	**sii**	sia	**siate**	siano
fare	**fa' / fai**	faccia	fate	facciano
sapere	**sappi**	sappia	**sappiate**	sappiano
stare	**sta' / stai**	stia	state	stiano

> **Abbi pazienza**! *Non puoi dimagrire di dieci chili in due giorni.*
> **Be patient**! You can't lose ten kilos in two days.

> *Signora,* **stia più attenta** *alla dieta.*
> Madam, **be more careful** about your diet.

▶ **Exercises 1a, 1b, 1c**

15.2.1 *Noi* 'Let's'

Let's , eg 'let's eat' is conveyed by the **noi** form of the present subjunctive – identical to the **noi** of the present indicative.

mangiamo – let's eat; *mettiamo* – let's put; *finiamo* – let's finish; *apriamo* – let's open

> **Mettiamo** *meno sale sulla verdura!*
> **Let's put** less salt on the vegetables!

▶ **Exercise 2**

15.2.2 Negative imperatives

For **Lei**, **noi**, **voi** and **Loro**, place **non** in front of the above forms:

non mangi   *non mettiamo*   *non andate*   *non facciano*

For **tu** use the infinitive of the verb:

mangia ⟶ *non mangiare; metti* ⟶ *non mettere; va'* ⟶ *non andare;*
finisci ⟶ *non finire*

> **Non mangiare** *troppi cibi grassi!*
> **Don't eat** too many fatty foods!

15.3 Imperatives with object pronouns and reflexive pronouns

Object pronouns (except *loro*) and reflexive pronouns are attached to the end of the *tu*, *noi* and *voi* forms:

mangialo – eat it; *alzatevi* – get up; *finiamoli* – let's finish them; *apritela* – open it

However, they come before the *Lei* and *Loro* forms:

Mi passi *l'olio di oliva, per favore.*
Pass me the olive oil, please.

Si accomodino, *signori.*
Please **sit down**, gentlemen.

✍ Note that *loro* – to them comes after the imperative and **must never be attached to it.**

Da' loro *questa ricetta*
Give (to) them this recipe.

✍ Note also that when *da'*, *di'*, *fa'*, *sta'* and *va'* are followed by an object pronoun, with the exception of *gli*, the initial consonant of the pronoun is doubled.

*Da**ll**e il tovagliolo.*
Give her the napkin.

*Di**cc**i cosa dobbiamo fare per dimagrire.*
Tell us what we have to do to lose weight.

*Sta**mm**i a sentire un attimo.*
Just **listen to me** a moment.

*Va**cc**i subito.*
Go there straightaway.

but

Digli *di leggere attentamente le etichette.*
Tell him to read the labels carefully.

With the negative forms of the imperative the position of the pronouns remains unchanged in the case of *Lei* and *Loro*:

Non mi guardi.
Don't look at me.

Non si preoccupino.
Don't worry.

With **tu** the pronoun can be attached to the infinitive or precede it:

> **Non mi guardare** or **Non guardarmi**.
> **Don't look at me**.

> **Non ti preoccupare** or **Non preoccuparti**.
> **Don't worry**.

This is also possible with **noi** and **voi**, but the tendency is to place the pronouns at the end of the imperative:

> **Non scrivetelo** rather than *Non lo scrivete*.
> **Don't write it**.

➧ **Exercises 3, 4, 5**

15.4 Other ways of expressing commands

Infinitives are often used to give instructions, especially in warnings, notices and recipes:

> *Non toccare la merce.*
> Do not touch the goods.

> *Condire l'insalata con aceto balsamico.*
> Dress the salad with balsamic vinegar.

- In speech it is fairly common to replace the imperative by the present or future tense of the verb or an appropriate modal verb + infinitive, which takes the form of a polite question.

> *Mi dai qualche consiglio per una dieta più sana?*

or

> *Mi puoi dare qualche consiglio per una dieta più sana?*
> Can you give me some advice on a healthier diet?

> *Smetterai di pedalare quando te lo dico io!*
> You will stop pedalling when I tell you!

> *Andrete a fare una passeggiata prima di cenare.*
> You will go for a walk before having dinner.

- **Divieto di** + noun, **(è) vietato** + noun or infinitive

> *Divieto di caccia.*
> No hunting/Hunting is prohibited.

> *Vietato l'ingresso ai cani.*
> No dogs allowed.

> *È vietato fumare.*
> No smoking.

METTETEVI A PUNTO!

1 Quanti ordini!

Vai a trovare la nonna che non sta bene. Oggi è un po' nervosa e ti dà un sacco di ordini. Metti i verbi tra parentesi alla seconda persona singolare *(tu)* dell'imperativo.

1a

> Mauro, . . **(1)** . . *(spegnere)* la radio e . . **(2)** . . *(accendere)* la televisione, per favore. Che caldo, . . **(3)** . . *(aprire)* quella finestra. Poi . . **(4)** . . *(andare)* in cucina, . . **(5)** . . *(dare)* da mangiare ai gatti, . . **(6)** . . *(lavare)* i piatti, . . **(7)** . . *(pulire)*il pavimento e . . **(8)** . . *(finire)* di sbucciare le patate.
>
> Hai fatto tutto Mauro? – Nonna, . . **(9)** . . *(avere)* pazienza, sono appena entrato in cucina! – . . **(10)** . . *(Venire)* qua un attimo. Non c'è bisogno di correre e . . **(11)** . . *(stare)* attento a non rovesciare il vaso di fiori. Allora . . **(12)** . . *(lasciare)* il lavoro in cucina, . . **(13)** . . *(fare)* un salto in città e . . **(14)** . . *(pagare)* la bolletta del gas. Questo è più urgente. A proposito, quando torni a casa . . **(15)** . . *(dire)* alla mamma che sto male.

1b Adesso metti i verbi tra parentesi nell'esercizio 1a alla seconda persona plurale *(voi)*.

Esempio: *(spegnere)* > *spegnete*

1c Per finire, metti gli stessi verbi alla forma formale *(Lei)*.

Esempio: *(spegnere)* > *spenga*

2 Quanti suggerimenti!

Giorgio ospita alcuni amici che suggeriscono di fare diverse cose. Metti i verbi tra parentesi alla prima persona plurale *(**noi**)*, come nell'esempio.

> Allora ragazzi, cosa facciamo oggi? **Andiamo** *(Andare)* a fare un giro in macchina. – No, . . **(1)** . . *(stare)* a casa, . . **(2)** . . *(dare)* una mano a Giorgio che vuole pitturare il soggiorno, poi . . **(3)** . . *(giocare)* un po' a carte. – . . **(4)** . . *(Mettere)* in ordine le camere perché c'è roba dappertutto. – **(5)** . . . *(Lasciare)* perdere, questo possiamo farlo più tardi. – Io ho un'altra idea, . . **(6)** . . *(prendere)* un caffè, . . **(7)** . . *(finire)* le pulizie e poi . . **(8)** . . *(navigare)* in Internet perché ho bisogno di trovare informazioni su una ricetta per i ravioli. – Ottima idea! Dopo però, . . **(9)** . . *(uscire)* a prendere un po' d'aria.

3 Una ricetta

La seguente ricetta contiene parecchi esempi di imperativo. Sottolineali e confronta gli esempi che hai sottolineato con quelli di un compagno di classe, discutendo le eventuali differenze. In seguito, trasforma tutti gli esempi dal *voi* al *tu*, dopo aver letto 15.3 sulla posizione dei pronomi.

Pappardelle del bosco

Pulite accuratamente i funghi e affettateli fini. Tagliate i pomodori a dadini e preparate un trito fine con un piccolo scalogno, un pizzico di timo fresco, mezzo cucchiaio di prezzemolo. Fate saltare rapidamente per qualche minuto, in un'ampia padella antiaderente, i funghi con il trito aromatico e il burro, spruzzate di vino bianco, unite i pomodori e un dado Brodo Star Sapore ai Funghi Porcini. Fate cuocere a fuoco vivace per dieci minuti. Aggiustate di sale. Lessate le pappardelle al dente in abbondante acqua salata, scolatele e conditele con il sugo ai funghi e un filo di burro fuso. Pepate e servite.

(pubblicità Star – Grazia, 3.11.1995)

4 Non ne può più, poverino!

Povero Marco! Non ha più voglia di andare a lavorare ma sua moglie gli sta sempre dietro e lo spinge ad andare avanti. Completa il dialogo con i seguenti verbi, volgendoli dove necessario alla seconda persona singolare (*tu*) dell'imperativo.

– Marco, . . (1) . ., sono le sette passate, sarai in ritardo per la scuola.
– Non ho voglia di andare a scuola oggi.
– . . (2) . . di lamentarti, . . (3) . . a preparti e . . (4) . . subito perché la colazione
è pronta.
– Maria, dove sono le mie pantofole?
– . . (5) . . dove le lasci sempre, sotto il letto e, per l'amor di Dio, . . (6) . . presto
perché oggi vado a lavorare anch'io.
– Maria, per favore non . . (7) . ., . . (8) . . pazienza e . . (9) . . di capire. Non vado
più d'accordo con i professori e gli studenti mi danno fastidio.
– Basta, non ne voglio più parlare, . . (10) . . a mangiare. Comunque,
. . (11) . . che hai 55 anni e tu sei il preside della scuola. Adesso, me ne vado.
Non . . (12) . . di prendere le chiavi e . . (13) . . a casa presto stasera perché
abbiamo ospiti. Ciao!

venire	alzarsi	avere	fare	scendere	dimenticare	guardare
smettere		tornare	cercare	andare	gridare	ricordarsi

5 Una conversazione in ufficio

Il direttore delle vendite estere parla con un cliente. In questa situazione le due persone si danno del Lei. Completa il dialogo con la forma formale *(Lei)* dell'imperativo, facendo attenzione alla posizione dei pronomi.

. . (1) . . *(Venire)* signor Becchio. . . (2) . . *(Accomodarsi)* . . (3) . . *(Attendere)* un attimo mentre telefono a un altro cliente. Se gradisce un caffè, . . (4) . . *(servirsi)* pure . . (5) . . *(Avere)* pazienza perché oggi la mia segretaria è malata e quindi… .

– Non . . (6) . . *(preoccuparsi)*, . . (7) . . *(fare)* pure con calma perché io non ho fretta.
– Ecco fatto, allora . . (8) . . *(dirmi)* signor Becchio.
– Ho portato il contratto che Lei deve firmare.
– . . (9) . . *(Lasciarmelo)* fino a domani perché non ho tempo di leggerlo adesso.
. . (10) . . *(Starmi)* a sentire, . . (11) . . *(spedirmi)* via fax i dettagli del nuovo progetto. . . (12) . . *(Scusarsi)* ma ora ho un altro appuntamento. Ci vediamo domani. ArrivederLa.

 # METTETEVI IN MOTO!

6 Comportiamoci bene

Il professore vuole che la classe d'italiano si metta d'accordo su una lista di regole di comportamento da seguire durante le lezioni. Il professore suggerisce le prime due regole. A coppie o a gruppi completate la lista di regole che ritenete importanti.

Regole di comportamento
Cerchiamo di arrivare sempre in anticipo.
Non buttiamo mai per terra la carta straccia.

7 Dammi retta

Cosa diresti alle seguenti persone che conosci bene? Seguendo gli esempi, suggeriti per la persona A, cerca di dare almeno 2 suggerimenti ad ogni altra persona.

A Un'amica che vuole tenersi in forma.

Esempi:

Pratica regolarmente qualche sport.

Non andare dappertutto in macchina. Va'a piedi ogni tanto.

B Un amico che ha bisogno di seguire una dieta più sana.
C Uno studente che deve sostenere degli esami importanti fra qualche mese.
D Un disoccupato che non riesce a trovare lavoro.
E Un compagno di classe che non ha abbastanza soldi per andare in vacanza.

Scrivi tutti i suggerimenti che dai e confrontali con quelli di alcuni compagni di classe.

8 Sogno o realtà?

a Abitate vicino a un parco nazionale che ogni anno accoglie centinaia di visitatori italiani. Il comune vorrebbe avere una serie di istruzioni tradotte in italiano per aiutare questi visitatori. L'assessore al turismo ha chiesto alla vostra classe di tradurre in italiano le seguenti istruzioni. Se riuscite a pensare ad altre informazioni/istruzioni utili, aggiungetele a questo elenco.

DRIVE WITH CARE

NO OVERTAKING

FORBIDDEN TO PICK THE FLOWERS

DO NOT FEED THE ANIMALS

TAKE YOUR RUBBISH WITH YOU

KEEP DOGS ON A LEAD

DO NOT LIGHT FIRES

HELP US TO PROTECT OUR PARK

RESPECT NATURE

NO CAMPING

NO PARKING ON THE ROADSIDE

b L'assessore al turismo lancia un altro progetto e offre un premio alla scuola che riesce a proporre la migliore serie di istruzioni per aiutare i turisti italiani nei negozi, per la strada, in città, nei parchi. Ecco alcuni suggerimenti:

TENETE LA NOSTRA CITTÀ PULITA
MODERARE LA VELOCITÀ
SPINGERE
È VIETATO INTRODURRE CANI
TENETE IL CANE AL GUINZAGLIO

9 La visita

Un amico/un'amica italiano/a viene a trascorrere un mese a casa tua. Arriverà con l'aereo e tu non avrai tempo di andare a prenderlo/la all'aeroporto. Scrivigli/le un'email in cui gli/le dai istruzioni dettagliate per arrivare a casa tua.

10 Fai da te!

Su quale degli argomenti elencati qui sotto pensi di essere più informato? Scegline uno e spiega a un compagno di classe quello che bisogna fare, utilizzando, dove necessario, l'imperativo. Forse sarebbe meglio preparare l'argomento per iscritto prima di presentarlo oralmente.

a preparare una ricetta
b spiegare le regole di un gioco
c proteggere la casa contro i ladri
d passare l'esame di guida
e fare i preparativi per un viaggio all'estero
f educare un bambino
g imparare una lingua straniera

16 The perfect tense

MECCANISMI

16.1 Uses

- The perfect is the literal equivalent of the English perfect tense: it tells you what you **have done**, what **has happened**.

  Oggi la Banca Centrale Europea **ha alzato** *i tassi di interesse.*
  Today the Central European Bank **has raised** interest rates.

  Ho dovuto *cambiare cinquanta sterline in euro.*
  I have had to change fifty pounds into euros.

- However, most importantly and most frequently, it is also the tense used in conversational Italian as the equivalent of the English simple past, to say what you *did*, what *happened*.

  Dove **sei andato** *stamattina? –* **Sono andato** *in banca.*
  Where **did you go** this morning? – **I went** to the bank.

  Le mie amiche **hanno comprato** *parecchie paia di scarpe e* **hanno pagato** *in contanti.*
  My friends **bought** several pairs of shoes and **paid** in cash.

- The past definite is used rather than the perfect in formal writing, eg literary texts, and occasionally in journalism. The past definite is also used in speech, particularly in the South and some parts of Central Italy. The general tendency, however, is to use the perfect tense in speech.

- Take care not to use the perfect tense in Italian as the equivalent of every simple past tense in English. 'Whenever they went on holiday, they never told us where they were going' describes repeated, habitual actions, and the verbs must be in the imperfect: *Ogni volta che andavano ... non ci dicevano mai...*. (See Chapter 17, section 17.1.1.)

- Remember that to say what you have been doing, you use the present in Italian:

  My niece has been working in a bank for three months.
  Mia nipote lavora in banca da tre mesi.

(See Chapter 40.)

16.2 Formation

The perfect tense is a 'compound' tense, that is, it consists of more than one word. It is formed with an 'auxiliary' verb (***avere*** or ***essere***) and the past participle. The perfect tense of most verbs is formed with ***avere***.

For full details about the formation of the past participle, see Chapter 29, section 29.2.1.

16.2.1 *Avere* verbs

	parlare	**vendere**	**capire**
Past participle	parlato	venduto	capito
Perfect	ho parlato hai parlato ha parlato abbiamo parlato avete parlato hanno parlato	ho venduto hai venduto ha venduto abbiamo venduto avete venduto hanno venduto	ho capito hai capito ha capito abbiamo capito avete capito hanno capito

Past participle agreement with **avere** verbs:

The past participle **must agree**:

- with the preceding direct object pronouns **lo**, **la**, **li**, **le**:

  *Dove hai messo la mia carta di credito? – **L'(la)** ho mess**a** sul comodino.*
  Where did you put my credit card? – I put **it** on the bedside table.

  *Avete sentito le ultime notizie sulla crisi economica? – No, non **le** abbiamo ancora sentit**e**.*
  Have you heard the latest news on the economic crisis? – No, we haven't heard **it** yet.

  *Per chi hai comprato i fiori? – **Li** ho comprat**i** per mia nonna.*
  Who did you buy the flowers for? – I bought **them** for my grandmother.

- with the pronoun **ne** when the meaning being conveyed is 'some' or 'part of' something:

  *Avete letto i diversi articoli di giornale sull'evasione fiscale? – Sì, **ne** abbiamo lett**i** alcuni.*
  Have you read the various newspaper articles on tax evasion? – Yes, we have read some **(of them)**.

Agreement is **optional:**

- when the direct object pronouns are **mi**, **ti**, **ci**, **vi**:

  *Non **ci** hanno aiutato/aiutat**i**.*
  They didn't help us.

- when the pronoun **ne** refers to a specific quantity. In this case the **ne** can agree with the noun it refers to or with the quantity:

  *Quante pere hai comprato? – Ne ho comprat**e**/comprat**i** tre chili.*
  How many pears have you bought? – I have bought three kilos (of them).

Note that the past participle **never agrees**:

*   with the subject:

    *Come al solito, **i miei figli** hanno risparmiato la paghetta.*
    As usual, my children have saved their pocket money.

*   or with a preceding **indirect** object pronoun:

    ***Le** abbiamo mandato un assegno.*
    We sent her (= to her) a cheque.

Exercise 1

16.2.2 *Essere* verbs

	arrivare	
Past participle	arrivato/a/i/e	
Perfect	sono arrivato/a	siamo arrivati/e
	sei arrivato/a	siete arrivati/e
	è arrivato/a	sono arrivati/e

Verbs that take the auxiliary **essere** include the majority of intransitive verbs, most impersonal verbs and all reflexive verbs.

*   Intransitive verbs (i.e. used without a direct object) that use **essere** fall into two categories:

those that involve movement or lack of movement:

> **andare, arrivare, cadere, entrare, essere, fuggire, giungere, partire, restare, rimanere, salire, scappare, scendere, stare, tornare, uscire, venire**

those that indicate some process of change, often of a physical or psychological nature:

> **apparire, arrossire, crescere, dimagrire, divenire, diventare, guarire, ingrassare, invecchiare, morire, nascere, scomparire, scoppiare, sparire, svenire**

*   Impersonal verbs include the following:

> **accadere, avvenire, bastare, capitare, costare, dispiacere, mancare, parere, piacere, sembrare, servire, succedere, valere, volerci**

Also included in this category are verbs referring to the weather such as **nevicare**, **piovere**, etc. In spoken Italian, however, it is fairly common nowadays to use the auxiliary **avere** for these.

- Past participle agreement with **essere** verbs: the past participle agrees in gender and number (masculine/feminine, singular/plural) with the subject of the verb:

  *In questi ultimi due anni **l'inflazione** è rimast**a** ferma al 2 per cento.*
  These last two years inflation has remained unchanged at 2 per cent.

  __I miei parenti__ sono appena uscit__i__. Sono andat__i__ al bancomat per ritirare dei soldi.
  My relatives have just gone out. They have gone to the cashpoint to take out some money.

Exercise 2

- Some verbs take **essere** or **avere** depending on whether they are used intransitively (without an object) or transitively (with an object).

  *I prezzi **sono** aumentati.*
  The prices have increased. (intransitive)

  *I negozianti **hanno** aumentato i prezzi.*
  The shopkeepers have increased the prices. (transitive)

- With the modal verbs **dovere**, **potere** and **volere** it is more correct to use **essere** if the accompanying infinitive takes **essere**. This rule applies particularly to writing. In speech there is a growing tendency to use **avere**.

  Non siamo potuti andare in vacanza quest'anno.
  We couldn't go on holiday this year.

Exercise 3

16.2.3 Reflexive verbs

(See also Chapter 24.)

All verbs used reflexively are conjugated with **essere**:

  *Non **ci siamo accorti** dell'aumento del costo della vita.*
  We didn't notice the increase in the cost of living.

  *La mia famiglia **si è abituata** a sbarcare il lunario.*
  My family has got used to making ends meet.

- Past participle agreement: the past participle normally agrees with the subject:

La ragazza *si è trovata nei guai quando ha perso il lavoro.*
The girl found herself in a fix when she lost her job.

When **dovere**, **volere** or **potere** is used with a reflexive verb, there are two possible constructions. The auxiliary is **essere** when the reflexive pronoun precedes the modal:

Ci siamo dovuti alzare presto.

and **avere** when the reflexive pronoun remains attached to the infinitive:

Abbiamo dovuto alzarci presto.
We had to get up early.

16.2.4 Object pronouns

Object pronouns always precede the auxiliary:

*Perché non **me l'hai** chiesto prima?*
Why didn't you ask me before?

*Non **l'abbiamo** ancora fatto.*
We haven't done it yet.

➤ **Exercises 4, 5, 6**

 METTETEVI A PUNTO!

1 Ultimamente

Clara si mette a pensare a tutte le cose che ha fatto ultimamente. Metti i verbi tra parentesi al passato prossimo come nell'esempio.

Ho comprato (*Comprare*) una giacca nuova. . . **(1)** . . (*Lavare*) la macchina dei miei genitori. . . **(2)** . . (*Fare*) un sacco di compiti. . . **(3)** . . (*Vendere*) la bicicletta al mio fratello minore. . . **(4)** . . (*Rispondere*) a tutti gli SMS. . . **(5)** . . (*Scrivere*) una lettera d'amore ad un mio compagno di scuola. . . **(6)** . . (*Leggere*) parecchie riviste di moda. . . **(7)** . . (*Vedere*) un bellissimo programma sui pinguini. . . **(8)** . . (*Dire*) ai miei genitori che non mi sposo quest'anno. Un mese fa . . **(9)** . . (*compiere*) undici anni e . . **(10)** . . (*invitare*) tutti i miei amici alla festa. Ieri . . **(11)** . . (*bere*) due litri di aranciata e dopo . . **(12)** . . (*prendere*) qualcosa per il mal di pancia. Una settimana fa . . **(13)** . . (*mettere*) in ordine la mia camera ma purtroppo . . **(14)** . . (*rompere*) il mio specchietto preferito per cui . . **(15)** . . (*piangere*) tanto. E come ultima cosa, ieri sera . . **(16)** . . (*finire*) di leggere un libro di Harry Potter. Come sono brava, vero?

2 Una conversazione tra amici

Completa il seguente dialogo volgendo i verbi tra parentesi al passato prossimo, come nell'esempio. Sta' attento alla concordanza del participio passato.

Flavio, a che ora **sei andato** (*andare*) al cinema iera sera? – Verso le otto. – Ti
.. **(1)** .. (*piacere*) il film? – Sì, .. **(2)** .. (*essere*) molto divertente, non so quante
volte .. **(3)** .. (*scoppiare*) a ridere. – .. **(4)** .. (*Venire*) anche Luisa? – No, .. **(5)** ..
(*rimanere*) a casa. – Come mai, .. **(6)** .. (*succedere*) qualcosa? – Sì, .. **(7)** ..
(*cadere*) dal motorino tornando dal lavoro. Per fortuna non si è fatta male. E tu
Cesare, .. **(8)** .. (*uscire*) ieri sera? – No, perché .. **(9)** .. (*tornare*) a casa molto
tardi per cui .. **(10)** .. (*andare*) subito a letto. – Che belle scarpe che porti Cesare!
– Grazie, sono veramente belle ma mi .. **(11)** .. (*costare*) un occhio della testa. A
proposito Flavio, .. **(12)** .. (*dimagrire*)? – Anzi, .. **(13)** .. (*ingrassare*) di due chili.
A dire il vero questi pantaloni .. **(14)** .. (*diventare*) un po' stretti!

3 Essere o non essere!

Cancella la forma errata. (Bisogna tener presente se il verbo viene usato in modo transitivo o intransitivo.)

Esempio:

Il corso ~~ha~~/è finito.

1 I prezzi delle case *sono aumentati/hanno aumentato* parecchio in questi ultimi anni.
2 Ultimamente la mia situazione finanziaria *è migliorata/ha migliorato*.
3 Perciò la mia vita *ha cambiato/è cambiata*.
4 *È/Ha* già *cominciato* il programma televisivo sull'economia?
5 L'intervista con il ministro *è durata/ha durato* più di un'ora.
6 Al vertice i ministri *hanno cambiato/sono cambiati* rotta sulla politica economica.
7 L'appartamento ci *è costato/ha costato* un occhio della testa.
8 *Ci sono volute/hanno voluto* tre ore per arrivare a una decisione.
9 Il mio amico *ha/è* ingrassato di cinque chili.
10 Le condizioni di lavoro *hanno peggiorato/sono peggiorate*.

4 Il diario di una vacanza

Marco scrive su un diario alcuni appunti sulla sua vacanza al mare. Volgi tutti i verbi al passato prossimo.

Lunedì 10 agosto
.. **(1)** .. (*Mi alzo*) presto e .. **(2)** .. (*faccio*) colazione. .. **(3)** .. (*Mangio*) solo una brioche, .. **(4)** .. (*prendo*) un cappuccino e .. **(5)** .. (*vado*) di corsa alla spiaggia. I miei genitori .. **(6)** .. (*rimangono*) in albergo e mi .. **(7)** .. (*raggiungono*) più tardi. Sulla spiaggia .. **(8)** .. (*incontro*) alcuni amici e .. **(9)** .. (*ci divertiamo*) molto giocando a calcio. Dopo la partita .. **(10)** .. (*ci mettiamo*) d'accordo per uscire insieme la sera.

Martedì 11 agosto

. . (11) . . (*Piove*) tutto il giorno. . . (12) . . (*Rimaniamo*) tutti in albergo.
. . (13) . . (*Guardiamo*) un po' di televisione e . . (14) . . (*scriviamo*) un sacco di cartoline ai parenti.

Mercoledì 12 agosto

. . (15) . . (*Noleggiamo*) una macchina e . . (16) . . (*visitiamo*) i dintorni della città. Ci . . (17) . . (*piace*) soprattutto il paesaggio collinare, ma . . (18) . . (*è*) interessante anche il viaggio lungo la costa.

Giovedì, venerdì e sabato

. . (19) . . (*Stiamo*) tutto il giorno in spiaggia. . . (20) . . (*Facciamo*) il bagno e . . (21) . . (*prendiamo*) il sole.

Domenica 16 agosto

. . (22) . . (*Partiamo*) per l'aeroporto e . . (23) . . (*torniamo*) a casa. La nostra breve vacanza . . (24) . . (*finisce*) qua.

5 Che bell'estate!

Completa la lettera con i seguenti verbi, volgendoli al passato prossimo. Attenzione! Non puoi usare lo stesso verbo più di una volta.

applicare   conoscere   terminare   lavorare   potere   essere   trascorrere
fare   divertirsi

Urbino, 27 settembre

Ciao Anna

come stai? Io bene anche se purtroppo le vacanze estive . . (1) . . Anche quest'anno . . (2) . . le vacanze al mare. Come gli anni precedenti, . . (3) . . molte persone con le quali . . (4) . . molto. Insomma, . . (5) . . una bella estate, anche se . . (6) . . durante il mese di luglio, perché oltre a divertirmi . . (7) . . scoprire il mondo del lavoro nel quale . . (8) . . le conoscenze acquisite in sede scolastica. Tu, cosa . . (9) . . durante le vacanze? Sperando di ricevere presto tue notizie ti saluto con un forte abbraccio.

Ciao

Elisa

6 Testimonianze dei sopravvissuti

Il seguente brano è tratto da un giornale italiano. I verbi al passato prossimo sono stati tolti e scritti qui sotto in ordine sparso. Bisogna reinserirli.

"Orribile, orribile, orribile" ripete un'abitante di Moss Point, Mississippi, al giornale locale: ".. (1) .. sette ore rannicchiata nel mio piccolo attico con mio marito. Ero rimasta a casa perché .. (2) .. qui per 29 anni e non .. (3) .. mai ... l'acqua alzarsi nemmeno fino ai gradini dell'ingresso. Ora .. (4) .. tutto". Un altro sopravvissuto confessa alla NBC di aver sottovalutato la pericolosità dell'uragano: "Mi aspettavo che fosse brutto, ma non così terribile". Quando l'acqua .. (5) .. la sua casa sulla spiaggia, .. (6) .. arrampicandosi su un albero del cortile e restandoci aggrappato per cinque ore.

Anche i soccorritori .. (7) .. momenti drammatici e alcuni di loro sono dispersi. L'acqua .. (8) .. via il tribunale della Hancock County del Mississippi che era diventato il centro delle operazioni di soccorso: "Trentacinque persone .. (9) .. fuori dal palazzo, con addosso i giubbotti-salvagente. Non .. (10) .. più ... nulla di loro" .. (11) .. al giornale il direttore dei servizi medici d'emergenza della vicina Harrison County. Un altro signore era in una casa di riposo a New Orleans quando l'acqua .. (12) .. a salire verso il soffitto: lui ce l' .. (13) .. a uscire e a salire sul tetto dell'edificio, ma il suo amico .. (14) .. indietro per prendere qualcosa in camera e la compagna .. (15) .. ad aiutarlo.

(*Corriere della Sera*, 31.8.2005)

 ... METTETEVI IN MOTO!

7 Conoscersi meglio

Scrivi almeno dieci frasi che descrivono quello che hai fatto in questi ultimi anni o nella tua vita finora.

Esempi:

Ho vissuto per due anni in Francia.
A gennaio ho cambiato lavoro.

Confronta quello che hai fatto con almeno due compagni di classe. Dove possibile, cerca di fare delle domande supplementari, come negli esempi.

Esempi:

Dove hai vissuto in Francia? Perché hai deciso di andare a vivere in Francia?
Ti è piaciuto il modo di vivere?
Perché hai cambiato lavoro?

Chi pensi di conoscere meglio? Scrivi una breve relazione su quello che ha fatto questa persona.

8 Che memoria!

Ti ricordi in modo dettagliato di tutto quello che hai fatto sabato scorso/domenica scorsa, oppure durante la tua ultima vacanza? Scegli una di queste occasioni e descrivila a un compagno di classe.

9 L'interrogazione

A coppie cercate di creare dei dialoghi come nell'esempio.

Esempio: *prenotare la camera*

– Hai prenotato <u>la camera</u>?
– Sì, <u>l</u>'ho prenotat<u>a</u> stamattina / No, non <u>l</u>'ho ancora prenotat<u>a</u>. Ho dimenticato di far<u>lo</u>.

Ecco delle espressioni che potete usare:

- telefonare all'amica
- scrivere il tema
- leggere la rivista
- invitare gli amici alla tua festa di compleanno
- andare in farmacia
- trovare le informazioni sulll'Internet
- dare il mio indirizzo email a Roberto
- sentire le previsioni del tempo per domani
- andare dal medico.

10 Scelta libera!

1   Scrivi un'email a un amico/un'amica nella quale racconti la tua ultima vacanza.
2   Racconta un episodio che ti è successo in questi ultimi anni.
3   Inventa una storia – una rapina in banca, un'alluvione, un'avventura misteriosa/comica/romantica/tragica…
4   'Quella sera siamo usciti intorno alle otto, come al solito…' Continua la storia, usando il passato prossimo il più possibile.

MECCANISMI

17.1 Uses

The main point about the use of the imperfect is that there is no indication of the beginning or end of the action, whether the action described was finished or not. That is why it is called 'imperfect', in other words, 'incomplete'. It is therefore the tense you use to set the background in the past. You use other past tenses to describe events, to say what actually happened. (See Chapters 16 and 22.)

The imperfect has three main uses:

17.1.1 To indicate what <u>used</u> to happen, such as habitual or repeated happenings:

*In passato un'alta percentuale di coppie italiane **si sposava** in chiesa.*
In the past a high percentage of Italian couples married (**used to get married**) in church.

*Le ragazze italiane **si sposavano** di solito intorno ai vent'anni e in genere **si occupavano** della casa e dei figli.*
Italian girls usually got married (**used to marry**) around twenty years of age and generally looked after (**used to look after**) the house and children.

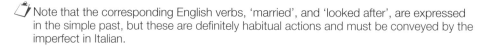 Note that the corresponding English verbs, 'married', and 'looked after', are expressed in the simple past, but these are definitely habitual actions and must be conveyed by the imperfect in Italian.

17.1.2 To describe a situation in the past:

*All'inizio dell'ultimo secolo migliaia di italiani **emigravano** in cerca di lavoro.*
At the beginning of the last century thousands of Italians **emigrated** in search of work.

This also includes the description of various characteristics of people – physical, emotional, health, age – and of things and places, as well as time, dates, seasons and the weather, as long as there is no specific indication of the **duration** of the state or situation.

*Claudio **aveva** diciotto anni; **era** alto, **aveva** i capelli ricci e biondi e **portava** le lenti a contatto.*
Claudio **was** 18 years of age; **he was** tall, **had** blond curly hair and **wore** contact lenses.

***Erano** le otto di sera ma **faceva** molto caldo.*
It was eight o'clock in the evening **but it** was very hot.

17.1.3 To say what was happening at a particular time:

*I bambini **guardavano** dei cartoni animati alla televisione.*
The children **were watching** cartoons on the television.

*Mio padre **aggiustava** la lavatrice e mio fratello **si stirava** i pantaloni.*
My father **was fixing** the washing machine and my brother **was ironing** his trousers.

Exercises 1, 2

The imperfect is often used in conjunction with the perfect or past definite tense to set the background to an event or events; in other words to state what was going on when something else happened.

*I genitori **giocavano** con i figli quando i nonni **sono entrati** nella stanza.*
The parents **were playing** with the children when the grandparents **entered** the room.

***Lavoravamo** in giardino quando, tutt'a un tratto, **cominciò** a piovere.*
We were working in the garden when all of a sudden **it started** to rain.

Exercise 3

There is also a 'progressive' form of the imperfect ('was/were doing') using the verb ***stare***. See Chapter 18, section 18.3.

For use of the imperfect after expressions of time introduced by ***da***, see Chapter 40.

Note that 'would' does not always indicate the use of the conditional. In the following example, 'would' indicates an habitual action and therefore the imperfect tense must be used in Italian.

Mio zio leggeva il giornale quando arrivava a casa.
My uncle would read the newspaper when he arrived home.

17.2 Formation

To obtain the stem, remove the infinitive ending. The imperfect endings are the same except that each group retains the characteristic vowel, *a*, *e* or *i*, of the infinitive.

Infinitive	**andare**	**mettere**	**aprire**
Stem	and-	mett-	apr-
Imperfect	andavo andavi andava andavamo andavate andavano	mettevo mettevi metteva mettevamo mettevate mettevano	aprivo aprivi apriva aprivamo aprivate aprivano

The **only** verb in this tense that has a completely irregular form is **essere**:

ero	eri	era	eravamo	eravate	erano

 Note also the following:

bere ⟶ *bevevo*   dire ⟶ *dicevo*   fare ⟶ *facevo*

Verbs ending in **-durre**:

condurre ⟶ *conducevo*   tradurre ⟶ *traducevo*

Verbs ending in **-arre**:

attrarre ⟶ *attraevo*   trarre ⟶ *traevo*

METTETEVI A PUNTO!

1 Alcuni ricordi

Una persona ricorda un periodo della sua vita. Volgi all'imperfetto i verbi tra parentesi.

Quando . . **(1)** . . (*essere*) più giovane, non . . **(2)** . . (*andare*) mai d'accordo con mia sorella . . **(3)** . . (*bisticciare*) sempre, non so perché. Tutti e due . . **(4)** . . (*frequentare*) il liceo ma lei non . . **(5)** . . (*avere*) mai voglia di studiare e questo mi . . **(6)** . . (*fare*) arrabbiare perché a me . . **(7)** . . (*piacere*) tanto studiare. Le . . **(8)** . . (*dire*) sempre che . . **(9)** . . (*dovere*) impegnarsi di più, ma lei non mi . . **(10)** . . (*dare*) mai retta . . **(11)** . . (*entrare*) da un orecchio e . . **(12)** . . (*uscire*) dall'altro. Meno male che a quell'epoca . . **(13)** . . (*essere*) più facile trovare lavoro.

A parte mia sorella, . . **(14)** . . (*avere*) tre fratelli: . . **(15)** . . (*essere*) in sette in famiglia. Mio padre . . **(16)** . . (*lavorare*) in miniera e mia madre . . **(17)** . . (*occuparsi*) della casa. Mi ricordo che durante le vacanze estive . . **(18)** . . (*andare*) in una stazione balneare che . . **(19)** . . (*trovarsi*) a una cinquantina di chilometri da casa nostra. Ci . . **(20)** . . (*sembrare*) un viaggio lunghissimo . . **(21)** . . (*dovere*) sempre viaggiare con i mezzi pubblici perché nessuno in famiglia . . **(22)** . . (*avere*) la macchina. Nonostante i vari problemi . . **(23)** . . (*essere*) bei tempi.

2　Che vita monotona!

Questo brano si riferisce ad alcune abitudini quotidiane del signor Federico.

Completa le frasi con l'imperfetto dei seguenti verbi.

> Ogni giorno il signor Federico . . (1) . . puntualmente alle sei e mezza
> . . (2) . . subito in bagno e . . (3) . . la doccia. . . (4) . . sempre attento a non fare
> rumore perché non . . (5) . . svegliare sua moglie . . (6) . . in cucina a fare
> colazione . . (7) . . sempre dei biscotti e . . (8) . . un bel caffè forte . . (9) . . di casa
> alle sette e quindici. Gli . . (10) . . fare una bella passeggiata la mattina presto
> perché non c'. . (11) . . nessuno in giro. Anche se . . (12) . . a dirotto o . . (13) . .
> freddo, . . (14) . . lo stesso. Quando . . (15) . . tutto solo . . (16) . . l'abitudine di
> parlare tra sé e sé.

stare　　mangiare　　alzarsi　　piovere　　volere　　uscire (×2)
　　　avere　　essere (×2)　　piacere　　fare (×2)　　bere　　andare (×2)

3　Il dilemma

Il dilemma è quello di volgere i verbi tra parentesi all'imperfetto o al passato prossimo.
Bisogna pensare al contesto e al senso di ogni frase. Prova! In bocca al lupo!

1　Marco, con chi … (*parlare*) quando ti … (*vedere*) in città stamattina?
2　Da quando io … (*essere*) piccolo, … (*sognare*) di andare all'università.
3　Quando mio marito ed io … (*mettersi*) in viaggio, le strade … (*essere*) deserte e … (*fare*)
　almeno un'ora di viaggio prima di vedere un'altra macchina.
4　Siccome … (*fare*) un freddo da morire, i miei parenti … (*decidere*) di non venire a trovarci.
5　Ma tu mi … (*dire*) sempre di non andarci e poi alla fine ci … (*andare*) tu.
6　Voi … (*pensare*) di non dire niente ma io non … (*potere*) continuare così.
7　Tutte le volte che Maria … (*tornare*) a casa dal lavoro, … (*sentirsi*) stanca, poverina. Però,
　non mi … (*dire*) mai nulla.
8　Io … (*avere*) in mente di vendere la casa ma mi … (*succedere*) qualcosa di inaspettato
　per cui … (*decidere*) di non venderla.

METTETEVI IN MOTO!

4 Allora ed ora

Scrivi dieci frasi che descrivono le tue abitudini di una volta. Queste frasi possono essere positive o negative e riferirisi ad argomenti quali: sport, vacanze, passatempi, cibo, ecc.

Esempio:

Quando avevo quindici anni, suonavo la chitarra ... Mi piaceva tanto leggere libri di fantascienza ... Fino a pochi anni fa, lo sport non mi interessava.

Confronta le tue abitudini con quelle di alcuni compagni di classe. Questa seconda attività è orale e per renderla più interessante puoi confrontare le abitudini di una volta con quelle attuali.

Esempio:

Quando avevo quindici anni suonavo la chitarra ma adesso, purtroppo, non la suono più perché ...

5 Sul sentiero dei ricordi

Parla di un periodo della tua vita che ti è molto caro. Se vuoi, puoi iniziare in questo modo:

Quando avevo ... anni, ...

e basare la descrizione sulla seguente traccia – casa e dintorni, famiglia, interessi, il tuo carattere e quello degli altri membri della famiglia, ambizioni, modo di vivere.

Scrivi un resoconto delle tue esperienze.

6 Ritorno al passato

A coppie o a gruppi pensate al periodo in cui viviamo e poi cercate di immaginare com'era la vita senza l'automobile, l'aereo, la televisione, i videogiochi, il cellulare, il computer, la posta elettronica, la carta di credito, il supermercato, il centro commerciale, la pubblicità in TV e sui giornali, l'assistenza sociale, ecc. Descrivete com'era la vita di quell'epoca.

7 Un testimone oculare

Studente A   Immagina che un ladro ti abbia rubato la borsa. Denuncia il fatto al poliziotto (Studente B) che ti farà alcune domande. Cerca di descrivere il più dettagliatamente possibile il ladro (età approssimativa, descrizione fisica, vestiti), la borsa (colore, contenuto e il valore degli oggetti rubati) e le circostanze (cosa facevi, dov'eri, ecc.)

Studente B   Fai la parte di un poliziotto. Lo studente A è stato vittima di un furto e vuole denunciare il fatto. Chiedigli di descrivere il più accuratamente e dettagliatamente possibile il ladro, la borsa e il suo contenuto, e le varie circostanze relative all'episodio.

Scrivi un'email a un amico/un'amica nella quale racconti questo episodio.

18 Continuous tenses

18.1 Uses

As explained in Chapter 14, the present tense is used to convey the idea of an action taking place at the present time in two ways: 'he writes' and 'he is writing', for example. Whilst the first of these refers to a general truth, the second refers to something actually happening at the moment.

> *Mariella **parla molto**.*
> Mariella **talks a lot**.

> ***In questo momento** Mariella **parla al telefono**.*
> Mariella **is talking on the telephone at the moment**.

Although the verb itself is the same, the idea of the action is quite different. Normally in Italian, the context of the verb will make it clear which of these notions is being conveyed. However, like English, Italian also has a way of expressing the second meaning more vividly:

> *Mariella **sta parlando**.*
> Mariella **is talking** (right now).

This is called the present continuous, with a corresponding tense in the past – the imperfect continuous:

> *Mariella **stava parlando**.*
> Mariella **was** (in the middle of) **talking**.

18.2 The present continuous

This tense is used to place special emphasis on the ongoing nature of the action. It is used less than its English equivalent, as the present tense is usually enough.

This tense is formed from the present tense of ***stare*** and the gerund of the main verb:

sto parlando	I am speaking
stai parlando	you are speaking (singular, informal)
sta parlando	he/she/it/you (formal) are speaking
stiamo parlando	we are speaking
state parlando	you are speaking (plural)
stanno parlando	they/you (plural, formal) are speaking

The gerund of almost all verbs is formed as follows:

-are verbs	⟶	*-ando*
-ere verbs	⟶	*-endo*
-ire verbs	⟶	*-endo*

The following (and their compounds) are the only irregular gerunds:

dire	⟶	*dicendo*	*porre*	⟶	*ponendo*
fare	⟶	*facendo*	*tradurre*	⟶	*traducendo*
bere	⟶	*bevendo*	*trarre*	⟶	*traendo*

Remember that these gerunds do not change in any way. See section 29.3 for more on the gerund.

Exercises 1, 2

18.3 The imperfect continuous

This tense is used to describe ongoing actions in the past. As with the present, the imperfect tense is usually enough to convey this sense, but where extra emphasis is required to stress the ongoing nature of the action, the imperfect continuous tends to be used.

It is formed in a similar way to the present continuous: the difference is that instead of the appropriate form of the present tense of *stare*, you use the imperfect:

stavo parlando	I was speaking
stavi parlando	you were speaking (singular, informal)
stava parlando	he/she/it/you (formal) were speaking
stavamo parlando	we were speaking
stavate parlando	you were speaking (plural)
stavano parlando	they/you (plural, formal) were speaking

Exercise 3

18.4 *Andare* + gerund

This is another way of expressing a continuous verb; it conveys the idea of cumulative progression:

I miei voti in italiano vanno sempre migliorando.
My marks in Italian are getting better and better.

Note: This cannot be done with every verb, just those which express a type of change.

 **METTETEVI A PUNTO!**

1 Quante attività!

Al suo arrivo a casa Federico non crede ai suoi occhi, vedendo tutto il movimento che c'è!
Volgi i verbi sottolineati al presente progressivo.

> Un giorno Federico arriva a casa prima del solito e trova tutti i suoi familiari
> molto indaffarati. Che cosa . . (1) . . <u>succede</u>? Suo zio . . (2) . . <u>lava</u> l'automobile
> in cortile, i suoi fratelli . . (3) . . <u>tagliano</u> l'erba, suo papà . . (4) . . <u>finisce</u> di
> aggiustare la lavastoviglie e suo nonno, un po' meno indaffarato degli altri,
> . . (5) . . <u>dorme</u> sul dondolo. Sua nonna invece . . (6) . . <u>guarda</u> la televisione e
> contemporaneamente . . (7) . . <u>fa</u> le parole crociate. Sua sorella . . (8) . . <u>si prepara</u>
> per uscire con il suo ragazzo, mentre sua mamma . . (9) . . <u>mette</u> in ordine il
> soggiorno. Suo cugino . . (10) . . <u>traduce</u> un documento per la sua ditta ed è un po'
> arrabbiato perché i due gatti . . (11) . . <u>giocano</u> con la tastiera del suo computer.
> Per di più, suo figlio . . (12) . . <u>piange</u> da più di un'ora.

2 Infedeltà!

Sei un(a) ficcanaso! Ieri sera hai visto Fabio, il ragazzo di tua sorella, in vari luoghi: stava con
delle altre ragazze. Adesso tua sorella vuole sapere tutto quello che stavano facendo.
Completa queste frasi, trasformando i verbi tra parentesi all'imperfetto progressivo.

1 Alle cinque l'ho visto al caffè con Naomi: (*prendere un caffè*)
2 Alle sei e mezzo era nel giardino di Sandra: (*cogliere fiori*)
3 Verso le sei e mezzo l'ho visto con Giulia: (*baciarsi*)
4 Alle sette si trovava al cinema con Bianca: (*guardare un film*)
5 Alle otto meno venti era in piazza con Anna: (*abbracciarsi*)
6 Alle otto l'ho visto con Lara in un ristorante: (*cenare*)
7 Verso le nove l'ho intravisto con Katia alla spiaggia: (*fare il bagno*)
8 Alle undici erano davanti alla banca: (*ritirare dei soldi*)
9 Verso mezzanotte era alla stazione con Katia: (*guardare l'orario dei treni*)
10 A mezzanotte salivano sul treno per Roma: (*fuggire*)

METTETEVI IN MOTO!

3 Che lavoro fai?

Ognuno deve scegliere una professione. Lavorando a gruppi di tre o quattro, fate delle domande per indovinare queste professioni. Se necessario, potete anche usare dei gesti per farvi capire.

Esempio: *Sei un macellaio: fai dei gesti come se tagliassi un pezzo di carne ...*

A:	*Stai scrivendo una lettera?*	– No!
B:	*Sei in una falegnameria?*	– No!
C:	*Stai segando della legna?*	– No!
D:	*Stai tagliando della carne?*	– Sì!
E:	*Sei un macellaio, allora?*	– Sì.

4 Al ladro!

C'è stato un furto nell'albergo dove passate le vacanze. Un testimone vi crede colpevoli, perché siete vestiti come i ladri. Allora, un poliziotto vi fa delle domande per sapere dove eravate e che cosa stavate facendo.

Esempio:

A: *Dove eravate alle otto, e che cosa stavate facendo?*
B: *Eravamo al ristorante, e stavamo cenando.*
C: *No, eravamo in discoteca, e stavamo ballando!*

5 Il reportage

Ogni studente deve immaginare di essere giornalista. Uno/a va a un concerto interessante, l'altro/a va a un congresso importante, e un altro/un'altra va a una partita di calcio internazionale. Descrivete quello che sta succedendo e quello che fanno i partecipanti, come in una radiocronaca, e poi scrivete un reportage di 150 parole sull'avvenimento.

19 The future tense

The future tense is the direct equivalent to the English future tense.

19.1 Uses

- The future tense is used to describe future events, regardless of whether they are in the near future or the distant future.

  Comprerò del vino al supermercato, poi **tornerò** a casa.
  I'll buy some wine at the supermarket, then **I'll go** home.

  L'anno prossimo, **andremo** in vacanza in Italia, ma **quando** nostro figlio **avrà** dieci anni, **andremo** negli Stati Uniti.
  Next year **we will go** to Italy on holiday, but **when** our son **is** ten years old, **we will go** to the United States.

- It is also used to express suppositions, probability and approximations (often involving numbers):

  Chi c'è in cucina? **Sarà** la nonna.
  Who is in the kitchen? **It must be/is probably** grandmother.

  Il tuo amico **avrà** più o meno cinquant'anni.
  Your friend **must/will be** about 50.

  Che ora è? Non sono sicuro, ma **saranno** le dieci.
  What time is it? I'm not sure, but **it must be** 10 o'clock.

- It is used after **se** or a conjunction of time in the future, even if in English the present tense is used:

  Se lo troverò, te lo spedirò subito.
  If I find it, I'll send it to you straight away.

  Quando arriveremo, prenderemo una tazza di tè.
  When we arrive, we'll have a cup of tea.

- As in English, the idea of the future can also be expressed simply by using the present tense:

  La mamma arriva domani mattina.
  Mum arrives tomorrow morning.

  Il treno parte tra dieci minuti.
  The train leaves in ten minutes' time.

Exercises 1, 2

19.2 Formation

The future tense endings are based mostly on the present tense of the verb **avere**, added to the infinitive with the **-e** removed. Note that the stem of **-are** verbs changes to **-er** in the future, and that all verbs use the same endings.

parlare	vendere	finire	
parlerò	venderò	finirò	I will...
parlerai	venderai	finirai	you will...
parlerà	venderà	finirà	he/she/it/you will...
parleremo	venderemo	finiremo	we will...
parlerete	venderete	finirete	you will...
parleranno	venderanno	finiranno	they will...

The verb **essere** has an irregular stem in the future tense:

sarò	sarai	sarà	saremo	sarete	saranno

Some verbs have modified future tense stems.

The following lose the vowel of the infinitive ending:

andare	⟶	andrò		potere	⟶	potrò
avere	⟶	avrò		sapere	⟶	saprò
cadere	⟶	cadrò		vedere	⟶	vedrò
dovere	⟶	dovrò		vivere	⟶	vivrò

The following verbs and their compounds have future stems ending in **-rr-**:

bere	⟶	berrò		tenere	⟶	terrò
morire	⟶	morrò		valere	⟶	varrò
parere	⟶	parrò		venire	⟶	verrò
rimanere	⟶	rimarrò		volere	⟶	vorrò

The following retain **-ar-** and do not change to **-er-**:

dare ⟶ darò	fare ⟶ farò	stare ⟶ starò

Verbs ending in **-ciare** and **-giare** drop the **i** before the future tense endings:

cominciare ⟶ comincerò	mangiare ⟶ mangerò

Verbs ending in *-care* or *-gare* use an *h* to keep the *c* and *g* hard:

cercare ──▶ cercherò   pagare ──▶ pagherò

 # METTETEVI A PUNTO!

1 Domani!

È sempre meglio rimandare a domani! Rispondi a questi ordini come nell'esempio:

– *Mario, pulisci la camera, subito!*
– *La pulirò domani!*

1 Pulisci le scarpe!
2 Lava questa camicia!
3 Fa'i compiti!
4 Lava i piatti!
5 Fa' la doccia!
6 Prepara la cena!
7 Leggi questo libro!

8 Da' da mangiare al gatto!
9 Va' a trovare i nonni!
10 Metti la bicicletta in garage!
11 Compra dei fiammiferi!
12 Scrivi una lettera agli zii!
13 Torna subito a casa!
14 Finisci quest'esercizio!

2 Le vacanze ideali!

a Questa è la descrizione delle tue vacanze dell'anno prossimo. Volgi i verbi tra parentesi nella forma corretta del futuro.

L'anno prossimo . . (1) . . (*andare*) in vacanza in Italia. La settimana prossima, . . (2) . . (*dovere*) andare all'agenzia di viaggi, e . . (3) . . (*prenotare*) il volo; . . (4) . . (*potere*) anche scegliere l'albergo: se . . (5) . . (*avere*) i soldi necessari, . . (6) . . (*scegliere*) un albergo di lusso a Venezia. In questo caso, . . (7) . . (*andare*) ogni giorno a visitare i musei, e a girare per le piazze ed i negozi di Venezia. Inoltre . . (8) . . (*avere*) la possibilità di andare alla spiaggia, ma . . (9) . . (*essere*) possibile stare lì solo un giorno.

Se non . . (10) . . (*essere*) possibile andare a Venezia, . . (11) . . (*cercare*) un albergo meno caro in una stazione balneare come Pesaro o Cattolica. Così, ci . . (12) . . (*essere*) la possibilità di visitare Venezia, ma . . (13) . . (*potere*) anche stare molto tempo in spiaggia: . . (14) . . (*fare*) il bagno ogni giorno, e . . (15) . . (*prendere*) anche il sole. Così, . . (16) . . (*tornare*) a casa molto abbronzato!

b Poi trasforma i verbi alla prima persona plurale (*noi*), alla terza persona singolare (*lui/lei*) e alla terza persona plurale (*loro*).

 METTETEVI IN MOTO!

3 Che ragazzi curiosi!

Devi uscire con degli amici, ma mentre ti prepari, i tuoi fratelli minori/le tue sorelle minori fanno delle domande (i tuoi compagni di classe fanno questa parte). Per rispondere, spiega, usando il futuro, tutto quello che tu ed i tuoi amici farete questa sera, ma non è necessario dire sempre la verità!

Esempio:

– *Allora, perché ti sei vestito così?*
– *Perché questa sera andremo in discoteca.*
– *E che farete in discoteca?*
– *Balleremo, stupido!*

4 Incontro con la polizia

Siete innocenti, naturalmente! Tu ed i tuoi amici siete andati in centro per divertirvi un po'. Ma un poliziotto (il vostro professore) un po' sospettoso vuole sapere dove andate e che cosa farete. Rispondete alle sue domande come nell'esempio:

– *Ma, dove andate voi?*
– *Andiamo al cinema.*
– *Ma, è chiuso ...*
– *Allora, andremo al bar. Poi torneremo a casa di Giuseppe.*

5 Domani, domani!

Seguendo l'idea dell'esercizio 1, *Mettetevi a punto!*, fate una conversazione tra genitori e figli, o tra dipendente e datore di lavoro.

Esempi:

Al ristorante: – *Metti l'acqua sui tavoli!*
 – *La metterò dopo!*
In ufficio: – *Scrivi questa lettera subito!*
 – *La scriverò dopo pranzo!*

6 Il tempo

Consultate un bollettino meteorologico e dite ai vostri compagni che tempo farà domani.

Esempio:

– *Lombardia: Domani ci sarà il sole, ma farà molto freddo.*

7 I pigroni teledipendenti

Scegliete i programmi che volete vedere stasera:

– *Alle dieci e quaranta guarderemo il Telegiornale, e dopo vedremo I Simpson.*

RAIUNO		CANALE 5		ITALIA 1	
6.00	Settegiorni Parlamento Rassegna settimanale dei lavori di Camera e Senato, Rassegna completa e puntuale	6.00	Telegiornale 5 Prima pagina Rullo di notizie della durata di cinque minuti circa. Tra un rullo di notizie e l'altro, l'oroscopo	6.00	Cartoni animati Cartoni
				8.50	I Robinson Telefilm
				9.25	Road to justice Telefilm
				11.20	Più forte ragazzi Telefilm
				12.15	Secondo voi
6.45	Unomattina	7.55	Traffico	13.00	Studio Sport
10.40	Telegiornale Parlamento	7.57	Meteo 5	13.40	Shaman King Cartoni
10.45	Dieci minuti di... programmi dell'accesso	7.58	Borsa e monete	14.05	Dragon ball Cartoni
		8.50	Il diario	14.30	I Simpson Cartoni
10.55	Appuntamento al cinema	9.05	Tutte le mattine Talkshow	15.00	Dawson's Creek Telefilm
11.00	Occhio alla spesa	11.25	Giudice Amy Telefilm	15.55	Campioni, il sogno Reality
12.00	La prova del cuoco Gioco	12.30	Vivere Soap Opera		show
14.00	Telegiornale 1 Economia	13.40	Beautiful Soap Opera	16.15	Bentornato Topo Gigio,
14.10	L'ispettore Derrick	14.15	CentoVetrine Soap Opera		Le nuove avventure di
15.05	Il commissario Rex	14.45	Uomini e donne Talkshow		Scooby Doo, Sonic X,
15.50	Festa italiana	16.15	Amici Reality show		Mirmo, Rossana, Lupo de'
16.15	La vita in diretta	17.05	Verissimo – Tutti i colori della cronaca		Lupis Cartoni animati
18.50	L'eredità Gioco			19.00	La vita secondo Jim Serie
		18.45	Passaparola Gioco	19.55	Love bugs 2 Serie
20.30	Batti e ribatti Discussione sul tema del giorno	20.30	Striscia la notizia Varietà satirico, ironia, divertimento, ma anche serietà, Antonio Ricci, Ezio Greggio ed Enzo Iacchetti	20.10	O.C. Telefilm 21.00
20.35	Affari tuoi Gioco			21.00	Big fat liar Film (2002) Regia di Shawn Levy
21.00	Gente di mare Film-tv Compatri decide di rivelare cosa è contenuto nei fusti gettati in mare			22.50	Il bivio – Cosa sarebbe successo se... Varietà
		21.00	Caterina e le sue figlie Miniserie	0.20	Studio Sport
23.55	Porta a Porta	23.15	Matrix	1.00	Secondo voi Striscia
1.55	Telegiornale 1 Turbo. Che tempo fa Attualità	1.15	Striscia la notizia Varietà satirico, ironia, divertimento, ma anche serietà.		d'informazione che ogni giorno propone una micro-inchiesta su temi d'attualità
2.05					
	Appuntamento al cinema Rubrica cinematografica Per essere sempre informati sulle novità proposte dal grande schermo	1.45	Il diario Striscia informativa a cura di Maurizio Costanzo. 15 minuti per approfondire il tema del giorno attraverso interviste ai protagonisti	1.15	Campioni, il sogno Reality show
					Invisible man Telefilm
				2.00	Megasalvishow Varietà
				3.00	La dottoressa ci sta col
2.10	Sottovoce			3.15	colonnello Film
2.40	Non è m@i troppo tardi	2.30	Amici Reality show	5.00	Studio Sport
				5.30	Otto sotto un tetto Telefilm

8 Ascoltiamo la radio

Scegliete i programmi che volete ascoltare domani:

– Alle diciannove e quaranta ascolteremo Zapping, e dopo ascolteremo Il Cammello.

RADIOUNO:		RADIODUE		RADIOTRE	
14.00	Scienze	13.00	28 minuti	12.00	I Concerti del Mattino
14.47	New Generation	13.42	Viva Radio2	13.00	La Barcaccia
15.04	Ho perso il trend	15.00	Il Cammello di Radio2 – Gli	14.00	Il Terzo Anello: Musica
15.37	Il ComuniCattivo Affari		spostati	14.30	Il Terzo Anello: Tante vie
16.00	Baobab – L'albero delle	16.30	Condor	15.01	Fahrenheit: I libri e le idee
	notizie	17.00	610 (sei uno zero)	16.00	Storyville
16.09	Titoli – Affari Borsa	18.00	Caterpillar	18.00	Il Terzo Anello: Damasco
17.30	Titoli – Radio Europa	19.52	Sport	19.01	Hollywood party
18.30	L'Argonauta	20.00	Alle 8 della sera "Napoleone	19.53	Radio3 Suite
18.37	Radio1: Sport	20.35	III" Dispenser	20.00	Le metamorfosi di Don
19.30	Ascolta, si fa sera	21.00	Il Cammello di Radio2 –		Giovanni
19.40	Zapping. Alla radio		Decanter	20.30	Il Cartellone
21.12	l'informazione in TV	23.00	Viva Radio2	22.50	Rumori fuori scena
22.00	Zona Cesarini	24.00	La Mezzanotte di Radio2	23.30	Il Terzo Anello: Fuochi
23.05	Affari			24.00	Il Terzo Anello: Battiti
23.14	Gr1 Parlamento			1.30	Il Terzo Anello: Ad alta voce
23.45	Uomini e camion			2.00	Notte Classica

20 The conditional

20.1 Uses

The conditional is generally used where in English we use the word 'would' (but see the note at the end of '*Meccanismi*'). Its name reflects one of its main uses: to express the result of a condition ('if').

- The conditional is used to express 'would' when referring to actions or events which may never be fulfilled, in rhetorical questions, or where there is an implied condition:

    Sarebbe *una buona idea, ma…*
    It would be a good idea, but…

    Ma chi **direbbe** *una cosa simile?*
    But who **would say** such a thing?

    Va bene, in questo caso, che **faresti** *tu?*
    Allora, la **chiamerei** *al telefono, le* **direi** *che le voglio bene, poi le* **comprerei** *dei fiori,* **andrei** *a casa sua … e chissà quale* **sarebbe** *la sua reazione …*
    Okay, what **would you do** in this case?
    Well, **I would telephone** her, **I'd tell** her that I love her, then **I would buy** her some flowers, **I'd go** to her house … and who knows what her reaction **would be** …

- The conditional is used after 'if clauses' to express what would happen if a certain condition were met

For a fuller explanation of 'if clauses', see Chapter 39.

    Se piovesse, rimarrei a casa, o andrei in macchina.
    If it rained/were to rain, I would stay at home, or I'd go by car.

- The conditional can also be used as in English to soften a request or command

Similarly, it is used to express a preference, advice, or a suggestion (often using *dovere*, *potere* and *volere* – see Chapter 26):

    Senti, **mi faresti** *questo piccolo favore?*
    Hey, **would you do me** this little favour?

    Dovresti scriverle *domani.*
    You should/ought to write to her tomorrow.

    Quando arrivate a casa, **potreste telefonarci**.
    When you arrive home, you **could give us a call**.

    Vorrei *una bistecca ben cotta.*
    I should/would like a well-cooked steak.

- In reported speech, the conditional is used where the future is used in direct speech:

  I giovani dissero «Non torneremo mai qui!».
  The youngsters said 'We will never come here again.'

  *I giovani dissero che non **sarebbero** mai **tornati** lì.*
  The youngsters said that they **would** never **go back** there again.

  Luigi si chiedeva «Quando la rivedrò?».
  Luigi was wondering 'When will I see her again?'

  *Luigi si chiedeva quando **l'avrebbe rivista**.*
  Luigi was wondering when **he would see her again**.

- The conditional can be used to convey conjecture, doubt or uncertainty about information being expressed, and it is therefore also used to express approximations in the past.

  *Secondo il poliziotto, l'incidente **sarebbe accaduto** perché il motociclista **non avrebbe saputo controllare** bene la sua moto.*
  According to the policeman, the accident **may have happened** because the motorcyclist **may not have been able to control** his motorbike properly.

  *Se fosse ancora vivo, quest'anno mio nonno **avrebbe compiuto** ottant'anni.*
  If he were still alive, my grandfather **would be about** eighty.

✏️ The conditional is not used where English uses 'would' to express willingness to do something, which has nothing to do with conditions; instead, Italian uses ***volere*** + infinitive:

  Gli ho chiesto di sparecchiare la tavola, ma non volevano fare niente.
  I asked them to clear the table, but they would not do anything.

English often uses 'would' to express 'used to'; in this case, Italian uses the imperfect (see Chapter 17, section 17.1.3:

  Quando ero piccolo, giocavo con i miei gatti.
  When I was little, I would play with my cats.

20.2 Formation

The conditional in Italian is formed by adding regular endings to the same stem as for the future tense, that is, the infinitive minus the final **-e**, and with **-are** verbs changing to **-er** (see Chapter 19, section 19.2).

parlare	vendere	finire	
parlerei	venderei	finirei	*I would …*
parleresti	venderesti	finiresti	*you would …*
parlerebbe	venderebbe	finirebbe	*he/she/it/you would …*
parleremmo	venderemmo	finiremmo	*we would …*
parlereste	vendereste	finireste	*you would …*
parlerebbero	venderebbero	finirebbero	*they would …*

These endings are used for both regular and irregular verbs. Note that the verbs which have an irregular stem in the future tense have the same irregular stem for the conditional.

 **Exercises 1, 2, 3**

 **METTETEVI A PUNTO!**

1 Il robot della fantasia

Chissà quali cose ci sarebbero in un futuro immaginario! Magari tra vent'anni, se fossi ricco/ricca, grazie all'alta tecnologia, avresti un robot che potrebbe fare tutte le faccende di casa e svolgere tutti i tuoi compiti. Ecco un elenco di tutto quello che devi fare oggi … ed anche un esempio di come sarebbe utile il tuo robot:

Devi …
spazzare la cucina	fare la spesa
preparare la cena	stirare le camicie
lavare la macchina	pulire le scarpe
finire i compiti d'italiano	scrivere delle lettere
tagliare l'erba in giardino	riparare il televisore

Esempio:

Devo pulire questa camera … ma in un lontano futuro forse la pulirebbe il mio robot.

2 La dolce vita

13, 27, 8, 48, 37, 19 ... Ecco, hai vinto finalmente! Se vincessi alla lotteria nazionale, che faresti? Continueresti a lavorare o no? Che cosa compreresti con le tue vincite? Ecco una versione della tua storia, ma mancano i verbi. Inserisci in ogni spazio il verbo corretto, trasformandolo al condizionale.

Prima di tutto, . . (1) . . tutti i miei debiti! Poi . . (2) . . una macchina di lusso. Non so se . . (3) . . una buona idea comprare una casa grande, perché . . (4) . . difficoltà a tenerla pulita. Sicuramente . . (5) . . una vacanza all'estero, perché mi piace stare un po' al sole! Non so ancora se . . (6) . . a lavorare o no; ma mi . . (7) . . abbastanza l'idea di lavorare sapendo che non . . (8) . . bisogno di farlo per pagare i debiti. E poi, se un giorno il padrone dicesse che non lavoro abbastanza, . . (9) . . dirgli che non voglio più lavorare. Dopotutto, . . (10) . . più ricco di lui!

essere (X2)   continuare   fare   avere (X2)   pagare   attirare
comprare   potere

3 Discorso indiretto

Ecco una conversazione tra il padrone del ristorante *Amalfi* e un cliente un po' strano; la cameriera ha ascoltato la conversazione. Qualche giorno dopo, c'è un furto al ristorante e la cameriera deve fare un resoconto scritto della conversazione, perché la polizia crede che il furto sia stato commesso dallo strano cliente. Scrivi il resoconto fatto dalla cameriera.

A: Vuole il dolce?
B: Sì, grazie. Vorrei un tiramisù.
A: Ecco il tiramisù. Tutto bene?
B: Sì, benissimo. Per favore, in quali giorni ci saranno più clienti?
A: Probabilmente verranno molti clienti venerdì e sabato.
B: Volevo saperlo perché la prossima volta preferirei cenare tranquillamente, quando non ci sarà troppa gente.
A: Allora, domenica sera non ci saranno molti clienti, e chiuderemo presto. E poi, lunedì andrò in banca. Allora, La aspettiamo domenica sera?
B: Sì! Tornerò certamente!

Esempio:

Il padrone ha domandato se voleva il dolce, e il cliente ha detto che avrebbe voluto un tiramisù.

METTETEVI IN MOTO!

4 L'inventore

Inventa un apparecchio di alta tecnologia che sappia fare alcune delle faccende di casa e poi descrivilo usando il condizionale come negli esempi.

Esempio:

Il mio apparecchio potrebbe fare i letti automaticamente.
Il mio metterebbe la spazzatura nel bidone.

In coppia o a gruppi discutete le conseguenze per chi avesse questi apparecchi; per esempio, sarebbe necessario lavorare? In futuro, ci sarà una sola macchina per fare tutto … Poi, scrivete almeno 200 parole come riassunto della conversazione.

5 Il nuovo milionario

Che cosa faresti se vincessi alla lotteria? Un/Una giornalista (un/una compagno/a di classe) ti intervista.

Esempio:

A: *Allora, che cosa farebbe Lei con tutti quei soldi?*
B: *Non lo so ancora, ma mi piacerebbe comprare una Ferrari. Poi andrei a scuola, e sorprenderei i miei professori!*

Poi, ognuno deve scrivere un riassunto di 100 parole:

A: *Disse che le/gli sarebbe piaciuto comprare una Ferrari, e che sarebbe andato/a a scuola …*
o:
B: *Io dissi che mi sarebbe piaciuto comprare una Ferrari, e che sarei andato a scuola …*

6 Galileo Galilei

Il grande scienziato italiano sapeva già tutto centinaia di anni fa! Già sapeva, per esempio, che un giorno ci sarebbero stati gli aerei … Inventate una conversazione come la seguente:

A: *Oggi abbiamo il telefono …*
B: *Galileo già sapeva che un giorno sarebbe stato inventato il telefono.*

21 The pluperfect and other compound tenses

 **MECCANISMI**

Like the perfect (Chapter 16), the pluperfect, future perfect, conditional perfect and past anterior are formed with the auxiliary verbs **avere** or **essere** and the past participle. All rules concerning the choice of auxiliary verb and past participle agreement apply in these tenses as described for the perfect.

21.1 Pluperfect tense (*il trapassato prossimo*)

This tense tells you what **had** already happened before another action in the past. Its name means 'more than perfect, further back in the past'.

> *Quando siamo arrivati alla stazione, il treno **era** già **partito**.*
> When we got to the station, the train **had** already **left**.

> *Sono andato a pagare il conto, ma i miei amici **l'avevano** già **pagato**.*
> I went to pay the bill, but my friends **had** already **paid** it.

It is also used, as in English, in reported speech (see Chapter 45, section 45.2):

> *'Non ho noleggiato la macchina,' ha detto mia cognata.*
> *Mia cognata ha detto che **non aveva noleggiato** la macchina.*
> 'I have not hired the car,' said my sister-in-law.
> My sister-in-law said that **she had not hired** the car.

The pluperfect is formed with the imperfect of the auxiliary verb **avere** or **essere** and the past participle:

parlare	uscire	lavarsi
(had spoken)	*(had gone out)*	*(had washed)*
avevo parlato	ero uscito/a	mi ero lavato/a
avevi parlato	eri uscito/a	ti eri lavato/a
aveva parlato	era uscito/a	si era lavato/a
avevamo parlato	eravamo usciti/e	ci eravamo lavati/e
avevate parlato	eravate usciti/e	vi eravate lavati/e
avevano parlato	erano usciti/e	si erano lavati/e

➡ **Exercise 1**

21.2 Past anterior (*il trapassato remoto*)

The past anterior is used, in place of the pluperfect but with the same meaning, after time expressions such as *quando* (when), *appena* (as soon as) and *dopo che* (after) and it is formed with the past definite of *avere/essere* (see Chapter 22) and the past participle:

ebbi parlato   *fui uscito/a*   *mi fui lavato/a*

This tense tends only to be used in a written context, particularly in literary texts, when the verb in the main clause is in the past definite. The meaning is the same as that of the pluperfect.

> **Dopo che** *gli ospiti* **furono partiti**, *i miei genitori andarono a letto*.
> **After** the guests **had left**, my parents went to bed.

In conversation, the past anterior would be replaced by the pluperfect and the majority of Italians would use the perfect tense instead of the past definite:

> *Dopo che gli ospiti erano partiti, i miei genitori sono andati a letto.*

21.3 Future perfect (*il futuro anteriore*)

This tells you what will have happened (before another event, by a certain time).

> *Sabato a quest'ora gli operai* **avranno finito** *di pitturare la casa.*
> By this time on Saturday the workmen **will have finished** painting the house.

After time expressions such as *quando*, *dopo che*, *appena*, *una volta che*, it can be used to contrast what you will have already done with what you will do next:

> **Quando avremo mangiato**, *andremo a fare due passi.*
> **When we have eaten**, we shall go for a stroll.
> (ie, first we eat, then we go for a stroll)

The future perfect can also be used to express a doubt or a supposition:

> **Saranno state le nove passate** *quando siamo usciti.*
> **It must have gone nine o'clock** when we went out.

> *Dove sono gli altri?* – **Saranno entrati** *nell'ufficio turistico.*
> Where are the others? – **They must have/they've probably gone into** the tourist office.

The tense is formed with the future of **avere** or **essere** and the past participle:

(will have spoken)	(will have gone out)	(will have washed)
avrò parlato	sarò uscito/a	mi sarò lavato/a
avrai parlato	sarai uscito/a	ti sarai lavato/a
avrà parlato	sarà uscito/a	si sarà lavato/a
avremo parlato	saremo usciti/e	ci saremo lavati/e
avrete parlato	sarete usciti/e	vi sarete lavati/e
avranno parlato	saranno usciti/e	si saranno lavati/e

 Exercise 2

21.4 Conditional perfect (*Il condizionale passato*)

This tense tells you what would have happened (but didn't), or what wouldn't have happened (but did):

> **Avresti dovuto mettere** un annuncio sul giornale.
> **You should have put** an advertisement in the newspaper. (but you didn't)

> Se mi avessi fatto vedere la lettera, **avrei corretto** gli errori.
> If you had shown me the letter, **I would have corrected** the mistakes. (no corrections)

> **Non sarebbero andati** alla festa se non fossero stati invitati.
> **They wouldn't have gone** to the party if they hadn't been invited. (they did go)

See also Chapter 39 on 'if' clauses.

The conditional perfect is also used in reported speech (see Chapter 20, section 20.1 and Chapter 45, section 45.2):

> Il controllore ci **ha detto che** il treno **sarebbe arrivato** in orario.
> The ticket inspector **told us that** the train **would arrive** on time.

Note that the conditional perfect is used in Italian where English uses the simple conditional. This is very common where the main clause contains a past tense of verbs such as **dire, pensare, credere, sperare, immaginare, promettere**, etc:

> Speravo che sarebbero stati qui per l'ora di pranzo.
> I was hoping they would be here by lunchtime.

The conditional perfect is formed with the conditional of **avere** or **essere** and the past participle:

(would have spoken)	(would have gone out)	(would have washed)
avrei parlato	sarei uscito/a	mi sarei lavato/a
avresti parlato	saresti uscito/a	ti saresti lavato/a
avrebbe parlato	sarebbe uscito/a	si sarebbe lavato/a
avremmo parlato	saremmo usciti/e	ci saremmo lavati/e
avreste parlato	sareste usciti/e	vi sareste lavati/e
avrebbero parlato	sarebbero usciti/e	si sarebbero lavati/e

METTETEVI A PUNTO!

1 Un ritorno che non risponde alle aspettative

Un signore parla del ritorno al suo paesino natio. Volgi i verbi tra parentesi al trapassato prossimo.

Esempio: ... *era giunto* ...

Dopo una assenza di più di trent'anni ho deciso che . . **(1)** . . (*giungere*) il momento di ritornare al mio paesino natio. Camminando per le stradine mi sono accorto subito che tante cose . . **(2)** . . (*cambiare*). Ho incontrato per caso un ex collega che mi ha detto che parecchi suoi amici . . **(3)** . . (*lasciare*) il paese . . **(4)** . . (*dovere*) traslocare per motivi di lavoro. Alcuni, purtroppo . . **(5)** . . (*morire*), altri . . **(6)** . . (*andare*) a vivere in un ospizio perché non erano più capaci di badare a se stessi. Inoltre, mi ha informato che Il Ministero della Pubblica Istruzione . . **(7)** . . (*chiudere*) la scuola materna per via della denatalità nella zona. Molti abitanti . . **(8)** . . (*lanciare*) un appello contro la chiusura di questa scuola ma tutte le loro proteste non . . **(9)** . . (*servire*) a nulla. Il ministro responsabile . . **(10)** . . (*prendere*) la decisione e non c'era più niente da fare. I pochi bambini . . **(11)** . . (*trasferirsi*) alla scuola materna che distava sette chilometri dal paese. Infine mi ha spiegato che la pizzeria di via Roma non c'era più. I proprietari l'. . **(12)** . . (*vendere*) e con i soldi . . **(13)** . . (*comprarsi*) una bella villa al mare.

In fin dei conti, il ritorno al mio paesino mi . . **(14)** . . (*deludere*) . . **(15)** . . (*essere*) del tutto diverso dalle mie aspettative.

2 Sabato a quest'ora

È mercoledì sera, sono circa le otto e stai pensando a tutto quello che avrai fatto o sarà successo sabato a quest'ora.

Esempio:

Andare al cinema.
Sarò andato/a al cinema.

1   Rispondere ai messaggi della segreteria telefonica.
2   Comprarmi un paio di scarpe nuove.
3   Uscire con i miei amici.
4   Imparare un sacco di vocaboli nuovi.
5   Farsi tagliare i capelli.
6   La mia migliore amica/compiere 18 anni.
7   Mia zia/tornare dalla Nuova Zelanda.
8   Marco e Giovanna/sposarsi.

3 Come sarebbe andata a finire?

Bisogna risolvere le seguenti ipotesi volgendo ogni verbo tra parentesi al condizionale passato.

Esempio: ... *saremmo venuti* ... .

1 Se non fossimo stati così stanchi, ... a trovarvi. (*venire*)
2 Se me lo avessi chiesto, ti ... un passaggio. (*dare*)
3 Se Roberta avesse telefonato, i suoi genitori non ... in pensiero. (*stare*)
4 Marco, se avessi bevuto un po' meno, non ... (*addormentar*si)
5 Se i nostri amici non ci avessero prestato dei soldi, non ... pagare l'affitto. (*potere*)
6 Mia figlia ... a Pasqua se il suo fidanzato non fosse stato coinvolto in un incidente stradale. (*sposarsi*)
7 I nostri amici ... già ... se l'aereo fosse partito in orario. (*arrivare*)
8 Se io fossi stato in te, non ... mai ... una cosa del genere. (*fare*)

 # METTETEVI IN MOTO!

4 Roba da matti

Giacomo era pigro (non faceva mai nulla in casa per aiutare i suoi), grassoccio (senz'altro a causa della sua vita sedentaria e dei suoi comportamenti alimentari), trasandato, disordinato, egoista (pensava solo a se stesso), disoccupato da più di due anni, fumatore incallito e poco ambizioso.

Da un giorno all'altro Giacomo diventò un'altra persona. Che cosa era cambiato?

Scrivi tutte le frasi che puoi in cinque minuti di tempo. Ogni frase deve contenere un verbo al trapassato prossimo come negli esempi:

Aveva fatto il bucato.
Era già andato in palestra due volte.

Confronta le tue idee con quelle di altri due compagni di classe.

5 Fra due settimane

Cerca di prevedere tutte le cose che avrai fatto fra due settimane, per esempio:

Sarò andato a vedere uno spettacolo musicale.
Avrò consigliato a chi studia l'italiano di comprare questo libro.

Scrivi almeno dieci frasi diverse, poi a coppie confrontatele, discutendo le eventuali differenze.

6 Progetti da realizzare

Abbiamo tutti progetti e ambizioni che vorremmo realizzare in futuro. Cerca di scriverne almeno cinque o sei, e poi comunica agli altri membri della classe quando avrai raggiunto questi progetti/scopi.

Esempi:

A diciannove anni avrò finito questo corso.
Nel giro dei prossimi dieci anni avrò girato il mondo.
Nell'anno 2012 sarò andato in pensione.

7 Quello che avrei fatto io!

Per ciascuna delle seguenti situazioni devi dire quello che avresti fatto tu. Poi a coppie o a gruppi confrontate le vostre idee.

Esempio:

I genitori hanno permesso al loro figlio di sei anni di guardare la televisione per tre ore di seguito.
– Personalmente, non gli avrei mai permesso di guardare la televisione per tre ore di seguito. L'avrei incoraggiato a giocare con i suoi giocattoli oppure gli avrei dato un libro da leggere, ecc.
– Nemmeno io gli avrei permesso di guardare ... Invece ...

1   Un signore ha vinto un sacco di soldi alla Lotteria Nazionale, li ha messi tutti in banca e ha deciso di continuare a vivere come prima.
2   Un mese prima degli esami, uno studente che conosco non ha fatto altro che studiare tutte le sere. Non è nemmeno uscito durante il fine settimana.
3   Marisa aveva un brutto raffreddore ma è andata a lavorare lo stesso.

22 The past definite tense

The past definite is a 'simple', that is, a one-word, tense used to report single, 'one-off' events in the past. It is used mainly in more formal writing, and therefore is a tense that is quite often seen in books, reports, documents, etc. and occasionally in newspapers. In speech and informal writing, such as letters to friends, it has been replaced by the perfect tense – *il passato prossimo* (Chapter 16). This is particularly true of Northern Italy, whereas in the South and some parts of Central Italy the past definite is widely used in speech even when referring to recent events.

> *Nel 1980 i suoi genitori **decisero** di vendere la loro casa in campagna e **si trasferirono** in città.*
> In 1980 his parents **decided** to sell their house in the country and **they moved** to the city.

> *Ieri sera **andammo** dai nonni.*
> Yesterday evening **we went** to our grandparents'.

This tense can be used to sum up a longer period of time, looked at as a complete whole:

> *Dal 1983 al 1992 i miei amici **cambiarono casa** cinque volte.*
> From 1983 to 1992 my friends **moved house** five times.

Although this tense is usually the formal equivalent of the English simple past, beware of sentences such as: 'When my friends lived nearby, we often went out together', which is descriptive and requires the imperfect (see Chapter 17, section 17.1.1) in Italian:

> *Quando i miei amici abitavano vicino, uscivamo spesso insieme.*

22.1 Formation

22.1.1 Regular verbs

guardare	vendere	finire
guardai	vendei (vendetti)	finii
guardasti	vendesti	finisti
guardò	vendé (vendette)	finì
guardammo	vendemmo	finimmo
guardaste	vendeste	finiste
guardarono	venderono (vendettero)	finirono

Note that **-ere** verbs have an alternative for the first and third person singular and the third person plural. Either form is equally acceptable.

As a general rule, verbs whose stem ends in **t**, for example **battere** (**batt-**) do not have this alternative form.

The third person singular endings are stressed: **-ò, -é, -i.**

22.1.2 Irregular verbs
(See also the Verb List on pages 353–360.)

A considerable number of verbs have unpredictable stems but they do conform to a pattern, for example **mettere**:

	1st person	*2nd person*	*3rd person*
singular	misi	mettesti	mise
plural	mettemmo	metteste	misero

It is essential to know the first person singular. The third person singular and plural are formed by replacing **-i** with **-e** and **-ero** respectively. The second person singular and the first and second person plural are formed from the stem of the verb. This pattern applies to the majority of irregular verbs.

- The third person singular endings of irregular verbs are not stressed.

- **Essere** is completely irregular:

fui	fosti	fu	fummo	foste	furono

- The following **general guidelines** are intended to help you group many irregular verbs into certain categories:

Verbs in:	*are modelled on:*
-endere	**prendere:** presi prendesti prese prendemmo prendeste presero
-idere	**ridere:** risi ridesti rise ridemmo rideste risero
-eggere	**leggere:** lessi leggesti lesse leggemmo leggeste lessero
-durre	**tradurre:** tradussi traducesti tradusse traducemmo traduceste tradussero
-arre	**trarre:** trassi traesti trasse traemmo traeste trassero
-gere	**volgere:** volsi volgesti volse volgemmo volgeste volsero
-orre	**porre:** posi ponesti pose ponemmo poneste posero
-udere	**chiudere:** chiusi chiudesti chiuse chiudemmo chiudeste chiusero
-uovere -uotere	} **muovere:** mossi movesti mosse movemmo moveste mossero

- A number of verbs have a double consonant in the first and third person singular and the third person plural:

> *bevvi (bere), caddi (cadere), conobbi (conoscere), dissi (dire), ruppi (rompere), seppi (sapere), tenni (tenere), venni (venire), vissi (vivere), volli (volere)*

- For other irregular verbs see the Verb List on pages 353–360.

- Although you may not use the past definite, you should at least be able to recognise it.

▶ **Exercises 1, 2, 3, 4**

 # METTETEVI A PUNTO!

1 La prima prova!

A coppie cercate di identificare nelle seguenti frasi tutti i verbi al passato remoto.

> 1 Un lobbista dell'industria petrolifera non fece solo silurare il trattato di Kyoto ma indusse anche il Presidente a rimangiarsi la promessa d'imporre altri limiti alle emissioni di gas. Un suo polemico rapporto al vicepresidente lo ammonì che la difesa dell'ambiente sarebbe costata al Paese milioni di posti di lavoro.
>
> 2 Non è l'accusa più pesante rivolta all'amministrazione repubblicana. I media americani ricordano che nell'ultimo biennio il quotidiano della città le rimproverò nove volte di aver tagliato i fondi per il rafforzamento degli argini del lago.
>
> 3 Negli anni Novanta, dopo un'alluvione che causò 9 morti, i genieri dell'esercito incominciarono i lavori di rafforzamento, un progetto di 750 milioni di dollari, ma nel 2003, li dovettero sospendere. Un assessore spiegò che parte dei fondi era stata stornata alla guerra dell'Iraq e alla sicurezza nazionale. Nel 2004 il direttore del progetto chiese invano un finanziamento di emergenza, protestando che in alcuni punti gli argini erano affondati di oltre un metro. Anziché 37 milioni di dollari ne ottenne 10, insufficienti per la ripresa dei lavori.
>
> (*Corriere della Sera*, 11.09.2005)

Adesso provate a tradurre le frasi in inglese tenendo conto delle strategie spiegate nell'introduzione al vocabolario (capitolo 48).

2 Applichiamo le regole

Rileggi attentamente le regole suddette e cerca di applicarle coniugando i seguenti verbi al passato remoto. La prima persona è già coniugata.

Esempio: *stesi, stendesti, stese, stendemmo, stendeste, stesero*

stendere: **stesi** giungere: **giunsi** dividere: **divisi** produrre: **produssi** rimanere: **rimasi** chiudere: **chiusi** nascere: **nacqui** scrivere: **scrissi** assumere: **assunsi** avere: **ebbi**

3 Un episodio nella vita di una famiglia

Segue un breve episodio nella vita di una giovane coppia. Volgi ogni verbo tra parentesi al passato remoto.

Esempio: *Gianni* **incontrò** *Mariangela ...*

Gianni . . (**1**) . . (*incontrare*) Mariangela ad una festa in paese. Gianni . . (**2**) . . (*innamorarsi*) subito di lei... (**3**) . . (*essere*) proprio un colpo di fulmine. Due mesi più tardi . . (**4**) . . (*sposarsi*) nella chiesetta del paese. Dopo il ricevimento . . (**5**) . . (*partire*) per il viaggio di nozze. La loro destinazione . . (**6**) . . (*rimanere*) un segreto. Dopo il loro rientro in paese Gianni . . (**7**) . . (*riprendere*) il lavoro in fabbrica. Sua moglie . . (**8**) . . (*avere*) difficoltà a stabilirsi nel paese. Non le piaceva stare a casa ma, purtroppo, non . . (**9**) . . (*riuscire*) a trovare un lavoro. Per un periodo di tre mesi . . (**10**) . . (*sentirsi*) giù di morale. Suo marito . . (**11**) . . (*fare*) del suo meglio per aiutarla. Per fortuna, il periodo di depressione non . . (**12**) . . (*durare*) a lungo. Quando il medico le . . (**13**) . . (*dire*) che era incinta . . (**14**) . . (*essere*) al settimo cielo. Non . . (**15**) . . (*potere*) trattenersi dalla gioia e . . (**16**) . . (*uscire*) di corsa dall'ambulatorio. Arrivata a casa, . . (**17**) . . (*decidere*) di comunicare subito la buona notizia a Gianni il quale, commosso da questa notizia inaspettata, . . (**18**) . . (*svenire*). Il primo figlio . . (**19**) . . (*nascere*) il 25 gennaio del 1982 e lo . . (**20**) . . (*chiamare*) Angelo.

4 Un 'corteggiatore' insistente

Durante un'intervista una ragazza accenna a un episodio che le era capitato tempo fa su un autobus. Volgi ogni verbo in corsivo al passato remoto.

Esempio: *Quando lo* **vidi**

Quando l' .. (1) .. *ho visto* per la prima volta avevo appena compiuto diciannove anni e mi ero iscritta all'Università. Ero seduta su un autobus affollatissimo, quando dietro di me .. (2) .. *ho sentito* una voce dire: 'Signorina, come si chiama? Posso presentarmi?' Io non .. (3) .. *ho risposto* ma il ragazzo .. (4) .. *ha continuato* a farmi le stesse domande. Dopo un po' io gli .. (5) .. *ho detto* di lasciarmi in pace perché mi dava fastidio. Poi però, incuriosita, .. (6) .. *mi sono girata* e .. (7) .. *ho notato* questo ragazzo che non poteva passare inosservato: altissimo e grasso di corporatura. .. (8) .. *Ha sorriso* e .. (9) .. *si è presentato*: 'Piacere, sono Riccardo ...' ma non .. (10) .. *ha fatto* in tempo a dire il suo cognome che la signora accanto a me .. (11) .. *ha replicato*: 'E io sono la nonna della signorina: cosa vuole? La smetta di essere impertinente.'

Riccardo .. (12) .. *è divenuto* bianco in faccia, non immaginava che con me ci fosse anche mia nonna, .. (13) .. *ha farfugliato* qualche parola di scusa ma non .. (14) .. *si è arreso* e (15) *ha ricominciato* a parlare.

METTETEVI IN MOTO!

5 La storia di una città

Scrivi una breve storia della tua città (o regione o paesino), usando il passato remoto dove possibile. Puoi accennare a qualsiasi fatto di importanza storica – il lavoro di personaggi celebri, la costruzione degli edifici principali, la fondazione e lo sviluppo di attività economiche e commerciali, ecc.

6 Una storia basata su una serie di foto

Hai un album con delle fotografie della tua famiglia? Scrivi un breve articolo in cui racconti brevemente la vita di alcuni membri della famiglia.

Esempio:

Questo è mio zio. Nacque nel 1953. Frequentò la scuola media dove imparò ... All'età di 19 anni andò a vivere ...

Se preferisci, puoi seguire il modello dell'esercizio 3, 'Un episodio nella vita di una famiglia'.

7 La creazione!

'Un giorno Giacomo decise di andare a vivere in città ...'
Finisci la storia, usando dove possibile il passato remoto.
Se preferisci, puoi creare una tua fiaba.

23 Past tenses contrasted

MECCANISMI

You have already seen the difference in use of *il passato prossimo* (the perfect) in Chapter 16 and *il passato remoto* (the past definite) in Chapter 22. This chapter concentrates on the contrast between either of these two tenses and *l'imperfetto* (the imperfect), dealt with in Chapter 17.

23.1 The perfect and past definite

First of all, a reminder that the perfect and past definite are used to denote single, completed, 'one-off' actions in the past, even if the action actually lasted a long time:

Ieri mattina ho assistito a una riunione molto importante durante la quale il nostro direttore ci ha informato della grave crisi economica in cui si trova la ditta. Questa riunione è durata più di quattro ore.
Yesterday morning I attended an important meeting during which our manager informed us of the serious economic crisis the company is experiencing. This meeting lasted more than four hours.
(Three completed events, in the perfect tense.)

Quando Francesco tornò al suo paese dopo un'assenza di trent'anni lo trovò molto cambiato. Si sentì proprio triste quando si rese conto che il cinema era stato demolito.
When Francesco went back to his village after an absence of thirty years he found it much changed. He felt really sad when he realised that the cinema had been demolished.
(Four completed events or states in formal written style.)

23.2 The imperfect – used to describe the background scene

Remember that the imperfect is used to describe the background scene or actions. When the action began, or if or when it was likely to end are of no importance.

Gli studenti aspettavano con impazienza la fine del trimestre. Non avevano più voglia di studiare. Alcuni arrivavano in ritardo alla prima lezione, altri si addormentavano durante la lezione. Il povero insegnante non sapeva dove sbattere la testa.
The students were looking forward to the end of the term. They didn't feel like studying any more. Some were arriving late for the first lesson, others were falling asleep during the lesson. The poor teacher didn't know which way to turn.
(All the actions and states are descriptive, stating what was happening: when or whether these actions began and ended is of no importance here.)

Mio padre era docente all'università all'epoca delle manifestazioni studentesche del 1968.
My father was a lecturer at university at the time of the student demonstrations in 1968.
(Background information: again the beginning or end of his lectureship is irrelevant to the
statement.)

23.3 The imperfect – used to describe actions that happened repeatedly

Remember also that the imperfect is used to describe actions that happened repeatedly,
and is therefore often linked to adverbs of time indicating repetition, such as *sempre*,
spesso, *qualche volta*, *ogni giorno*, *mai*, etc.

* Contrast these two statements:

*Quando ero in Italia i miei ospiti mi aiutavano sempre con il mio italiano e quasi ogni volta
che facevo un errore mi correggevano.*
When I was in Italy my hosts always helped (used to help) me with my Italian and almost
every time I made (used to/would make) a mistake they corrected (used to correct) me.

(All these actions say what 'they' or 'you' used to do at the stated intervals, and once again,
the beginning or the end of the period is of no consequence.)

Quando ero in Italia sono andato al cinema un paio di volte.
When I was in Italy I went to the cinema a couple of times.

(The first action is still background and therefore imperfect, the second action took place on
two separate occasions, each of which is completed: therefore the perfect is used.)

* Here is another contrast, only this time using the past definite, in a more formal style:

*All'epoca del miracolo economico, verso la fine degli anni '50, migliaia di italiani si
spostavano al Nord in cerca di lavoro.*
*All'epoca del miracolo economico, verso la fine degli anni '50, migliaia di italiani si
spostarono al Nord in cerca di lavoro.*
At the time of the economic miracle, towards the end of the 1950s, thousands of Italians
moved to the North in search of work.

Although the period of time is specified, in the first example (imperfect) the recurrent nature
of the event is emphasised, in the second example (past definite) the time aspect and the
event are looked at as a completed whole.

23.4 The imperfect and perfect/past definite – in the same sentence

The imperfect and perfect/past definite often occur in the same sentence when you want to describe the background (what was going on) to an event (what actually happened) in the past:

Era buio pesto quando siamo giunti alla nostra destinazione.
It was pitch-dark when we got to our destination.

Il mio amico mi ha chiamato sul cellulare proprio mentre stavo per uscire.
My friend rang me on the mobile just as I was about to go out.

Gli studenti mi dissero che non avevano bisogno di aiuto per fare gli esercizi scritti.
The students told me that they didn't need any help to do the written exercises.

 **Exercises 1, 2**

 METTETEVI A PUNTO!

1 Non è sempre perfetto!

La prima lezione di guida di un giovane italiano. Volgi i verbi tra parentesi all'imperfetto o al passato prossimo secondo il senso.

Due mesi fa (io) . . **(1)** . . (*iscriversi*) alla scuola guida e, per fortuna, sei settimane dopo . . **(2)** . . (*superare*) l'esame di teoria al primo colpo. Quella sera i miei amici ed io . . **(3)** . . (*uscire*) per festeggiare l'avvenimento . . **(4)** . . (*divertirsi*) tantissimo.

Finalmente oggi (io) . . **(5)** . . (*avere*) la mia prima lezione di guida. Purtroppo, . . **(6)** . . (*piovere*) a catinelle, le strade . . **(7)** . . (*essere*) sdrucciolevoli e già prima di partire . . **(8)** . . (*essere*) così nervoso che . . **(9)** . . (*salire*) dalla parte del passeggero. Quando l'istruttore mi . . **(10)** . . (*vedere*) . . **(11)** . . (*scoppiare*) a ridere.

Dopo questo inizio molto divertente, (io) . . **(12)** . . (*mettersi*) dalla parte giusta, . . **(13)** . . (*accendere*) il motore e (noi) . . **(14)** . . (*partire*). Durante il tragitto . . **(15)** . . (*girarsi*) spesso per guardare le belle ragazze che . . **(16)** . . (*passeggiare*) sotto i portici e così . . **(17)** . . (*rischiare*) continuamente di andare a sbattere contro un muro. L'istruttore mi . . **(18)** . . (*rimproverare*) e mi . . **(19)** . . (*dire*) di concentrarmi sulla guida.

Sulla via del ritorno (io) . . **(20)** . . (*commettere*) lo stesso errore di prima e (noi) . . **(21)** . . (*andare*) a finire nel canale. L'istruttore . . **(22)** . . (*rimanere*) molto deluso della mia prestazione e mi . . **(23)** . . (*proporre*) varie soluzioni, una delle quali mi . . **(24)** . . (*suggerire*) di girare in bici! . . **(25)** . . (*avere*) difficoltà a capire la sua reazione esagerata perché per il resto . . **(26)** . . (*pensare*) di aver guidato molto bene.

2 Un gatto randagio

Questa è parte di un articolo che tratta di un gatto abbandonato. Volgi i verbi tra parentesi al passato remoto o all'imperfetto secondo il senso.

«Il primo giorno che (io) . . (1) . . (mettere) piede nella nuova casa», racconta Francesca « . . (2) . . (imbattersi) in un gatto che . . (3) . . (girare) per le stanze e mi . . (4) . . (fare) le fusa. . . (5) . . (Essere) un Siamese e . . (6) . . (avere) il pelo a macchie bianche. Ed . . (7) . . (essere) anche carino. Non avevo mai avuto un gatto e perciò, dopo avergli fatto una carezza del tutto disinteressata sulla testa, . . (8) . . (aprire) la porta e lo . . (9) . . (mettere) fuori sperando che si allontanasse. Ma lui . . (10) . . (continuare) a fissarmi, quasi stupito che io volessi cacciarlo. Allora gli . . (11) . . (dire): 'Sei stato abbandonato dai tuoi padroni e io non voglio né posso ospitarti; perciò vai a trovarti una nuova famiglia lontano da qui'. E . . (12) . . (accompagnare) le parole con un gesto eloquente della mano. Il gatto . . (13) . . (fare) un salto dalla veranda e . . (14) . . (scomparire) in giardino. 'Meno male', . . (15) . . (dire). Ma il giorno dopo il gatto . . (16) . . (tornare). . . (17) . . (Miagolare) e . . (18) . . (avvicinarsi) alle mie gambe per farsi accarezzare. I miei bambini, un maschietto e una femminuccia, subito gli . . (19) . . (fare) festa. 'Mamma, mamma', . . (20) . . (urlare) 'è un gatto bellissimo, teniamolo'. E così . . (21) . . (arrendersi), e il gatto . . (22) . . (entrare) nella nostra famiglia. . . (23) . . (Piacere) anche a mio marito che lo . . (24) . . (coccolare) giorno e notte. (Noi) . . (25) . . (decidere) anche il nome da dargli: Kori. Piano piano anch'io . . (26) . . (affezionarsi) a Kori e alla fine, come spesso accade nelle famiglie, . . (27) . . (essere) sempre io, la mamma, che gli . . (28) . . (preparare) da mangiare.»

 ## METTETEVI IN MOTO!

---

3 Non potevo credere ai miei occhi

A volte capitano delle cose che ci sbalordiscono, per esempio:

L'altro giorno quando sono entrato in classe, l'insegnante d'italiano faceva ginnastica. Quando sono andato in giardino ho visto un topo che correva dietro al mio gatto.

A coppie descrivete altre situazioni del genere, le quali possono essere vere o inventate.

4 Come andrà a finire?

La classe si divide in due gruppi. Il gruppo A propone l'inizio di una frase che contiene un verbo al passato prossimo, o all'imperfetto, per esempio:

Quando la mia amica è tornata dalle vacanze …; Mentre guardavo dalla finestra …

Il gruppo B ha un massimo di venti secondi per completare questa frase all'imperfetto o al passato prossimo e segnare un punto.

Poi è il turno del gruppo B di proporre l'inizio di una frase e tocca al gruppo A completarla. Se la seconda parte della frase non ha senso, il punto passa al gruppo avversario.

5 Ti racconto una mia esperienza

Può darsi che anche tu abbia una storia da raccontare come quella che è avvenuta al gatto randagio – vedi *Mettetevi a punto!* esercizio 2. Se non hai una storia vera da raccontare prova a crearne una. Naturalmente non è necessario che la storia sia basata sugli animali.

6 Una giornata piena di interruzioni

Scrivi un'email a un amico/un'amica nella quale racconti gli avvenimenti di una recente giornata di lavoro o di riposo. È stata una giornata in cui avevi l'impressione che tutti volessero interrompere quello che facevi. Bisogna spiegare (all'imperfetto) quello che facevi quando qualcuno ti ha interrotto (al passato prossimo).

Esempi:

Facevo colazione in cucina quando il gatto è entrato dalla finestra, mi è saltato sulle spalle e ha incominciato a leccarmi la faccia.

Stavo per farmi la doccia quando ho sentito bussare alla porta. Mentre scendevo le scale …

24 Reflexive verbs

 MECCANISMI

24.1 Uses

Reflexive verbs are verbs where the subject and object are the same or, if you like, the action 'reflects back' on to the subject. There are some in English such as 'behave yourself!', and they are easily recognisable because of the 'self' word, but there are many more in Italian.

*Ogni mattina **mi alzo** verso le sette.*
Every morning **I get up** (literally 'I get myself up') around 7 o'clock.

*Mia sorella **si prepara** per uscire.*
My sister **is getting** (herself) **ready** to go out.

Sometimes the verb is reflexive although the reason may be less obvious:

Me ne vado.
I'm off.

*Il mio direttore di banca **si lamenta** quando arrivo in ritardo.*
The bank manager **complains** when I arrive late.

*Appena arrivo in ufficio **mi metto** a lavorare.*
As soon as I get to my office **I start to** work.

Here are some common reflexive verbs, which are not all reflexive in English:

abituarsi	to get accustomed	*pettinarsi*	to comb one's hair
accorgersi	to notice, realise	*preoccuparsi*	to get worried
addormentarsi	to fall asleep	*presentarsi*	to introduce oneself
alzarsi	to get up	*rendersi conto*	to notice, realise
andarsene	to go away	*ricordarsi*	to remember
annoiarsi	to get bored	*rilassarsi*	to relax
arrabbiarsi	to get annoyed	*riposarsi*	to rest
divertirsi	to enjoy oneself	*sbrigarsi*	to hurry up
farsi la barba	to shave	*scusarsi*	to apologise
girarsi	to turn around	*sedersi*	to sit down
lamentarsi	to complain	*spogliarsi*	to undress
lavarsi	to wash (oneself)	*svegliarsi*	to wake up
meravigliarsi	to be amazed, wonder at	*vergognarsi*	to be ashamed
mettersi a	to begin to	*vestirsi*	to dress

➧ **Exercise 1**

- Often a verb is used reflexively in Italian, where it is used intransitively (that is without a direct object) in English. Compare:

reflexive – intransitive   not reflexive – transitive

Mio figlio si è lavato.   *Mio figlio ha lavato i piatti.*
My son washed.   My son washed the dishes.

- The reflexive form is also used to indicate reciprocal action, that is, things you do to one another.

Ci telefoniamo tutte le sere.
We ring each other every evening.

Si scrivono una volta l'anno.
They write to each other once a year.

Perché vi guardate in quel modo?
Why do you look at each other in that way?

Exercise 2

- The reflexive form is frequently used instead of a passive (see section 30.2.4):

Non si dicono queste cose.
These things are not said.

- When you perform an action to a part of your body or clothing, you use the reflexive verb, where the reflexive pronoun (*mi*, *ti*, etc) is used instead of the possessive (*il mio*, *il tuo*, etc):

Barbara è scivolata sul ghiaccio e si è rotta il braccio.
Barbara slipped on the ice and broke her arm.

Mi sono tolto la giacca perché avevo troppo caldo.
I took off my jacket because I was too hot.

24.2 Formation

The reflexive pronouns, *mi*, *ti*, *si*, *ci*, *vi*, *si*, come before the verb and can be either the direct or indirect object.

Ci siamo presentati agli altri.
We introduced ourselves (direct object) to the others.

Stamattina mi sono comprato un paio di scarpe.
This morning I bought myself a pair of shoes.
(Indirect object – I bought **for** myself.)

24.2.1 Simple tenses

The endings of the verb are not affected by the reflexive pronoun in the simple (one-word) tenses.

alzarsi *to get up*	andarsene *to go away/off*
mi alzo	me ne vado
ti alzi	te ne vai
si alza	se ne va
ci alziamo	ce ne andiamo
vi alzate	ve ne andate
si alzano	se ne vanno

Note that when *mi*, *ti*, *si*, etc precede another pronoun they become *me*, *te*, *se*, etc. (See also Chapter 10, section 10.10).

For the position of reflexive pronouns with imperative see Chapter 15, section 15.3.

24.2.2 Compound tenses

In the compound (two-word) tenses, the perfect, pluperfect, future perfect, conditional perfect and past anterior (see Chapters 16 and 21), take great care, because:

- when a verb is used reflexively it is **always** conjugated with **essere**, and
- the past participle can agree either with the subject or the direct object. Normally, the agreement is with the subject. (See also Chapter 16, section 16.2.3).

Ci siamo divertiti un mondo durante la lezione.
We had a great time during the lesson.

Se Lucia avesse fatto più attenzione, non si sarebbe tagliata il dito.
If Lucia had been more careful, she wouldn't have cut her finger.

Prima di mangiare, si è lavata (or lavate) le mani.
Before eating, she washed her hands.

Exercise 3

Be careful about phrases like 'I did it myself'. This is not a reflexive construction, the 'myself' simply helps to emphasise the subject and the Italian equivalent is the subject pronoun *io* or *io stesso*.

L'ho fatto io.
I did it myself.

Me l'hanno detto loro stessi.
They told me themselves.

METTETEVI A PUNTO!

1 Una giornata tipica

Mariella, rappresentante di una casa editrice, racconta la sua giornata. Completa il brano con i seguenti verbi. Bisogna usare il presente o l'infinito secondo il senso. Non puoi usare lo stesso verbo più di una volta.

Esempio: *Al mattino, quando mi sveglio,* ...

prepararsi   lamentarsi   addormentarsi   fermarsi   coricarsi   farsi
concedersi   mettersi   spostarsi   sprofondarsi   svegliarsi   abituarsi
rilassarsi   annoiarsi

Al mattino, quando . . **(1)** . . , bevo una grossa spremuta di arancia ma non mangio niente. Poi . . **(2)** . . una bella doccia e . . **(3)** . . per andare al lavoro. Devo . . **(4)** . . continuamente per lavoro e quindi se a metà mattina mi viene fame . . **(5)** . . in qualche bar e faccio uno spuntino. Ho iniziato a fare la rappresentante cinque anni fa e non ho mai avuto difficoltà ad . . **(6)** . . a questa vita frenetica. Sono sempre così impegnata che non ho tempo di . . **(7)** . . Molte persone non sono contente del lavoro che fanno ma io sono contentissima e non . . **(8)** . . mai. Torno a casa abbastanza tardi. Arrivata a casa, . . **(9)** . . in una poltrona e . . **(10)** . . a leggere il giornale ma . . **(11)** . . quasi subito. Ceno verso le otto e ogni sera . . **(12)** . . due bicchieri di vino . . **(13)** . . un po' prima di mezzanotte. Quando non lavoro, per . . **(14)** . . ascolto la musica classica.

2 Un'intervista

Durante un'intervista, una diva del cinema racconta come ha conosciuto suo marito. Volgi i verbi tra parentesi al passato prossimo.

Esempio: (vedersi) Ci siamo visti ...

– Allora, dove ha conosciuto suo marito?
– .. (1) .. (vedersi) per la prima volta ad una festa di compleanno.
  Durante la serata .. (2) .. (guardarsi) in faccia parecchie volte ma non
  .. (3) .. (presentarsi).
– Ma come avete fatto a conoscervi se non .. (4) .. nemmeno (presentarsi)?
– Il giorno seguente .. (5) .. (incontrarsi) per caso in città e .. (6) .. (fermarsi) a
  parlare. È stato lui a fare il primo passo e mi ha invitato a cena quella sera.
– Naturalmente hai accettato.
– Purtroppo, ho dovuto rifiutare l'invito perché partivo per la Francia quella sera
  ma .. (7) .. (mettersi) d'accordo per restare in contatto. Infatti, durante il mio
  soggiorno in Francia .. (8) .. (scriversi) un paio di volte e .. (9) .. (telefonarsi).
  Al mio ritorno in Italia .. (10) .. (promettersi) di rivederci.
– E .. (11) .. (sposarsi) subito?
– No .. (12) .. (frequentarsi) per alcuni mesi, .. (13) .. (innamorarsi) durante
  questo periodo e il giorno del mio compleanno .. (14) .. (sposarsi) e da quel
  momento in poi non .. (15) .. mai (lasciarsi).

3 Incline agli infortuni

Filippo è un giovanotto che non osa fare tante cose per paura che gli capiti un infortunio. Volgi ogni verbo tra parentesi al condizionale passato come nell'esempio.

1 Se mi fossi lavato le mani con quell'acqua gelida, **mi sarei raffreddato**. (raffreddarsi)
2 Se avessi sollevato quella valigia pesante, ... alla schiena. (farsi male)
3 Se fossi andato a sciare con gli altri, ... la gamba. (rompersi)
4 Se avessi affettato il pane, ... il dito. (tagliarsi)
5 Se ti avessi fatto un tè con quell'acqua bollente, ... (bruciarsi)
6 Se fossi andato a vedere quel film tragico, ... in lacrime. (sciogliersi)
7 Se avessi accettato l'invito a ballare, ... la caviglia. (storcersi)

METTETEVI IN MOTO!

4 L'arrivo di E.T.

4a Un giorno E.T. (l'extra-terrestre) arriva inaspettatamente a casa tua da un altro pianeta dove, naturalmente, si parla italiano. E.T. si interessa molto alla vita terrestre – è la sua prima visita – e vuole conoscere le tue abitudini quotidiane. Bisogna quindi spiegargliele, usando il maggior numero possibile di verbi riflessivi. E.T. (un tuo compagno di classe) rimane così sbalordito da quello che racconti che ripete tutto quello che dici.

Esempio:

– *Ogni mattina mi sveglio alle sei e mezza.*
– *Cosa? Ti svegli ogni mattina alle sei e mezza?*

Adesso E.T. racconta le sue abitudini e sei tu a rimanere sbalordito.

4b A coppie, immaginate un giorno nella vita di … un gatto/un cane/un personaggio famoso (cantante/calciatore/scrittore o a scelta). Scelto il ruolo che volete svolgere, raccontatevi a vicenda una giornata tipica.

5 La storia di un incontro

Adesso tocca a te raccontare a un compagno di classe la storia di un incontro. Se preferisci, puoi basare la tua storia sull'esercizio 2 (vedi sopra, *Un'intervista*). Naturalmente, l'obiettivo principale dell'attività è di usare molti verbi riflessivi. Finita la tua storia, il compagno può raccontarti la sua.

6 Motivi dell'assenteismo

Parecchi studenti/colleghi di lavoro sono assenti oggi. A coppie o a gruppi cercate di indovinare le ragioni della loro assenza, come nell'esempio:

– *Dov'è Mark oggi?*
– *Non può venire perché si è stancato troppo ieri sera facendo i compiti.*
– *Secondo me, si è addormentato mentre leggeva questo libro di grammatica!*

Ecco dei verbi che potete usare:

storcersi   *farsi male a*   graffiarsi   tagliarsi   bruciarsi   rompersi   ferirsi   raffreddarsi

25 The infinitive

MECCANISMI

The infinitive is the basic form of the verb which you will find when you look it up in a dictionary or a vocabulary list. It is not a tense, it is the neutral or 'infinite' part of the verb, hence its name. It is the equivalent of the English 'to read', 'to listen', or simply 'read' or 'listen'.

The majority of infinitives in Italian end in *-are, -ere* or *-ire* and this is an indication of their 'family' or 'conjugation', and if the verb is 'regular', you can tell how to form all of its tenses. (The explanation of how to form each tense will be found in the relevant chapter on that tense, with indications of any irregular patterns, and in the verb tables at the end.)

A small number of verbs have irregular infinitives, such as **porre**, **condurre** and **trarre**, and these have to be learnt individually. See the verb tables on pages 353–360.

25.1 Uses

- The infinitive often functions like a noun, usually as the equivalent of the English form ending in '-ing'. The infinitive used as a subject or object can be preceded by the definite article *il/l'/lo*:

  Partire *alle sei di mattina mi sembra pazzesco.*
  Leaving at six in the morning seems crazy to me.

  Tra il dire e il fare c'è di mezzo il mare.
  Easier said than done.

- The infinitive is used to refer to or sum up an action, without indication of time or tense:

  Andare *in vacanza con loro? Ma scherzi!*
  Go on holiday with them? You must be joking!

  Stare *al sole tutto il giorno con questo caldo: sei pazzo da legare!*
  Stay in the sun all day in this heat: you're off your head!

- The infinitive is frequently used after the modal verbs (see Chapter 26) and many other verbs, nouns or adjectives, sometimes linked by a preposition, sometimes not:

  Ho bisogno di comunicare un messaggio importante al nostro rappresentante ma, finora, non sono riuscito a contattarlo. Proverò a telefonargli un'altra volta verso mezzogiorno perché a quest'ora dovrebbe essere in ufficio.
  I need to give an important message to our representative but, up to now, I haven't been able to contact him. I shall try and ring him again around midday because at this time he should be in his office.

(As there are many verbs, adjectives and nouns which can be followed by an infinitive, and as it is necessary to know which preposition, if any, is used, a complete chapter (27) is devoted to this matter.)

▶ **Exercise 1**

- The infinitive is the only part of the verb that can be used after prepositions:

Invece di pagare in contanti, abbiamo deciso di pagare a rate.
Instead of paying in cash, we decided to pay by instalments.

Dammi un colpo di telefono prima di deciderti.
Give me a ring before making up your mind.

Escono sempre senza chiudere la porta.
They always go out without shutting the door.

✍ Note that all English prepositions except 'to' take the '-ing' form of the verb: don't be tempted to use the present participle, **-ante**, **-ente** or the gerund, **-ando**, **-endo** in Italian!

✍ Note that after **dopo** you must use the perfect infinitive, **dopo mangiato** 'after eating' being the only exception to this rule.

Dopo essermi preparato, sono uscito.
After getting ready, I went out.

Dopo essere arrivato a casa, ho acceso subito la televisione.
After arriving home, I immediately switched on the television.

Dopo aver guardato il telegiornale, sono andato a letto.
After watching the TV news, I went to bed.

For rules regarding which verbs take **avere** or **essere**, and past participle agreement, see Chapter 16, sections 16.2.1–16.2.3.

▶ **Exercises 2, 3, 4**

- The infinitive is often used in a formal context, such as notices and instructions, as a command (see also Chapter 15, section 15.4):

Moderare la velocità.
Reduce speed.

Non calpestare l'erba.
Don't walk on the grass.

✍ Remember that the infinitive is used for negative imperatives with **tu** (see Chapter 15, section 15.2.2):

Accendi la luce	⟶	**Non accendere la luce.**
Switch on the light	⟶	Don't switch on the light.

METTETEVI A PUNTO!

1 Meglio un buon materasso oggi che un mal di schiena domani!

Vuoi vincere uno splendido viaggio in Egitto. Questo è uno dei fantastici premi che spettano a chi riesce a completare il brano con i seguenti verbi.

La cultura del . . (1) . . sano

. . (2) . . su un materasso Sogni oggi può far avverare molto più di un sogno. Se vuoi . . (3) . . di questa offerta, devi . . (4) . . la cartolina che trovi dal tuo rivenditore per . . (5) . . all'estrazione di fantastici premi: 2 favolosi viaggi di 10 giorni per 2 persone in Egitto, una bellissima macchina fotografica digitale oppure una delle 30 eleganti borse di pelle. . . (6) . . al numero verde per scoprire quale sia il Rivenditore Autorizzato più vicino, è la prima mossa da fare. Una volta trovato, . . (7) . . e . . (8) . . un materasso Sogni in schiuma di lattice. Potrai . . (9) . . fra i vari modelli, singoli oppure matrimoniali tutti garantiti dal marchio Sogni. Perché se . . (10) . . è sano, . . (11) . . svegli in questo caso è molto meglio.

scegliere   telefonare   stare   dormire (x2)   provare

partecipare   approfittare   distendersi   compilare   entrare

2 Ce l'hanno tutti con me!

Povero Pierino! Il professore lo sgrida, la sua mamma lo sgrida. Se vuoi capire meglio i motivi delle loro lamentele devi collegare le frasi della colonna A con quelle della colonna B.

A	B
1 Hai intenzione di dare l'esame	a invece di uscire quasi ogni sera.
2 Sei entrato in aula in ritardo	b prima di mangiare.
3 Hai scritto un tema	c per guadagnare un po' di soldi.
4 Dovresti dedicarti di più ai tuoi studi	d per risvegliare il tuo interesse negli studi.
5 Sarebbe consigliabile praticare uno sport	e senza nemmeno ripassare le cose essenziali.
6 Ti dico sempre di lavarti le mani	f prima di andare a letto.
7 Puoi uscire	g invece di fare gli esercizi scritti che ti avevo dato.
8 Devi trovare un lavoretto fra poco	h senza scusarti.
9 Finisci i compiti	i invece di giocare sempre con i videogiochi.
10 Ho fatto di tutto	l dopo aver messo in ordine la tua camera.

3 Ci puoi credere?

Franco è un tipo entusiasta che vuole imparare come si svolgono certe mansioni domestiche. La sua mamma gli dà qualche consiglio. Trasforma i suoi consigli utilizzando *dopo aver ...*, *senza*, *invece di*, *per*, *prima di*, secondo il senso.

Esempio:

Quando hai finito di servire il vino bianco, mettilo nel frigo.
Dopo aver servito il vino bianco, mettilo nel frigo.

1   Leggi bene le istruzioni e poi accendi il gas.
2   Quando hai fatto bollire l'acqua, puoi buttare gli spaghetti.
3   Se vuoi imparare come si fanno queste cose, devi seguire i miei consigli.
4   Non stare lì con la testa nelle nuvole, prepara il tavolo.
5   Metti le patate al forno. Non hai bisogno di sbucciarle.
6   Se vuoi versare il vino, sarebbe meglio levare il tappo.
7   Una volta servito il vino, vai a vedere se le patate sono già cotte.
8   Non portare via i piatti. Devi chiedere agli ospiti se hanno finito di mangiare.
9   Non hai bisogno di usare la lavastoviglie per due piatti, lavali a mano.
10 Quando hai lavato i piatti, sciacquali bene e poi asciugali.

4 La finta cliente

Bisogna riscrivere le varie tappe di questo episodio utilizzando *dopo avere* or *dopo essere:*

Esempio:

La ragazza ha parcheggiato la sua auto in piazza e si è diretta verso la gioielleria.
Dopo aver parcheggiato la sua auto in piazza, la ragazza si è diretta verso la gioielleria.

1   La ragazza è entrata in gioielleria e ha chiesto al proprietario di poter vedere alcuni oggetti da regalo.
2   Il proprietario le ha fatto vedere alcuni articoli e poi si è girato.
3   La falsa cliente è riuscita ad arraffare alcuni braccialetti d'oro ed è uscita dal negozio.
4   Quando si è accorto del furto il proprietario del negozio ha chiamato la polizia.
5   Due agenti di polizia sono arrivati subito sul posto e hanno interrogato il proprietario e alcune altre persone che erano nel negozio.

 METTETEVI IN MOTO!

5 Mantenersi in forma!

A coppie scrivete almeno dieci regole da seguire per chi vuole mantenersi in forma e in buona salute, utilizzando l'infinito come negli esempi:

Bere due bicchieri di vino rosso a cena.
Non mangiare troppo prima di andare a letto.

Confrontate le vostre regole con quelle di un'altra coppia, discutendo le eventuali differenze.

Attività supplementari – A coppie: scrivete dieci regole per chi vuole essere uno studente 'modello'; scrivete le istruzioni essenziali per preparare la vostra ricetta preferita.

6 Dai, forza!

A gruppi. Un componente di ciascun gruppo deve costruire una frase su un argomento qualsiasi utilizzando una (o più) delle seguenti preposizioni. Tocca al prossimo studente costruire un'altra frase sullo stesso argomento o sceglierne un altro. Chi non riesce a costruire una frase adatta perde il turno.

dopo avere/essere …   *prima di* …   *invece di* …   *senza* …   *per* …

Esempi:

A: *Prima di collegarmi alla Rete, ho cancellato le email indesiderate.*
B: *Dopo avere navigato in Rete per un'ora ho trovato le informazioni di cui avevo bisogno.*
C: *Invece di navigare in Internet ho scritto una trentina di SMS.*
D: *Io invece mi sono sdraiato sul divano per riposarmi dopo una giornata stressante a scuola e poi sono andato a letto senza nemmeno chiamare sul cellulare tutti i miei compagni di classe.*

7 Dici sul serio?

Lavorate a coppie o a gruppi. Siete orgogliosi di certe cose che fate abitualmente o che avete fatto in passato. Scrivetene un elenco. Bisogna utilizzare *senza* con l'infinito in ogni frase. Le frasi possono essere vere o false e quindi avete il diritto di esagerare un po'.

Tocca al compagno o ai compagni accettare o rifiutare le 'vanterie'.

Esempi:

– *Ho fatto la spesa senza spendere un euro.*
– *Non è vero. Come si può fare la spesa senza spendere un euro?*
– *Ti ho detto la verità perché ho pagato tutto con la carta di credito.*

– *Vado a lavorare ogni mattina senza far colazione.*

– *Ho imparato a parlare correntemente l'italiano senza andare in Italia.*

26 Modal auxiliaries

 **MECCANISMI**

Care needs to be taken when one wants to communicate 'must', 'ought', 'should', 'may', 'can', 'could', etc in Italian.

26.1 Must, to have to, to have got to

26.1.1 *dovere* and *bisogna*

There are two main ways of saying that you must or mustn't do something in Italian, either by using the modal verb ***dovere*** or by using the impersonal verb ***bisogna*** (infinitive: *bisognare*).

> ***Devo comprarmi*** *un computer portatile.*
> **I have to buy myself** a laptop.

> ***Devi cliccare*** *qui se vuoi confermare la prenotazione.*
> **You must click** here if you want to confirm the booking.

> ***Abbiamo dovuto scaricare*** *tutte le informazioni.*
> **We had to download** all the information.

Bisogna can be used with an infinitive when a general obligation is expressed without reference to a particular person or the 'person who must' is obvious from the context:

> ***Bisognerà rispondere*** *a queste email entro venerdì.*
> **I/We/You must/will have to answer** these emails by Friday./
> These emails **must/will have to be answered** by Friday.

> *Se la gente non vuole ricevere questi messaggi pubblicitari indesiderati,* ***bisogna fare qualcosa.***
> If people don't want to receive these unwanted advertising messages, **they have to do** something.

> ***Non bisogna demoralizzarsi*** *se non si è ancora imparato a mandare un SMS.*
> **There's no need to get demoralised** if you still haven't learnt to send a text message.

📝 Note that ***bisogna*** can only be used in the simple tenses, ie present, future, conditional and imperfect.
(For ***bisogna*** followed by the subjunctive, see Chapter 33, section 33.2.)

26.1.2 Other tenses of *dovere*

• Future:

*Se tu vuoi guardare il telegiornale, **dovranno registrare** la partita.*
If you want to watch the news, **they will have to record** the match.

• Perfect – a one-off event:

*Alla fine **ho dovuto spedire** tutto via fax.*
In the end **I had to send** everything by fax.

Note the following use of ***dovere*** to express supposition:

I miei colleghi devono essere già partiti.
My colleagues must have already left.

• Imperfect:

Il mio capo doveva essere qui per le nove.

Either:

(i) My boss was to be (= was due to be) here by nine o'clock – the arrangement pre-existed, therefore the imperfect is used.

or:

(ii) My boss was supposed to be here by nine – but something has prevented him arriving at the pre-arranged time.

Note also the following meaning:

Prima o poi una cosa del genere doveva avvenire.
Sooner or later such a thing was bound to happen.

26.2 Ought/ought to have, should/should have

Be careful with the English word 'should'. It can mean much the same as 'would' when used in the conditional but here we are concerned with it when it means the same as 'ought'.

• 'Ought/should' is usually expressed by the conditional of ***dovere***:

***Dovresti risparmiare** di più se vuoi comprarti una macchina fotografica digitale.*
You should save more if you want to buy yourself a digital camera.

*Mia figlia **non dovrebbe navigare** in Internet ogni sera se vuole superare gli esami.*
My daughter **ought not/shouldn't surf** the Net every evening if she wants to pass her exams.

- 'Ought to have/should have' is expressed by the conditional perfect of **dovere** + the infinitive:

*Mia figlia **avrebbe dovuto studiare** di più.*
My daughter **should have/ought to have studied** more.

***Avrebbero dovuto telefonare** prima di partire.*
They should have/ought to have rung before leaving.

Exercise 1a

26.3 Can/could/could have

One has to be very careful when trying to communicate in Italian the various forms of 'can/could/could have' and also 'may/might'.

- 'Can' and 'could' are usually rendered by the relevant part of **potere**.

***Possiamo** darti una mano?*
Can we give you a hand?

*Mi dispiace ma **non posso fotocopiare** i documenti adesso.*
I'm sorry but **I can't photocopy** the documents now.

- 'Could' can be past or conditional in English. If the English 'could' can be converted to 'to be able', then this indicates the need for a past tense.

***Non potevano accettare** l'invito a cena perché erano troppo impegnati.*
They couldn't (weren't able to) accept the invitation to dinner because they were too busy.

***Non ho potuto fare** niente per convincerlo a cambiare lavoro.*
I couldn't (wasn't able) to do anything to convince him to change jobs.

***Potrebbero venire** più tardi se ne hanno voglia.*
They could (= could possibly) come later if they feel like it.

- 'Could have' is usually rendered by the conditional perfect + infinitive:

***Avrebbero potuto chiamarci** sul cellulare per farci sapere qualcosa.*
They could have rung us on the mobile to let us know something.

- When you are talking about an acquired skill, you use **sapere**:

***Sai pagare** la bolletta del telefono online?*
Do you know how to pay the telephone bill online?

Sapere is also used in the sense of 'be in a position to …' or 'be capable of …'.

*Quando mi hanno fatto una domanda, **non ho saputo rispondere**.*
When they asked me a question, **I couldn't answer**.

***Sapresti ordinare** i libri online se te lo spiegassi un'altra volta?*
Could you (would you be able to) order the books online if I explained it to you once more?

- With verbs of perception such as **sentire** and **vedere** there is no need to use **potere** to translate 'can'.

  Non vedo lo schermo.
  I can't see the screen.

  Smetti di parlare un attimo, non sento niente.
  Stop talking a moment, I can't hear anything.

- The same applies with **trovare** and **capire**.

  Ho cercato dappertutto ma non trovo il loro numero di cellulare.
  I have looked everywhere but I can't find their mobile number.

  Non capiscono perché non siamo interessati al telelavoro.
  They can't understand why we aren't interested in working from home.

'Can', 'be able to' is frequently conveyed by **riuscire (a)**:

  Con tutto il traffico non riesco mai ad arrivare in ufficio prima delle nove.
  Because of all the traffic I can never get to the office before nine.

  Non siamo riusciti a fargli cambiare idea.
  We couldn't/weren't able to get him to change his mind.

The underlying meaning is 'succeed/manage to'.

26.4 May/might

- **Potere** is also used to express permission:

  Posso vedere *quel lettore di DVD?*
  May I (Can I) see that DVD player?

- and also possibility:

  Potrebbero abbassare *il prezzo.*
  They might drop the price.

See also Chapter 35, section 35.3 (**può darsi che**, **è possibile che**).

➡ **Exercise 1b**

26.5 Want/wish

- The verb most commonly used to express 'want/wish' is **volere**.

  Questo lavoro è proprio adatto a te. **Non vuoi fare domanda**? – No, **non voglio fare il pendolare**.
  This job is just right for you. **Don't you want to apply**? – No, **I don't want to commute**.

- It is the equivalent of 'will/won't', 'would/wouldn't' when indicating willingness to do something:

*Gli ho già detto la stessa cosa cento volte ma **non vuole seguire** i miei consigli.*
I've already told him the same thing a hundred times but **he won't follow** my advice.

*Non **voleva fare** quello che gli dicevano.*
He **wouldn't do** as he was told.

26.6 Should/would like

'Should/would like' are most frequently expressed by the conditional of **volere**:

*Per il compleanno della mia collega **vorrei organizzare** qualcosa di speciale.*
For my colleague's birthday **I would like to organise** something special.

It is also possible to use the conditional of **piacere**:

Per il compleanno della mia collega mi piacerebbe organizzare qualcosa di speciale.

26.7 Should have/would have liked

- To say you would like to have done something, use the conditional perfect of either **volere** or **piacere**:

*L'anno scorso **avrei voluto/mi sarebbe piaciuto trascorrere** le vacanze in Italia.*
Last year **I would like to have spent** the holidays in Italy.

- **Volere** is used with the subjunctive when you want someone else to do something (see Chapter 33).

For which auxiliary (**essere** or **avere**) to use with **volere**, **potere** and **dovere** in compound tenses see section 16.2.2.

 **Exercises 3, 4, 5**

 METTETEVI A PUNTO!

1 Che bei tempi!

a Scegli la forma corretta secondo il senso.

1 *Dobbiamo/avremmo dovuto* partire subito se non vogliamo perdere l'ultimo treno.
2 *Dovresti/hai dovuto* stare a casa se ti senti così male.
3 Mio figlio è stato bocciato in psicologia. *Dovrebbe/avrebbe dovuto* superare facilmente l'esame dopo tutte le ore che ha passato a studiare.
4 Quando Fiorenzo ha perso il lavoro in fabbrica, *ha dovuto/deve* vendere la macchina.
5 Che ore sono? – *Devono/dovevano* essere già le otto perché tuo padre sta guardando il telegiornale.
6 Quando avremo più tempo *dovremo/dovremmo* venire a trovarti.

b Scegli la forma corretta secondo il senso.

1 *Potrò/posso* abbassare il volume della radio? – Cos'hai detto?
2 Pierino, *sai/puoi* contare fino a dieci? – No, perché non ho mai studiato la matematica.
3 *Hai potuto/avresti potuto* chiamarmi sul cellulare! – Mi dispiace ma non *potrò/ho potuto* farlo perché era scarico.
4 Signora, *potevo/potrei* darle una mano a portare la valigia?
5 Non *potevano/potrebbero* venire alla festa perché erano tutti malati.
6 *Sapete/potete* dov'è lo stadio?
7 Elena *potrebbe/potrà* mettere da parte un po' di soldi ma preferisce spenderli.
8 Enrico, *puoi/sai* giocare a tennis? – Sì, ma non *so/posso* giocare per almeno un mese perché mi fa male il gomito.

2 Non so cosa fare!

Un uomo d'affari ha un problema 'linguistico' da risolvere. Inserisci negli spazi vuoti il tempo e la forma adatti dei verbi *potere, volere, dovere, sapere*.

– (Io) non . . **(1)** . . dire una parola in portoghese e fra qualche mese . . **(2)** . . assistere a una conferenza a Lisbona.
– . . **(3)** . . chiedere alla tua segretaria se . . **(4)** . . accompagnarti perché lei . . **(5)** . . parlare perfettamente la lingua.
– Ma io . . **(6)** . . andarci da solo perché in due costa troppo caro. Quello che . . **(7)** . . fare è seguire un corso accelerato, ma prima il mio direttore . . **(8)** . . concedermi il permesso di . . **(9)** . . mancare al lavoro per qualche ora ogni settimana.
– Secondo me, non . . **(10)** . . esserci problemi perché (noi) . . **(11)** . . tutti che il tuo datore di lavoro è un uomo molto disponibile.

3 Pensaci un po'

Completa il seguente dialogo con il tempo e la forma corretti dei verbi *potere, volere, dovere, sapere* secondo il senso.

– Rossella se tu . . **(1)** . . dimagrire, . . **(2)** . . stare attenta a quello che mangi!
– Ma mamma, allora non . . **(3)** . . più preparare tutte queste torte con la panna . . **(4)** . . benissimo che io non . . **(5)** . . stare lì a guardarle.
– Lo . . **(6)** . ., ma io le preparo per tuo fratello che . . **(7)** . . mangiare un po' di più perché è magrolino e, secondo me, tu . . **(8)** . . imparare a dire di no qualche volta.
– Se ti ricordi, . . **(9)** . . iniziare a seguire una dieta un mese fa ma . . **(10)** . . studiare giorno e notte per gli esami finali e non . . **(11)** . . certo stare senza mangiare. Adesso basta, (noi) . . **(12)** . . cambiare discorso per favore? (Io) non . . **(13)** . . più sentir parlare di cibo.
– Allora dimmi, quando ti sei iscritta all'università, perché . . **(14)** . . studiare l'inglese e non lo spagnolo? Secondo me, . . **(15)** . . fare il contrario. Io lo . . **(16)** . . che adesso sarebbe stato più utile lo spagnolo.
– Come . . **(17)** . . sapere che una ditta in contatto con la Spagna mi avrebbe offerto un lavoro? Ascolta, mamma, due mesi fa mio cugino non . . **(18)** . . usare il computer ma quando ha cambiato lavoro . . **(19)** . . imparare. Il direttore della ditta che mi ha assunto . . **(20)** . . che io faccia un corso accelerato di spagnolo a Madrid e, probabilmente, . . **(21)** . . andarci per un paio di mesi prima di iniziare a lavorare.

4 Che giornata!

a Un tuo amico si mette a pensare a tutte le cose che avrebbe potuto/voluto/dovuto fare durante il fine settimana. Scrivi delle frasi come nell'esempio.

Esempio: *navigare in Rete (volere)* ——➤ *Avrebbe voluto navigare in Rete.*

1 Rispondere alla valanga di email (dovere)
2 Salvare sul dischetto la lettera di reclamo (potere)
3 Comprarsi una stampante nuova (volere)
4 Ordinare online l'ultimo libro di Harry Potter (potere)
5 Ripassare tutti questi vocaboli sulla tecnologia (dovere)
6 Mettere in ordine la sua camera (volere)
7 Guardare il film italiano alla televisione (potere)
8 Ricaricare il cellulare (dovere)

b Scrivi alcune cose che tu avresti potuto, voluto o dovuto fare durante il fine settimana. Non devono necessariamente avere a che fare con la tecnologia!

5 Aiuto!

Traduci in italiano questo brano che è basato sui verbi che hai appena studiato.

May I ask you a favour? Can you give me a hand to translate this letter into German? – I'm sorry, I would like to help you but I can't speak German. I would like to have studied it at school but I changed my mind at the last moment and did Spanish. – I should learn German because it's very useful for the job I am doing at the moment. I should have attended an evening class last year but didn't have the time. Some German friends would like to come and see us next summer so I shall have to do something. – I am sure your friends can speak English. – You are right but I want to be able to say a few words in German, it's a matter of courtesy. – By the way, if you want a translation of the letter, you should ask my niece. She can speak several languages.

 METTETEVI IN MOTO!

6 Quante scuse!

Vuoi invitare il tuo amico/la tua amica a fare certe cose ma l'amico/l'amica respinge sempre il tuo invito, dicendo che deve fare qualcos'altro. Tu continui ad insistere facendo altre domande.

Esempio:

– *Vuoi venire al cinema stasera? Danno l'ultimo film di James Bond.*
– *No, stasera non posso perché devo lavarmi i capelli.*
– *Ma dai, puoi lavarti i capelli un'altra sera.*
– *Forse potrei venire giovedì sera, ecc.*

andare al ristorante, andare in discoteca, andare a una partita di calcio, andare al mare, andare a fare spese, andare a fare un giro in macchina

Se volete, potete aggiungere altre idee.

7 Un sondaggio

Indica quali delle seguenti cose sai fare:

sciare	usare il computer
guidare la macchina	nuotare
parlare spagnolo	giocare a tennis
scrivere un SMS	aggiustare la macchina
suonare il pianoforte/la chitarra	ordinare qualcosa online

Adesso intervista almeno tre o quattro compagni di classe per scoprire quello che sanno fare loro. Puoi chiedere a ognuno quando ha imparato a sciare/a guidare la macchina, ecc.

Esempio:

– *Sai sciare?*
– *Sì, so sciare.*
– *Quando hai imparato a sciare?*
– *Quando avevo 15 anni/Tre anni fa.*

Scrivi una breve relazione su una delle persone che hai intervistato.

8 Il lavoro non finisce mai

Fa' un elenco di tutte le cose che devi fare oggi, domani o fra poco, per esempio:

Devo fare la spesa.
Devo studiare un po' d'italiano.
Devo rispondere all'ultima email del mio corrispondente italiano.

A coppie, confrontate gli elenchi e fatevi delle domande in base a quello che avete scritto, per esempio:

– *Perché devi fare la spesa?*
– *Perché non ho niente da mangiare in casa.*
– *Perché devi studiare l'italiano?*
– *Perché fra poco devo dare un esame e ci sono tante cose che devo ripassare.*

9 Decidiamoci!

Tu e alcuni tuoi amici decidete di organizzare una vacanza insieme. Volete andare in Italia ma non sarà facile mettervi d'accordo su ogni decisione da prendere perché ognuno avrà le sue idee. Durante la conversazione, dovete tener conto dei seguenti fatti: il periodo dell'anno, la durata della vacanza, il mezzo di trasporto, la sistemazione, i bagagli, il programma.

– *Personalmente, vorrei andare alla fine di giugno perché ...*
– *Mi dispiace ma non posso andare durante quel periodo. Se andiamo insieme dobbiamo andare all'inizio di agosto.*
– *Se vogliamo fare un giro dell'Italia, secondo me, dobbiamo andare per almeno tre settimane.*
– *Purtroppo non posso fermarmi per più di una quindicina di giorni per motivi di lavoro.*
– *Come viaggiamo? ...*

10 Che disastro!

Un giovane deve presentarsi a un colloquio per un posto di lavoro come impiegato di banca.

La sera prima del colloquio va a una festa e torna a casa alle due di notte. Si alza l'indomani mattina con un terribile mal di testa ma non vuole prendere niente. Dopo tutto quello che ha bevuto non ha voglia di mangiare.

Alle otto e un quarto – deve essere alla banca per le nove precise – esce di casa e si dirige alla fermata dell'autobus. Non riesce a prendere l'autobus delle otto e venti e decide di aspettare quello delle otto e trentacinque. Purtroppo, arriva per il suo colloquio con dieci minuti di ritardo.

È vestito in modo trasandato, indossa un paio di jeans e una camicia non stirata senza cravatta. Non si è fatto la barba. Durante il colloquio lo stomaco comincia a brontolargli perché è digiuno. Ha dimenticato a casa tutte le informazioni relative al posto di lavoro e non le aveva nemmeno guardate la sera prima. Di conseguenza, risponde male a quasi tutte le domande.

Che disastro!

Che cosa avrebbe dovuto o avrebbe potuto fare il giovane per evitare questa situazione imbarazzante? Scrivi i tuoi suggerimenti.

11 Dammi qualche consiglio!

Di tanto in tanto ci troviamo tutti di fronte a una situazione difficile e abbiamo bisogno di chiedere qualche consiglio agli altri. Sarebbe meglio svolgere questa' attività a gruppi. A turno scegliete una delle seguenti situazioni e chiedete dei consigli agli altri membri del gruppo.

Per esempio:

– Voglio migliorare il mio italiano.
– Potresti studiare di più.
– Ma faccio già abbastanza, non posso studiare ogni sera.
– Bisogna andare in Italia per qualche mese.
– Ma devo lavorare.
– Ma puoi trovare un lavoro in Italia, ...

1 Sono molto pigro e conduco una vita sedentaria.
2 Non ho voglia di studiare la sera, preferisco uscire o guardare la televisione.
3 Sono completamente al verde e voglio andare all'estero quest'estate.
4 Se mi iscrivo a quel corso, devo scegliere fra l'italiano e il francese ma non so quale scegliere.
5 Non ho la macchina ma abito in piena campagna e lavoro in città.
6 Abito da solo e non so cucinare bene.

12 Consigli da dare

Scrivi un elenco di consigli da dare a chi:

• deve presentarsi a un colloquio per un posto di lavoro
• vuole essere bravo in lingue
• vuole mantenersi in forma
• vuole proteggere la casa dai furti
• non osa fare acquisti online

Bisogna ... Deve/Dovrebbe ... Può/Potrebbe ...

13 Che governo!

Rifletti in modo critico sulla recente politica del governo o dell'amministrazione locale della tua città. Scrivi un elenco di provvedimenti che il governo o l'amministrazione locale avrebbe potuto/dovuto prendere oppure potrebbe/dovrebbe prendere:

Esempi:

Avrebbe potuto ridurre le imposte per i più poveri.
Dovrebbe fare di più per aiutare i giovani a trovare lavoro.

27 The infinitive after prepositions

 MECCANISMI

The infinitive frequently follows other verbs, adjectives and nouns. Sometimes there is no link word, but many verbs, adjectives and nouns will be linked to the infinitive with either **a** or **di**. This chapter will help you to decide which preposition, if any, is necessary, and also provides tables for quick reference.

Note that because some verbs take direct and others indirect objects, this is indicated in the tables, and the following abbreviations are used in this chapter:

qc = **qualcosa**   sth = something
qn = **qualcuno**   sb = somebody, someone

Direct object: **pregare qn di fare qc** (to beg sb to do sth).
Indirect object: **dire a qn di fare qc** (to tell sb to do sth).

27.1 Linking the infinitive without a preposition

- Amongst these are all the modal auxiliaries explained in Chapter 26.

dovere	to have to, must	**sapere**	to know how to
potere	to be able	**volere**	to want, wish

- Other verbs in this category including a number of impersonal verbs (see Chapter 31) and some denoting wanting, liking and disliking:

amare	to like, love	**interessare**	to interest
bastare	to be enough	**lasciare**	to let, allow
bisognare	to be necessary	**occorrere**	to be necessary
convenire	to be better/advisable	**odiare**	to hate
desiderare	to want, wish	**osare**	to dare
detestare	to hate	**piacere**	to like, please
dispiacere	to be sorry	**preferire**	to prefer
fare ... qn/qc	to make, get/have ... (sth) done	**rincrescere**	to be sorry
(see Note below)		**servire**	to serve, be of use
importare	to matter		
intendere	to intend		

Detesto tornare a scuola dopo le vacanze estive. Non mi interessa più studiare ma non oso dire nulla ai miei genitori. Alla fine di quest'anno scolastico intendo trovare un lavoro. Mi piacerebbe diventare meccanico.

I hate going back to school after the summer holidays. I'm no longer interested in studying but I dare not say anything to my parents. At the end of this school year I intend to find a job. I would like to become a mechanic.

Note the use of **fare** + infinitive in the sense of to have or get something done, or to make somebody do something:

*Il nostro professore **ci ha fatto tradurre** in italiano una ventina di frasi.*
Our teacher **made us translate** about twenty sentences into Italian.

***Abbiamo fatto aggiustare** il frigorifero **dall'idraulico**.*
We got the plumber to repair the fridge.

***Mi hanno fatto pagare tutto**.*
They made me pay for everything.

- They also include verbs of the senses:

ascoltare	to listen to	*sentire*	to hear
guardare	to watch, look at	*vedere*	to see

***L'ho visto arrivare** e **l'ho sentito entrare** in casa.*
I saw him arriving and **I heard him coming into** the house.

27.2 Linking the infinitive with *a* or *ad*

- Many of these verbs/expressions indicate the beginning or the purpose of an action, but it is impossible to group them exactly. Better to learn them, and to use this list for reference when you want to make sure. A number of the English equivalents will end in '-ing', eg ***abituarsi a*** 'to get used to … ing', ***avere difficoltà a*** 'to have difficulty in … ing'.

abituarsi	to get used to	*incoraggiare (qn)*	to encourage (sb)
affrettarsi	to hasten, hurry	*iniziare*	to begin
aiutare (qn)	to help (sb)	*insegnare (a qn)*	to teach (sb)
andare	to go	*invitare (qn)*	to invite (sb)
apprendere	to learn	*limitarsi*	to limit
apprestarsi	to get ready	*mettersi*	to set about, begin
avere difficoltà	to have difficulty	*obbligare (qn)*	to oblige (sb)
avere ragione	to be right	*prepararsi*	to get ready
avere torto	to be wrong	*provare*	to try
cominciare	to begin	*rassegnarsi*	to resign oneself
continuare	to continue	*rinunciare*	to give up
convincere (qn)	to convince (sb)	*riprendere*	to resume
correre	to run	*riuscire*	to succeed
costringere (qn)	to force, compel (sb)	*scoppiare*	to burst out
decidersi	to make up one's mind	*sfidare (qn)*	to defy (sb)
divertirsi	to enjoy	*spingere*	to urge
esitare	to hesitate	*tardare*	to delay
far bene/male	to be right/wrong	*tendere*	to tend
forzare (qn)	to force (sb)	*tornare*	to return
imparare	to learn	*venire*	to come

Quando **ho cominciato a cantare***, i miei amici* **sono scoppiati a ridere***.*
When **I started to sing**, my friends **burst out laughing**.

Se **mi metto a guardare** *un film alla televisione,* **non riesco mai a vederlo** *fino alla fine.*
If **I start to watch a film** on the television, **I never manage to see it** right to the end.

✎ Note that *a* can become *ad* when the infinitive that follows begins with a vowel:

Riuscirò ad imparare *tutti questi verbi?*
Will I manage to learn all these verbs?

▶ Exercise 1a

• Some adjectives are also linked to an infinitive with *a*.

Some adjectives can be used alone but most are used after verbs such as *essere*, *sembrare*, *sentirsi*:

deciso	determined	*il solo*	the only one
disposto	willing	*l'ultimo*	the last
lento	slow	*il primo*	the first
pronto	ready	*il secondo*	the second
		(any ordinal number)	

A casa nostra mio fratello **è il primo ad andare a letto** *e* **l'ultimo ad alzarsi***.*
In our house my brother **is the first to go to bed** and **the last to get up**.

27.3 Linking the infinitive with *di*

- Most other verbs are linked to an infinitive with *di*. Here is a list of the most common ones, which include verbs indicating the end or cessation of an action. Many of the English equivalents will end in '-ing', eg **accusare qn di** 'to accuse sb of … ing'.

accettare	to accept	*parlare*	to talk
accorgersi	to notice, realise	*pensare*	to plan, think
accusare (qn)	to accuse (sb)	*permettere (a qn)*	to allow (sb)
ammettere	to admit	*persuadere (qn)*	to persuade (sb)
aspettarsi	to expect	*pregare (qn)*	to beg (sb)
avere bisogno	to need	*pretendere*	to claim, profess
avere intenzione	to intend	*proibire (a qn)*	to prohibit (sb)
avere paura	to be afraid	*promettere*	to promise
avere vergogna	to be ashamed	*proporre*	to propose
avere voglia	to want, feel like	*raccomandare (a qn)*	to urge (sb)
cercare	to try	*rendersi conto*	to realise
cessare	to stop	*ricordar(si)*	to remember
chiedere (a qn)	to ask (sb)	*rifiutar(si)*	to refuse
consigliare (a qn)	to advise (sb)	*rischiare*	to risk
credere	to believe	*ritenere*	to consider
decidere	to decide	*sapere*	to know
dimenticar(si)	to forget	*scegliere*	to choose
dire (a qn)	to tell (sb)	*scusarsi*	to apologise
domandare (a qn)	to ask (sb)	*sentirsela*	to feel like/up to
fare finta	to pretend	*sforzarsi*	to try hard
fingere	to pretend	*smettere*	to stop
finire	to finish	*sognare*	to dream
giurare	to swear	*sopportare*	to stand, bear
immaginare	to imagine	*sperare*	to hope
impedire (a qn)	to prevent (sb)	*stancarsi*	to get tired
mancare	to fail	*stufarsi*	to get fed up
meritare	to deserve	*suggerire*	to suggest
minacciare	to threaten	*temere*	to fear
non vedere l'ora	to look forward	*tentare*	to attempt
offrirsi	to offer	*vergognarsi*	to be ashamed
ordinare (a qn)	to order	*vietare*	to forbid
parere	to seem		

So di avervi detto *che volevo venire a trovarvi a settembre ma dopo il brutto incidente che è capitato a mio cugino* **non me la sento di andare** *da nessuna parte.* **Ho deciso** *quindi* **di stare a casa** *per aiutare i miei parenti.* **Avevo una gran voglia di rivedervi. Dobbiamo cercare di organizzare** *qualcosa per Natale.* **Spero di non aver mandato all'aria** *i vostri piani.*

I know I had told you that I was coming to see you in September, but after the terrible accident that happened to my cousin **I don't feel like going** anywhere. **I have decided** therefore **to stay at home** to help my relatives. **I really wanted to see you again. We must try and organise** something for Christmas. **I hope I haven't upset** your plans.

It is worth noting that if two verbs have the same subject then the second verb goes into the infinitive and is preceded by **di**:

Penso di averti *dato il numero sbagliato.*
I think I have given you the wrong number.

Dicono di non voler *andare a vivere altrove.*
They say that **they** don't want to go and live elsewhere.

- Most adjectives are linked to an infinitive with **di**:

ansioso	anxious, keen	*sicuro*	sure
capace	capable	*stanco*	tired
certo	certain	*stufo*	fed up
contento/felice/lieto	pleased, happy		

The adjective can stand alone or follow verbs such as **essere, sembrare, sentirsi**:

Lieto di fare la Sua conoscenza.
Pleased to meet you.

Siamo stufi di studiare la grammatica, soprattutto questi verbi!
We are sick and tired of studying grammar, especially these verbs!

Exercise 1b

- A number of nouns are also linked to an infinitive with **di**, standing alone, or often following verbs such as **avere, sentire, vedere**:

il bisogno	the need	*il piacere*	the pleasure of
il desiderio	the desire	*la possibilità*	the possibility
il diritto	the right	*la sfortuna*	the bad luck
la fortuna	the good fortune	*il tempo*	the time
la necessità	the necessity	*la voglia*	the wish, will
l'occasione	the opportunity, chance		

Non vediamo la necessità di partire così presto. Non avremo (il) tempo di fare colazione.
We don't see the need to leave so early. We won't have the time to have breakfast.

27.4 Linking with other prepositions

- Notice the difference between **cominciare a** (to begin to) and **cominciare con** (to begin by), and **finire di** (to finish …ing) and **finire per** (to finish by …ing).

Il direttore ha cominciato col dire che non aveva preso in considerazione le nostre proposte.
The manager started by saying that he had not taken our proposals into consideration.

- **Per** + infinitive stresses purpose, 'in order to':

Mangio per vivere ma non vivo per mangiare.
I eat (in order) to live but I don't live (in order) to eat.

- Some verbs of motion can be linked with **per** if the sense of purpose needs emphasising.

Mia sorella è andata all'agenzia di viaggi per ritirare i biglietti.
My sister has gone to the travel agency to collect the tickets.

➤ **Exercises 2, 3**

 # METTETEVI A PUNTO!

1 Rompicapo!

1a Dopo i seguenti verbi devo inserire la preposizione *a* o no? Questa è la decisione che devi prendere.

> So . . **(1)** . . cucinare la pasta e basta! – Se vuoi . . **(2)** . . imparare
> . . **(3)** . . cucinare qualcos'altro ti conviene . . **(4)** . . iscriverti a un corso. – Mi
> sono comprato un libro di cucina ma non riesco . . **(5)** . . seguire le ricette. – Io
> amo . . **(6)** . . cucinare, mi diverto . . **(7)** . . creare dei piatti nuovi, provo sempre
> . . **(8)** . . aggiungere degli ingredienti che non fanno parte della ricetta. – Io invece
> odio . . **(9)** . . cucinare. Qualche settimana fa sono riuscito . . **(10)** . . preparare
> qualcosa di diverso ma sono stato male per due giorni. – Comunque, bisogna
> . . **(11)** . . provare. Se ti senti un po' giù, stasera ti insegnerò . . **(12)** . . fare
> il tiramisù!

1b Questa volta bisogna completare le frasi con *a* o *di*.

1 Molto lieto … conoscerLa, signora.
2 Siamo stufi … aspettare. – Ma perché siete così ansiosi … partire?
3 I nostri vicini sono sempre disposti … aiutarci. Sono sempre i primi … darci qualche consiglio quando ne abbiamo bisogno.
4 Marco è molto lento … rispondere ai miei SMS. Sono sicura … avergliene mandati una trentina oggi! Però, non credo che sia già capace … scrivere un SMS. Ha appena compiuto quattro anni! Pazienza!

2 Gli amici si conoscono nelle avversità

Un signore racconta una sua esperienza. Riempi gli spazi con la preposizione *a/ad* o *di*. Attenzione! In alcuni casi non ci vuole nessuna preposizione.

Da quando ho smesso . . (1) . . lavorare ho sempre avuto difficoltà
. . (2) . . mantenere la linea. Mi basta . . (3) . . guardare un cioccolatino e ingrasso di due chili. Inoltre, mi sono abituato . . (4) . . stare a letto fino a tardi. Tutti i miei amici cercano . . (5) . . convincermi a dimagrire e mi invitano spesso
. . (6) . . accompagnarli quando vanno . . (7) . . fare una passeggiata ma loro tendono . . (8) . . partire presto. Io invece non riesco . . (9) . . alzarmi prima delle dieci.

Ormai mi sembra che sia giunto il momento . . (10) . . fare qualcosa. D'ora in poi intendo . . (11) . . alzarmi prima, rinuncerò . . (12) . . fare spuntini durante il giorno e penserò . . (13) . . condurre una vita più attiva. Sono stanco
. . (14) . . sentire commenti sarcastici riguardo al mio sovrappeso e alla mia pigrizia. Ho deciso . . (15) . . riprendere . . (16) . . giocare a golf e almeno una volta alla settimana mi sforzerò . . (17) . . fare i cento metri a piedi fino ai negozi invece di andarci con la macchina.

Mi vergogno . . (18) . . non aver seguito prima i consigli dei miei amici. Avevano perfettamente ragione . . (19) . . dirmi di fare più attenzione alla mia dieta. Se avessi continuato . . (20) . . vivere in quel modo, avrei rischiato
. . (21) . . rovinarmi la salute. Mi rendo conto . . (22) . . aver commesso un grosso errore quando dicevo ai miei cari amici . . (23) . . lasciarmi . . (24) . . stare e che non avevano il diritto . . (25) . . dirmi come vivere la mia vita. Per fortuna, ho imparato in tempo . . (26) . . seguire un buon consiglio. All'inizio, ero troppo testardo e pretendevo . . (27) . . sapere tutto.

3 Traduzione

Traduci in italiano il seguente brano.

I have decided to do a language course in Siena this summer because I need to improve my Italian. My Italian teacher was the first to advise me to attend this course and I have managed to convince my parents to let me go. I'm thinking of going there at the beginning of August because I intend working for at least a month before leaving. My sister has kindly offered to pay my travel expenses and an Italian friend of mine has invited me to stay at his parents' house. I'm looking forward to visiting this historic city. My brother is keen to come with me as he has always had a desire to visit this part of Italy. I shall have to act as interpreter as he doesn't speak a word of Italian.

 **METTETEVI IN MOTO!**

4 Piaceri e dispiaceri

Descrivi quello che ti piace o detesti fare utilizzando verbi come *amare, piacere, desiderare, odiare, detestare, preferire, interessare*. Scrivi almeno dieci frasi su qualsiasi argomento.

Confronta le tue frasi con quelle di almeno due altri compagni di classe e ognuno, a turno, può fare delle domande per scoprire i motivi dei 'piaceri' e 'dispiaceri', come negli esempi:

– Detesto viaggiare in pullman.
– Perché?
– Perché patisco il pullman. Mi sento sempre male.
– A me invece piace molto. Infatti amo viaggiare in pullman perché mi piace guardare il paesaggio dal finestrino.

– Non mi interessa per niente andare a vedere quel film.
– Perché no?
– Preferisco noleggiare un DVD e guardarlo a casa.

5 Progetti e speranze

Quali sono i tuoi progetti e le tue speranze? Scrivine almeno cinque utilizzando verbi come *pensare di, sognare di, avere intenzione di, avere il desiderio di, non vedere l'ora di*.

Poi confrontali con quelli di alcuni compagni di classe, discutendo le eventuali differenze.

Esempi:

– Alla fine di quest'anno penso di interrompere gli studi per trascorrere un anno in Italia. Ho intenzione di cercarmi un lavoro lì. Spero di racimolare abbastanza soldi per poter pagarmi gli studi universitari.
– Non vedo l'ora di andare in pensione all'età di cinquant'anni perché ho un gran desiderio di visitare tutti i paesi del mondo.

6 Un bravo insegnante e uno studente modello

Quali sono le caratteristiche e le qualità che pretendi da un bravo insegnante e da uno studente modello? Scrivi le tue idee sotto il relativo titolo. Ogni frase dovrebbe contenere uno dei seguenti verbi o altri verbi presentati in questo capitolo:

> *accettare, aiutare, chiedere, consigliare, costringere, dire, domandare, incoraggiare, insegnare, invitare, permettere, persuadere, promettere, ricordarsi, riuscire, scusarsi, sforzarsi, spingere, tenerci.*

Confronta le tue idee con quelle di alcuni compagni di classe, discutendo le eventuali differenze.

Esempi:

Un bravo insegnante
Ti incoraggia a studiare.
Si ricorda di correggere i compiti.

Uno studente modello
Accetta di fare i compiti.
Si sforza di imparare i verbi.

7 Una miniautobiografia

Scrivi una breve relazione su un argomento che ti sta a cuore – un passatempo prediletto, i viaggi, lo studio della lingua italiana o di un'altra materia, un impiego, l'alimentazione, ecc. – e cerca di utilizzare il maggior numero possibile di verbi o espressioni presentati in questo capitolo. (Esercizio 2, *Mettetevi a punto!*, può servire da esempio.)

28 Verbs and their objects

MECCANISMI

An area of Italian which needs careful attention is the question of what type of object follows the verb – direct or indirect; in particular, whether the object is linked by a preposition different from the corresponding one in English: for example, **vivere _di_** = to live **on**, **dipendere _da_** = to depend **on**. The main emphasis of this chapter will be on examples where there is a difference between Italian and English usage, as it would not be possible here to list every example where the two languages correspond (for example, **ho paura _di_ mia sorella** – I'm afraid **of** my sister).

The following abbreviations are used frequently in this chapter: *qc* = **qualcosa**, *qn* = **qualcuno**, sth = something, sb = somebody, someone.

28.1 Verbs taking a direct object in Italian

approvare	to approve of	*guardare*	to look at
ascoltare	to listen to	*pagare*	to pay for
aspettare	to wait for	*sfogliare*	to glance/skim through
cercare	to look for	*sognare*	to dream about
chiedere/domandare	to ask for		

*La maggioranza del governo **approva le misure** prese per contenere l'inflazione.*
The majority of the government **approves of the measures** taken to contain inflation.

*L'elettorato **aspetta** con ansia **i risultati** del referendum.*
The electorate **is** eagerly **awaiting the results** of the referendum.

28.2 Verbs taking an indirect object with the preposition *a*

28.2.1 Verbs which take a direct object in English but indirect in Italian

aderire	to join	*piacere*	to please
assomigliare	to resemble	*resistere*	to resist
avvicinarsi	to approach	*rimediare*	to remedy
convenire	to suit	*rispondere*	to answer
dispiacere	to displease	*rinunciare*	to give up
giocare	to play (a game)	*sopravvivere*	to survive
fare male	to hurt	*telefonare*	to phone
obbedire	to obey	*voler bene*	to be fond of, love
ovviare	to get around		

Non ho intenzione di aderire *a nessun partito politico.*
I don't intend joining any political party.

Il deputato **non ha risposto alla mia domanda** *sulla riforma universitaria.*
The MP **did not answer my question** on the university reform.

In this group are also a number of verbs which are linked to their object by *a* and to the following infinitive by *di* (*consigliare a qualcuno di fare qualcosa*).

These can be found in section 27.3 (verb table).

28.2.2 Verbs equivalent to English verbs followed by 'from' or 'for'

comprare qc a qn	to buy sth for sb
rubare qc a qn	to steal sth from sb
sequestrare qc a qn	to confiscate sth from sb
strappare qc a qn	to snatch, tear sth from sb
togliere qc a qn	to take sth away from sb
chiedere/domandare qc a qn	to ask sb for sth, ask sth of sb

Il primo ministro **ha chiesto consiglio al Ministero** *della Pubblica Istruzione.*
The Prime Minister **asked the Ministry** of Education **for advice**.

Il ladro **le ha rubato dei documenti** *riservati.*
The thief **stole some** confidential **documents from her**.

28.2.3 Verbs taking *a* in Italian and a variety of prepositions in English

affezionarsi a qn	to become fond of, take a liking to sb
assistere a qc	to be present at, attend, witness sth
badare a qn/qc	to take care, beware of sb/sth
credere a/in qn/qc	to believe in sb/sth
interessarsi a/di qc	to be interested in sth
mirare a qc	to aim at sth
partecipare a qc	to take part in sth
pensare a qn/qc	to think about sb/sth
prepararsi a qc	to prepare, get ready for sth
provvedere a qc	to provide for, see to sth
tenerci a qc	to care a lot about, attach importance to sth

*Migliaia di studenti **hanno assistito alla manifestazione** politica.*
Thousands of students **attended the** political **demonstration**.

*Perché non vuoi **partecipare alla campagna elettorale**?*
Why don't you want **to take part in the election campaign**?

*A dire la verità, **non mi interesso più di politica**.*
To tell the truth, **I'm no longer interested in politics**.

28.3 Verbs linked to an object with *di*

28.3.1 Verbs taking *di* in Italian and a direct object in English

accorgersi	to notice	*godere*	to enjoy
avere bisogno	to need	*mancare*	to lack
avere voglia	to feel like	*rendersi conto*	to notice, realise
dubitare	to doubt	*ricordarsi*	to remember
fidarsi	to trust		

*L'uomo politico **si è accorto** subito **dell'errore** che aveva fatto.*
The politician **noticed** immediately **the error** he had made.

*Il nostro deputato **ha bisogno di aiuto** durante le elezioni politiche. In passato sono sempre stato disposto a dargli una mano ma adesso **non mi fido di lui**. Non è che **manchi di iniziativa**.*
Our MP **needs help** during the general election. In the past I have always been willing to give him a hand but now **I don't trust him**. It's not that **he lacks initiative**.

*Malgrado i suoi anni l'ex-primo ministro **gode** sempre **di buona salute**.*
Despite his age the former Prime Minister still **enjoys good health**.

28.3.2 Verbs which take a variety of prepositions in English

accontentarsi di qc	to make do/be satisfied with sth
innamorarsi di qn	to fall in love with sb
intendersi di qc	to know about, be an expert on sth
lamentarsi di qc	to complain about sth
meravigliarsi di qn/qc	to be amazed at sb/sth
occuparsi di qn/qc	to look after, take care of sb/sth
pensare di qn/qc	to think (= offer opinion about) sb/sth
ridere di qn	to laugh at sb
riempire di qc	to fill with sth
trattarsi di qn/qc	to be a question of sb/sth
vantarsi di qc	to boast about sth
vivere di qc	to live on sth

*Cosa **pensi degli ultimi ritocchi** alla legge sull'immigrazione?*
What **do you think of the latest revisions** to the law on immigration?

*Chi **si occupa degli interessi** della gente più povera?*
Who **is looking after the interests** of the poorer people?

*Il loro programma elettorale **non mi riempie di speranza**.*
Their election manifesto **doesn't fill me with hope**.

28.4 Verb + other prepositions + object

avercela con qn	to have it in for sb
arrabbiarsi con qn	to be annoyed with sb
congratularsi con qn	to congratulate sb
dipendere da qn/qc	to depend on sb/sth
dirigersi verso qc	to head for, make one's way towards sth
entrare in qc	to enter sth
fare da qn	to act as sb
incidere su qc	to affect sth
indagare su qc	to investigate sth
influire su qc	to influence, affect sth
preoccuparsi per qn/qc	to worry about sb/sth
riflettere su qc	to reflect on, think about sth
salire su/in qc	to board, get on sth
scendere da qc	to get off/out of sth
servire da qc	to be used as sth
sposarsi con qn	to marry sb

*La mia carriera politica **dipenderà dal successo** delle trattative.*
My political career **will depend on the success** of the negotiations.

*Tanta gente **si preoccupa per l'attuale crisi economica** che comincia già ad **incidere sulle prospettive di lavoro** di centinaia di laureati.*
So many people **are worried about the present economic crisis**, which **is** already **affecting the job prospects** of hundreds of graduates.

If you are unsure of how to link pronouns rather than nouns to these verbs, have a look back at the explanations of indirect object pronouns and emphatic pronouns in Chapter 10.

If you are unsure of how to link *di*, *a*, and other prepositions with a following article (forming *delle*, *ai*, etc), see Chapter 3, section 3.1.3.

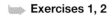 **Exercises 1, 2**

 # METTETEVI A PUNTO!

1 Preposizione o no?

Completa il dialogo con le preposizioni semplici (*di, a* ecc.) o articolate (*del, al* ecc.) dove necessario.

– Cosa fai qui?
– Aspetto . . (**1**) . . la mia amica Luisa. Sai che ha rinunciato . . (**2**) . . viaggio in America per badare . . (**3**) . . sua nonna che ha bisogno . . (**4**) . . continua assistenza?
– Ma . . (**5**) . . che cosa si tratta?
– Non si rende più conto . . (**6**) . . quello che fa e non si fida più . . (**7**) . . nessuno, così Luisa e i suoi genitori devono provvedere . . (**8**) . . tutto il necessario. Questa difficile situazione incide . . (**9**) . . andamento scolastico di Luisa perché è particolarmente affezionata . . (**10**) . . nonna e pensa . . (**11**) . . lei in continuazione, trascurando lo studio. Ecco che arriva! È appena scesa . . (**12**) . . treno e si sta dirigendo . . (**13**) . . di noi. Ciao Luisa, il tuo arrivo mi riempie . . (**14**) . . gioia.
– Ciao Roberto, come mai sei qui?
– Perché sapendo che saresti venuta, ho telefonato . . (**15**) . . tua mamma per chiederle . . (**16**) . . l'ora del tuo arrivo.

2 Una riflessione politica

Due amici riflettono un po' sulla situazione politica. Scegliendo i verbi adatti dal riquadro, completa il loro dialogo con il presente, futuro, o l'infinito, secondo il senso.

– Chissà se il governo . . (1) . . alla tentazione di ridurre le tasse prima delle elezioni.
– A mio parere, dopo tutto quello che è successo in questi ultimi anni, è difficile
  . . (2) . . della loro politica. Come sempre, molto . . (3) . . dai voti degli elettori
  in certe zone chiave.
– Secondo te, quali sono i maggiori problemi da risolvere?
– Innanzitutto, ogni partito deve . . (4) . . di più della disoccupazione che
  . . (5) . . sul benessere del Paese. Personalmente, . . (6) . . con quelli che dicono
  che non si può fare nulla per . . (7) . . a questo problema. Altri problemi ai quali
  bisogna . . (8) . . includono l'aumento della criminalità, il numero crescente di
  emarginati, barboni, senzatetto ecc. Tanta gente . . (9) . . soprattutto
  dell'aumento della criminalità ma se ci fosse più lavoro …! Ormai nella nostra
  società ci sono troppi che devono . . (10) . . di ben poco mentre altri sono
  straricchi e non sono mai contenti. . . (11) . . sempre di qualcos'altro.
– Hai ragione fino a un certo punto. Ricordati, però, che ci sono quelli che
  . . (12) . . a parte delle loro ricchezze per aiutare i meno abbienti.

rimediare   accontentarsi   rinunciare   incidere   fidarsi

dipendere   pensare   avere bisogno   resistere   arrabbiarsi   lamentarsi   occuparsi

METTETEVI IN MOTO!

3 Un avvenimento vero o falso!

Scrivi una 'storia' – vera o falsa – che contenga almeno dieci dei verbi indicati qui sotto. Scritta la storia, raccontala ad alcuni compagni di classe oppure appendila alla parete dell'aula in modo che gli altri la possano leggere.

accorgersi di   telefonare a   congratularsi con   assistere a   tenerci a   fidarsi di
telefonare a   entrare in
aspettare   strappare a   avere bisogno di   chiedere a   avvicinarsi a   guardare   cercare   badare a

4 Partecipiamo tutti quanti al concorso

Formate due squadre. Un membro della squadra A sceglie uno dei verbi presentati in questo capitolo e un membro della squadra B deve costruire una frase con questo verbo. Se la frase è corretta – l'insegnante può fare da arbitro se necessario – la squadra B segna un punto. Poi tocca alla squadra B scegliere il verbo.

29 Participles and the gerund

 **MECCANISMI**

Participles and gerunds are parts of the verb which are not self-contained tenses, and cannot form sentences standing on their own. In Italian as in English, both the present and past participles can be used as an adjective:

un viaggio massacrante an exhausting journey (present participle, see below)
un passeggero preoccupato a worried passenger (past participle, see section 29.2.1)

The gerund has a different function and is not used as an adjective (see section 29.3.2).

29.1 The present participle

29.1.1 Formation

The present participle is formed by adding **-ante** to the stem of **-are** verbs and **-ente** to the stem of **-ere** and **-ire** verbs.

Infinitive	Present participle	
riguardare	riguardante	*(regarding, concerning)*
avere	avente	*(having)*
servire	servente	*(serving)*

Just like adjectives ending in **-e**, the plural is in **-i**: **riguardanti**, **aventi**, **serventi**.

There are a few participles that have irregular formations, such as:

nutrire	*nutriente*	nourishing
provenire	*proveniente*	deriving, coming from
ubbidire	*ubbidiente*	obeying

29.1.2 Uses

The present participle corresponds to '-ing' in English, but **beware** as '-ing' is used in many more instances in English, other than as a present participle. See Chapters 14, 25 and 27. The present participle is rarely used with a verbal function in Italian – see the gerund instead (section 29.3). It would be better, therefore, to use it only in the expressions you come across.

• The present participle can be used to replace a relative clause:

Il treno proveniente (= che proviene) da Milano viaggia con trenta minuti di ritardo.
The train coming (= which is coming) from Milan is thirty minutes late.

La valigia contenente (= che conteneva) i miei vestiti è stata rubata.
The suitcase containing (= which contained) my clothes has been stolen.

Hai letto **le informazioni riguardanti** (= che riguardano) i cambiamenti di orario?
Have you read **the information regarding** (= which regard) the timetable changes?

• A very common use of the present participle is as an adjective, and as such, it must agree like any other adjective with the noun it describes.

È una situazione molto **preoccupante**.
It's a very **worrying** situation.

Queste valigie sono **pesanti**.
These suitcases are **heavy**.

📝 Remember that the present participle cannot be used with **essere** to make a progressive tense, as in English: 'I am writing' = **scrivo**, 'I was writing' = **scrivevo**: you must use the simple present or imperfect or **sto/stavo scrivendo** (see Chapter 18).

📝 Note also that in Italian many bodily positions are described using the past, not the present participle.

Molti passeggeri erano sdraiati per terra nella sala d'attesa.
Many passengers were lying on the floor in the waiting room.

È seduta vicino alla finestra.
She is sitting near the window.

• A number of present participles are used as nouns, for example:

il concorrente	competitor	*l'insegnante*	teacher
il dirigente	manager	*il manifestante*	demonstrator
il conoscente	acquaintance	*il restante*	remainder
l'immigrante	immigrant	*lo studente*	student

📝 Note, however, that a great number of '-ing' nouns in English have equivalents in Italian that do not derive from the present participle, for example:

il giardinaggio	gardening	*il nuoto*	swimming
la lettura	reading		

29.2 The past participle

29.2.1 Formation

- **Regular verbs**: remove the infinitive ending to form the stem and add the endings *-ato*, *-uto*, *-ito* as appropriate:

parlare	ricevere	capire
parl**ato** (spoken)	ricev**uto** (received)	cap**ito** (understood)

Verbs ending in *-arc* are all regular, the notable exception being *fare*: *fatto* (and compounds).

The majority of verbs in *-ire* are regular, some notable exceptions being *dire* ⟶ *detto*; *morire* ⟶ *morto*; *venire* ⟶ *venuto*; *scomparire* ⟶ *scomparso* and a small group like *aprire* ⟶ *aperto* (*offrire*, *coprire* and their compounds).

- A considerable number of verbs have irregular past participles. The following **general guidelines** are intended to help you realise that a number of verbs with irregular past participles can be grouped together.

Verbs ending in ...	*... modelled on*	
-durre	tradurre ⟶	tradotto
-arre	trarre ⟶	tratto
-orre	porre ⟶	posto
-endere	prendere ⟶	preso
-istere	assistere ⟶	assistito
-iggere	friggere ⟶	fritto
-eggere	leggere ⟶	letto
-idere	ridere ⟶	riso
-udere	chiudere ⟶	chiuso
-uotere -uovere	scuotere ⟶ muovere ⟶	scosso mosso
-scere* -cere*	conoscere ⟶ piacere ⟶	conosciuto piaciuto
-olgere -ogliere	volgere ⟶ cogliere ⟶	volto colto

* Some notable exceptions include *nascere* ⟶ *nato* and *vincere* ⟶ *vinto*.

▶ **Exercise 1**

📎 Note that a **compound** is a base verb like **volgere** with a prefix added, eg **rivolgere**, **avvolgere**, **coinvolgere**.

The following verbs have irregular past participles that are not mentioned in the above categories:

bere	bevuto	**rimanere**	rimasto
essere	stato	**risolvere**	risolto
costringere	costretto	**rispondere**	risposto
dirigere	diretto	**rompere**	rotto
discutere	discusso	**spingere**	spinto
distruggere	distrutto	**succedere**	successo
perdere	perso (perduto)	**vedere**	visto

For other verbs with irregular past participles see the Verb List on pages 353–360.

▶ **Exercise 2**

29.2.2 Uses

- The most frequent use of the past participle is to form the perfect, pluperfect and other compound tenses together with **avere** or **essere**. This is fully dealt with in Chapters 16 and 21.

- The past participle is also used to form the passive with **essere** etc., and this is explained fully in Chapter 30.

- The past participle has four other uses without an auxiliary verb.

1   It replaces a clause beginning with **quando**, **dopo che**. This construction tends to be used in narrative style, and is perhaps more common in Italian than in English.

   Fatte le valigie (= dopo che/quando avevo fatto le valigie), ho tirato un respiro di sollievo.
   The suitcases packed (= after/when I had packed the suitcases), I gave a sigh of relief.

   This construction is sometimes used after **una volta**, 'once':

   Una volta arrivati a destinazione, abbiamo cercato un albergo.
   Once (we had) arrived at our destination, we looked for a hotel.

2   It replaces an adjectival relative clause describing a noun:

   Il volo cancellato (= che è stato cancellato) per la neve ci ha rovinato la vacanza.
   The flight cancelled (= which has been cancelled) because of the snow has ruined our holiday.

   La signora seduta (= che era seduta) accanto a te era arrabbiatissima.
   The lady sitting (= who was sitting) next to you was very angry.

3   It can be used as an adjective in its own right:

*Abbiamo protestato per **il mancato rimborso** dei biglietti.*
We protested about **the failure to refund** (literally = failed refund) the cost of the tickets.

*Il ritardo è dovuto alle **complicate operazioni di sghiacciamento** dei velivoli.*
The delay is due to the **complicated de-icing operations** of the aircraft.

4   It can also be used as a noun:

I sopravvissuti *all'incidente sono stati ricoverati in ospedale.*
The survivors of the accident have been admitted to hospital.

Gli invitati *sono pregati di arrivare per le otto.*
The guests are requested to arrive by eight o'clock.

Note also well-established nouns such as:

entrata, salita, uscita, andata

➧ **Exercise 3**

29.3 The gerund

29.3.1 Formation

The gerund is formed by adding to the stem of the verb *-ando* for *-are* verbs and *-endo* for *-ere* and *-ire* verbs. Italian has two forms of the gerund, the present and the past.

Infinitive	Gerund	
trovare	trovando	*finding (present)*
trovare	avendo trovato	*having found (past)*
vendere	vendendo	*selling (present)*
vendere	avendo venduto	*having sold (past)*
partire	partendo	*leaving (present)*
partire	essendo partito/a/i/e	*having left (past)*

Unlike the present and past participles, the present gerund never changes, that is, it never agrees.

The past gerund is used far less frequently than the present. For verbs that form the past gerund with **essere**, the past participle agrees with the subject: **Essendo partite presto**, *le ragazze* …

Note the following verbs that change their stem in the present gerund:

bere	bevendo	*tradurre*	traducendo
dire	dicendo	*porre*	ponendo
fare	facendo	*trarre*	traendo

29.3.2 Uses

The gerund has a verbal function and is frequently used to convey 'on doing', 'while doing', 'by doing', 'after doing' something and can, therefore, in rather formal language, replace a clause introduced by *mentre*, *poiché*, *siccome*, *dopo che*, *quando*, *se*.

*L'ho vista **ritirando** (= mentre ritiravo) **i bagagli**.*
I saw her **while I was collecting my luggage**.

***Essendo** (= Poiché/Siccome sono) **a corto di denaro**, dovrò rinunciare all'offerta di accompagnarli.*
Being (= since/as I am) **short of money**, I shall have to turn down the offer to go with them.

***Prendendo** (= se prendete) **questa scorciatoia**, arriverete prima.*
By taking (= if you take) **this shortcut**, you will arrive sooner.

***Avendo convalidato** (= dopo che/quando avevamo convalidato) **i biglietti**, siamo saliti sul treno.*
Having stamped (= after/when we had stamped) **the tickets**, we got on the train.

***Parlando** (= quando si parla) **con lui**, ci si accorge del suo accento straniero.*
When speaking (= when you speak) **to him**, you notice his foreign accent.

In all the above examples where the gerund is used, the subjects of both clauses must be the same. When the gerund does not refer to the subject of the main sentence, then it is advisable to use a subordinate clause introduced by the appropriate conjunction. For example:

L'ho vista mentre ritirava i bagagli.
I saw her collecting her luggage.

In this sentence the 'collecting' refers to 'her' and the gerund cannot be used. Compare that with the following sentence:

L'ho vista ritirando i bagagli.
I saw her while I was collecting my luggage.

where 'collecting' refers to the subject 'I'.

After verbs of perception such as 'to see' and 'to hear', it is also possible to use the infinitive:

L'ho vista entrare nel salone partenze.
I saw her going into the departure lounge.

Ho sentito decollare l'aereo.
I heard the plane take off.

The gerund can also be preceded by *pure*, usually shortened to *pur*, when the meaning being conveyed is 'although …ing':

Pur volendo scrivere una lettera di reclamo, non ho avuto tempo di farlo.
Although wanting (= although I wanted) to write a letter of complaint, I didn't have time to do it.

Exercises 4, 5

 **METTETEVI A PUNTO!**

1 Funziona o no?

Rileggi attentamente i consigli sulla formazione dei participi passati irregolari (vedi 29.2.1).
Poi prova a formare il participio passato dei seguenti verbi, come nell'esempio.

Infinitivo	Participio passato	Infinitivo	Participio passato
resistere	resistito	capovolgere	. . . . . .
introdurre	. . . . . .	scoprire	. . . . . .
offendere	. . . . . .	togliere	. . . . . .
proteggere	. . . . . .	insistere	. . . . . .
sorridere	. . . . . .	estrarre	. . . . . .
includere	. . . . . .	sconfiggere	. . . . . .
comporre	. . . . . .	tacere	. . . . . .
commuovere	. . . . . .	crescere	. . . . . .

2 L'infortunio di Elena!

Completa il brano con i participi passati dei verbi tra parentesi, concordandoli dove
necessario. Un punto per ogni participio passato che riesci a formare correttamente. Impara
a memoria i participi passati che hai sbagliato e riprova a fare l'esercizio fra qualche giorno.

Elena e la sua amica Paola hanno . . **(1)** . . (*chiudere*) tutte le porte di casa e sono
. . **(2)** . . (*correre*) alla fermata dell'autobus. Elena è . . **(3)** . . (*cadere*) e si è
. . **(4)** . . (*rompere*) un braccio così hanno . . **(5)** . . (*perdere*) l'autobus. All'inizio
Paola si è . . **(6)** . . (*mettere*) a ridere, ma poi si è . . **(7)** . . (*accorgere*) della gravità
dell'incidente e ha subito . . **(8)** . . (*smettere*). Per fortuna, un passante ha
. . **(9)** . . (*vedere*) quello che era . . **(10)** . . (*succedere*) così si è . . **(11)** . . (*offrire*) di
accompagnarle al pronto soccorso più vicino. Non appena sono
. . **(12)** . . (*giungere*) al pronto soccorso, il medico di turno ha . . **(13)** . . (*decidere*)
di farle la radiografia al braccio. Dopo averla . . **(14)** . . (*analizzare*), il medico si è
. . **(15)** . . (*rivolgere*) a un'infermiera che ha . . **(16)** . . (*condurre*) Elena in un altro
reparto per l'applicazione del gesso. Fortunatamente Elena non ha . . **(17)** . .
(*soffrire*) molto e Paola ha . . **(18)** . . (*chiedere*) al medico per quanto tempo
avrebbe . . **(19)** . . (*dovere*) tenere il gesso. Il medico le ha
. . **(20)** . . (*rispondere*): circa quaranta giorni.

3 Prendiamo due piccioni con una fava

Molti sostantivi derivano dai participi passati del verbo. Completa ogni frase scegliendo l'infinito adatto e formandone il sostantivo.

1 La … della ragazza ha sconvolto tutta la famiglia.
2 La nostra camera ha una bella … sul lago.
3 Questo ragazzo ha un bel …
4 L'esame orale non mi preoccupa ma lo … mi fa proprio paura.
5 L'ho comprata al supermercato. Era una … speciale.
6 Questo … è successo perché io non mi sono spiegato bene.
7 Dopo questa … la mia squadra è ultima in classifica.
8 Devo dire che la tua … mi interessa molto.
9 Non avevo voglia di andare all'università ma i miei amici mi hanno dato una …
10 Non faccio judo per attaccare ma per la mia … personale.

offrire	scomparire	scrivere	sconfiggere	vedere	spingere
proporre	sorridere	difendere		malintendere	

4 Bisogna pensarci tre volte, non due!

Vuoi assicurarti di aver capito la differenza fra l'uso del participio presente, il participio passato e il gerundio. Speriamo che la scelta multipla serva a chiarire qualsiasi dubbio.

1 I risultati del sondaggio sono molto …
   a incoraggiando   **b** incoraggianti   **c** incoraggiati
2 … quello che hanno da dire, l'insegnante può aiutare molto gli studenti.
   a ascoltante   **b** ascoltando   **c** ascoltato
3 Secondo me, è una situazione molto … per chi abita in quella zona.
   a allarmante   **b** allarmata   **c** allarmando
4 La borsa … davanti alla mia porta è stata consegnata alla polizia.
   a trovante   **b** trovando   **c** trovata
5 Alla fine di questo mese ci sarà un vertice a New York per tutti i paesi … all'ONU.
   a appartenuti   **b** appartenendo   **c** appartenenti
6 Ho chiesto il rimborso delle spese di viaggio … per raggiungere l'aeroporto.
   a sostenendo   **b** sostenute   **c** sostenenti
7 Tutti i cittadini … diritto di voto sono tenuti a compilare questo modulo.
   a aventi   **b** avendo   **c** avuti
8 Le sue condizioni sono …
   a migliorando   **b** miglioranti   **c** migliorate

5 Per farla breve

a Il vostro professore vuole insegnarvi ad abbreviare le frasi poiché, scrivendo i temi, dovete variare il vostro stile. Dopotutto, la varietà dà sapore alla vita, non è vero? Per abbreviare la frase in neretto, bisogna utilizzare il participio passato o presente oppure il gerundio.

Esempio:

I *ragazzi* **che aderiscono** *a questa Associazione ambientalista stanno organizzando una manifestazione.*
I *ragazzi,* **aderenti** *a questa Associazione,* **ecc.**

1 **Mentre passeggiavamo** nel bosco, abbiamo visto un incendio.
2 **Quando avete raccolto le bottiglie**, potete metterle nel contenitore.
3 **Dopo essere tornata** dalla manifestazione, è andata subito a letto.
4 **Siccome ho** una macchina catalizzata non inquino l'atmosfera, vero?
5 Prima di andare alla riunione bisogna leggere attentamente tutti i documenti **che riguardano** le proposte **che ha fatto** il Ministro dell'Ambiente.
6 **Se vi alzate** prima, potete prepararvi con calma.
7 L'Associazione ha rilasciato un certificato **che attesta** la mia partecipazione al convegno.
8 Ho letto molto attentamente l'articolo sul riscaldamento del pianeta **che mi ha mandato** Luisa.

b Adesso fate il contrario, cioè trasformate le seguenti frasi in neretto, usando *mentre, poiché, se, dopo, quando.*

Esempio:

Fatta colazione, *mi sono preparato per uscire.*
Dopo aver fatto colazione, *mi sono preparato per uscire.*

1 **Uscito di casa,** sono andato subito in tabaccheria per comprare il giornale e dei francobolli.
2 **Non avendo spiccioli,** ho dovuto dare al tabaccaio un biglietto da cinquanta euro.
3 **Aspettando** l'arrivo dell'autobus, mi sono messo a leggere il giornale.
4 **Sceso** dall'autobus, mi sono diretto verso l'ufficio.
5 I miei colleghi erano già arrivati **volendomi** fare una bella sorpresa per il mio compleanno.
6 **Aperto il pacco,** non potevo credere ai miei occhi.

METTETEVI IN MOTO!

6 Come facciamo!

La classe si divide in gruppi. Uno studente pone un problema e tocca agli altri proporre delle soluzioni, utilizzando il gerundio.

Esempio:

– *Come faccio a proteggere la casa dai ladri?*
– *Chiudendo tutte le porte a chiave quando esci.*
– *Avvisando i tuoi vicini quando vai in vacanza.*
– *Lasciando qualche luce accesa.*
– *Installando un allarme, ecc.*

Ecco alcune altre situazioni da risolvere:

– trovare un lavoro
– mantenersi in forma e in buona salute
– passare tutti gli esami alla fine dell'anno
– racimolare abbastanza soldi per andare negli Stati Uniti con gli amici
– sensibilizzare il pubblico sui problemi dell'inquinamento atmosferico

7 Creando ci si diverte!

In italiano c'è un'espressione che dice 'sbagliando, s'impara'. Scrivi tutte le frasi che puoi in cinque minuti di tempo, iniziando ogni frase con un gerundio. Confronta i tuoi esempi con quelli di alcuni tuoi compagni.

Esempi:

Leggendo i libri di storia si impara molto.
Ascoltando il telegiornale ci si tiene aggiornati.

8 La giornata abbreviata!

La tua giornata inizia così:

<u>Fatta colazione,</u> *sono uscito/a di casa.* <u>Uscito/a di casa,</u> *sono andato/a a piedi fino al centro della città.*

Continua a raccontare la tua giornata a un compagno di classe, usando dove possibile il participio passato. Finita la tua giornata, il tuo compagno deve raccontarti la sua.

30 The passive

MECCANISMI

A passive verb is one where the subject suffers or undergoes the action. In the sentence 'My sister sent the postcard', the verb is active, as the subject, 'my sister', performed the action of sending 'the postcard', which is the direct object. However, it is perfectly good English, and equally correct in Italian, to turn the sentence round and say "The postcard was sent by my sister'. The verb is now passive, the subject is now what underwent the action of sending, ie 'the postcard' and 'my sister' becomes what is known as the 'agent'.

Active	Passive
Mia sorella ha spedito la cartolina.	La cartolina è stata spedita da mia sorella.
My sister sent the postcard.	*The postcard was sent by my sister.*
Il professore correggerà gli esercizi.	Gli esercizi saranno corretti dal professore.
The teacher will correct the exercises.	*The exercises will be corrected by the teacher.*
L'idraulico ripara la lavatrice.	La lavatrice è riparata dall'idraulico.
The plumber repairs the washing machine.	*The washing machine is repaired by the plumber.*

You can see that the passive in English is made up of the relevant tense of 'to be' (is/was/will be, etc) and the past participle of the verb denoting the action in question. You do exactly the same in Italian, using the relevant tense of **essere** (or another verb, see below) plus the past participle, but remember that in Italian, in addition, you must make the past participle(s) agree with the subject (hence **stata spedita**, **corretti**, **riparata** in the above examples).

It is not always necessary to express an agent:

L'appartamento **è stato svaligiato.**
The flat **has been burgled** (who by is not expressed).

➡ Exercises 1, 2

30.1 Verbs other than *essere* to express the passive

30.1.1 *Venire* in place of *essere*

Venire is often used in place of *essere* but only in simple tenses. It is possible to use either *venire* or *essere* without changing the meaning of the sentence.

*Le loro opere **furono/vennero ammirate** da tutti.*
Their works **were admired** by everyone.

Generally speaking, ***venire*** tends to emphasise more the carrying out of the action whereas *essere* puts more emphasis on the state.

La scala mobile verrà riparata domani.
The escalator will be repaired tomorrow. (Action)

I pantaloni sono stirati.
The trousers are ironed. (State)

30.1.2 *Andare* in place of *essere*

Andare can be used in place of *essere* with verbs such as *perdere*, *smarrire* and *sprecare*.

*Tutti i miei documenti **sono andati** (= sono stati) **smarriti**.*
All my documents **have been lost**.

*Tanti soldi **vanno** (= sono) **sprecati**.*
So much money **is wasted**.

Andare can also replace *essere*, in the simple tenses only, to convey the meaning of 'obligation/necessity'. In this type of construction *andare* is taking the place of the relevant tense of *dovere* + *essere*.

Va ricordato (= deve essere ricordato) che la legge non è stata varata.
It must be remembered that the law has not been passed.

*Tutti questi commenti **andranno presi** (= dovranno essere presi) **in considerazione**.*
All these comments **will have to be taken into consideration**.

30.1.3 *Rimanere* and *restare* in place of *essere*

Rimanere and *restare* are frequently used instead of *essere* when the following past participle describes a state, such as *stupito*, *deluso*, *sconvolto*, *chiuso*, *aperto*.

***Siamo rimasti** molto **stupiti** quando abbiamo saputo la notizia.*
We were very **amazed** when we heard the news.

*Il museo **resterà chiuso** tutto il mese di giugno per lavori di restauro.*
The museum **will remain closed** the whole of June for restoration work.

📝 Note that the modal verbs – see Chapter 26 – do not have a passive form. The accompanying infinitive must therefore be put into the passive.

Il contratto deve essere firmato entro stasera.
The contract must be signed by this evening.

Le spese di viaggio potrebbero essere rimborsate.
The travel expenses could be reimbursed.

➡ **Exercise 3**

30.2 Alternatives to the passive

The passive is used quite widely in the written language, particularly in newspaper reporting, whereas in the spoken language a number of alternative constructions to the passive are often preferred.

30.2.1 *Si*

This is used to convey the idea of 'one' and is used very much more than its English equivalent. One begins to sound very stilted in English if one uses it to excess, doesn't one?! This is not the case in Italian, where *si* simply has the effect of 'depersonalising' the situation, rather as the passive does in English.

Si dice che i nostri vicini siano pieni di soldi.
It is said that our neighbours are rolling in money.

Non si sa mai cosa succederà in futuro.
One never knows what will happen in the future.

Si has a variety of other meanings, such as 'we', 'you', 'they', 'people', and these meanings are used far more frequently than 'one'.

Di solito si finisce di lavorare prima il sabato.
Usually **we finish working** earlier on Saturdays.

A che ora si mangia a casa loro?
At what time **do they eat** at their house?

Cosa si fa stasera dopo la lezione?
What **are we doing this evening** after the lesson?

📝 Note that the impersonal pronoun *si* can only be used with the third person singular of the verb. Compare this with the *si passivante* (see section 30.2.4) which can be followed by a verb in the third person singular or plural.

30.2.2 *Si* + *essere* + adjective

When the impersonal pronoun **si** is used with the verb **essere** and a following adjective, the adjective is in the masculine plural.

*Quando si è stanch**i** non si ha voglia di studiare.*
When **you are tired** you don't feel like studying.

This rule also applies after fairly commonly used verbs such as **stare**, **sentirsi**, **diventare** and **rimanere**.

Quando si fa del volontariato **ci si sente** *soddisfatti̲.*
When one does voluntary work **one feels satisfied**.

Si diventa *cinic̲i quando il governo chiude un occhio sulla corruzione.*
You become cynical when the government turns a blind eye to the corruption.

30.2.3 *Si* + compound tenses

When **si** is used in compound tenses, verbs that normally use the auxiliary **avere** must take **essere**. Compare the following sentences with and without the **si** construction:

Avevano pensato di noleggiare una machina.
They had thought of hiring a car.

Si era *pensato di noleggiare una macchina.*
They had thought of hiring a car.

Avremmo potuto fare di più per aiutarli.
We could have done more to help them.

Si sarebbe *potuto fare di più per aiutarli.*
We could have done more to help them.

When you use the **si** construction in compound tenses the rules of agreement are as follows:

• If there is an object the past participle will agree with the noun in the normal way.

    Si sente arrivare **la gente**. ⟶ *Si è sentit**a** arrivare* **la gente**.
    You can hear the people arrive.   You could hear the people arrive.

• If there is no object the past participles of verbs that normally take **avere** remain unchanged, as in the above examples: **si era pensat̲o ...** and **si sarebbe potut̲o ...**

• However, if the verb normally takes **essere** in compound tenses (see Chapter 16, sections 16.2.2–16.2.3) the past participle will be masculine plural:

    *Si è riuscit**i** a prendere il treno delle nove.*
    We (one/they) managed to catch the nine o'clock train.

    *Ci si è annoiat**i** a morte durante il corso.*
    One was/we were bored stiff during the course.

✎ Note: in the last example above **si** ('one') becomes **ci** before the reflexive pronoun **si**. This avoids the repetition of **si**.

30.2.4 The *si passivante*

A very common way of avoiding the passive in Italian is to use the passive *si – si* + the third person singular or plural of the verb. In this type of construction the agent, that is, who the action is done by, cannot be expressed.

> *Non si riparerà la macchina entro la fine della settimana.*
> The car will not be repaired by the end of the week.

> *Dove si vendono questi libri?*
> Where are these books sold?

✐ Note that a plural verb **must** be used after *si* when the noun that follows is plural. The second example could be thought of as, literally, 'Where do these books sell themselves?'

30.2.5 *Si* + the modal verbs *dovere, potere, volere*

Much greater care has to be taken when you use *si* + a modal construction because the accompanying noun does not immediately follow the modal verb but does affect it. Thus the modal verb will be in the third person singular or plural. In the following examples it would be incorrect to use a singular verb as the nouns are all plural.

> *Non **si possono** prendere sul serio **queste decisioni**.*
> We can't take these decisions seriously/These decisions cannot be taken seriously.

> *Se **si vogliono** imparare **queste regole** di grammatica ci si deve applicare agli studi.*
> If one wants to learn these rules of grammar one has to devote oneself to one's studies.

> *Non **si devono** dire **queste cose** davanti alla gente.*
> You mustn't say these things in front of people.

➡ **Exercise 4, 5**

30.2.6 Make the verb active

Great care has to be taken when trying to get across the equivalent of English expressions such as 'I was given', 'we were told', where the indirect object becomes the subject of the passive verb. This construction, particularly prevalent with verbs such as ***domandare***, ***chiedere***, ***dare***, ***dire***, ***spedire***, all of which take an indirect object, needs to be avoided. The most common way of doing so is to make the verb active and use the third person plural.

> *Ci hanno detto di aspettare.*
> We were told to wait.

> *Mi hanno chiesto di denunciare il furto alla polizia.*
> I was asked to report the theft to the police.

If you need to express who or what the action was done by, you can use the passive or make the verb active.

> *Generalmente, questa decisione è presa dal preside della scuola.*
> Generally, this decision is taken by the headmaster of the school.

If you turn this round to:

Generalmente, il preside della scuola prende questa decisione

then you lose the emphasis on *il preside*.

This can be retained by saying:

Generalmente, è il preside della scuola che prende questa decisione.

30.3 Using the passive in past tenses

When using past tenses, it is often important to distinguish between the use of the passive and the imperfect of *essere* + a past participle used as an adjective to describe a state.

La fabbrica è stata/fu chiusa la settimana scorsa.
The factory was closed (that is, the action was performed) last week. (= passive)

Quando siamo passati davanti alla fabbrica, era chiusa.
When we passed the factory, it was closed (it was in a closed state). (= active)

Questo quadro è stato/fu dipinto all'inizio dell'ultimo secolo.
This picture was painted (the artist painted it – action) at the beginning of the last century. (= passive)

Tutti gli ospiti erano vestiti bene.
All the guests were well dressed (describes the state). (= active)

Exercise 6

 METTETEVI A PUNTO!

1 Ma sta' tranquillo

Condividi un appartamento con qualcuno che si preoccupa sempre per una cosa o per un'altra. Rispondi a tutte le sue domande come nell'esempio:

Hai spento la luce? – Sì, la luce è spenta.

a   Hai prenotato i biglietti?
b   Hai aggiustato il frigorifero?
c   Hai imbucato le cartoline?
d   Hai fatto la spesa?
e   Hai pulito il bagno?
f   Hai pagato la bolletta del gas?
g   Mi hai stirato i pantaloni?
h   Hai svuotato la pattumiera?

Adesso trasforma le frasi come nell'esempio:

Hai spento la luce? – Sì, la luce è stata spenta.

2 Attivo o passivo?

Completa le frasi con la forma attiva o passiva dei verbi tra parentesi secondo il senso.

1 A che ora ... le banche? (*chiudere*)
2 Mi dispiace, signora, ma mio figlio ... un ramo del suo albero con il pallone. (*spezzare*)
3 Hai scritto tu la poesia? – No, ... da un mio collega. (*scrivere*)
4 Quando sono entrato nella stanza, tutti gli ospiti ... tra di loro (*parlare*).
5 Il traffico sull'autostrada ... in seguito a uno scontro frontale fra un pullman e una vettura. (*bloccare*) Gli occupanti della vettura sono rimasti gravemente feriti e ... all'ospedale. (*trasportare*)
6 Farai tu tutti i preparativi? – No, ... dai miei genitori. (*fare*)
7 Non sono riuscito a capire niente perché tutto ... in inglese. (*scrivere*)
8 Chi aveva organizzato quella gita? – ... da un'agenzia di viaggi. (*organizzare*)
9 Chi ... questa lettera? – Non sono stato io. (*aprire*)
10 Secondo te, la nostra ditta avrebbe compiuto questo sondaggio. – No, secondo me, ... da un'agenzia privata. (*condurre*)

3 Mettiamoci alla prova!

Leggi le frasi e i brani seguenti e sottolinea a matita tutti gli esempi di passivo.

a Se i ragazzi danneggiano la scuola o commettono un reato vanno arrestati.
b Un Eurostar Milano-Roma, con a bordo 650 passeggeri, è rimasto bloccato vicino a Parma e poi è stato trainato fino a Reggio Emilia.
c Il mezzo diverrà proprietà dello Stato e non verrà più restituito al proprietario.
d Le cellule staminali possono essere usate per coltivare una pelle geneticamente compatibile che riduca il rischio di rigetto.
e

Il Protocollo di Kyoto
I sottoscrittori
Il protocollo è stato ratificato, accettato e approvato da 152 Paesi. Gli Stati Uniti sono usciti dal protocollo nel 2001. I Paesi in via di sviluppo hanno approvato il patto ma non sono obbligati a raggiungere specifici obiettivi: tra questi Paesi sono stati inclusi anche India e Cina che sono due tra i più grandi produttori di gas serra.

(*Corriere della Sera*, 29.9.05)

f

Avevano prenotato una cucetta. Si sono ritrovati sul sedile di un pullman. Sono i 120 passeggeri che ieri avrebbero dovuto viaggiare sui treni Milano-Palermo e Milano-Reggio Calabria. Alcune carrozze erano state soppresse. Lo hanno scoperto solo in Centrale, quando sono stati accompagnati sui bus sostitutivi. La loro rabbia era quella di un'intera stazione, travolta dal caos. Solo oggi, stimano le Ferrovie, a Milano 10 mila persone saranno coinvolte nei disagi.

(*Corriera della Sera*, 29.10.05)

g

Secondo i dati della Commissione baleniera internazionale soltanto nel 2005 saranno uccise 2.137 balene. I sistemi immunitari e riproduttivi delle balene sono minacciati da veleni come Pcb (policloruro bifenili) e Ddt. Tra i principali nemici delle balene sono le navi: solo nel Mediterraneo il 15,5% è stato ucciso in questo modo. E, secondo la rivista *Science,* scompariranno se non verranno adottate misure di emergenza in loro difesa. "Oltre 8 morti su 10 di queste balene – ha ammonito *Science* – rimangono nascoste.

(*Corriere della Sera,* 26.7.05)

Adesso rileggi tutto e sottolinea gli esempi di *si* usato come pronome impersonale ('one').

4 Trasformazione

Trasforma le seguenti frasi come negli esempi:

Si organizzano partite amichevoli.
Sono organizzate partite amichevoli.
Si dovrebbe demolire quella casa.
Dovrebbe essere demolita quella casa.

1 Si dovrebbe rifare tutto il lavoro.
2 Si terranno corsi di recupero.
3 Si potrebbe mandare un fax.
4 Si deve riformare la scuola.
5 Non si accettano le carte di credito.
6 Non si dovrebbe criticare la direzione.
7 Si sono moltiplicati i problemi.
8 Si può respingere la proposta.

5 Cosa si fa?

Leggi le frasi e i brani seguenti e sottolinea a matita tutti gli esempi del *si* passivante o impersonale.

a Invece di andare al cinema si possono seguire i programmi di Rai Click (www.raiclick.it).
b Non si sa ancora a che ora arriva il traghetto.
c A questi passeggeri si aggiungeranno i viaggiatori senza prenotazione.
d Volare con una compagnia low cost conviene sempre. Viaggiando spesso con questo tipo di compagnie aeree però si scoprono le magagne. Infatti se uno sciopero impedisce di partire nel giorno e nell'ora prestabiliti, si ha diritto al rimborso dell'intero biglietto. Ma se non si riesce a trovare un volo alternativo prima del ritorno già programmato, si perde il denaro relativo al biglietto di ritorno.

(*Corriere della Sera*, 28.10.2005)

6 Per concludere, devi fare da traduttore!

Traduci in italiano le seguenti frasi:

1 We (one) have never left so early.
2 If they get stopped by the police it is their fault.
3 These pictures can be transferred onto the computer.
4 When one is nervous one gets annoyed more easily.
5 Some flights have been cancelled because of the fog.
6 These hooligans have committed a crime and must be punished.
7 These problems must be solved.
8 We were asked to wait outside.
9 The motorway will be closed for two weeks.
10 We (one) couldn't smoke in the school toilets.
11 The houses had been damaged by the flood.
12 From Saturday you (one) will be able to buy train tickets in the main supermarkets.

 **METTETEVI IN MOTO!**

7 Cosa fare?

A gruppi cercate di suggerire tutte le cose che si fanno o si possono fare in ciascuna delle seguenti situazioni, utilizzando una forma passiva adatta, il *si* passivante o il *si* impersonale, come nell'esempio.

Esempio:

In albergo –
Si deve pagare prima di partire.
Si servono i clienti.
Si accolgono i clienti.
Le camere vengono pulite ogni giorno.
La prima colazione è servita a partire dalle 07.00.
Le chiavi devono essere/vanno lasciate in portineria.

All'aeroporto/in un ristorante/a scuola/a casa quando ci sono bambini in giro/in un parco nazionale.

8 La mia immagine del mondo ideale

Se potessi vivere in un mondo ideale! Scrivi un elenco di tutte le cose che sarebbero fatte o dovrebbero essere fatte, per esempio:

La monarchia sarebbe abolita.
I centri delle città dovrebbero essere chiusi al traffico.
Tutte le armi nucleari verrebbero smantellate.
Sarebbero create più piste ciclabili.

Adesso confronta il tuo elenco con quello di alcuni compagni di classe e cerca di giustificare le tue idee.

9 Esito

A coppie. Diverse cose sono accadute. Cercate di suggerire le conseguenze di ogni avvenimento. Potete scrivere tutte le possibilità.

Esempio:

Un anziano è caduto e si è fatto male.

È stato soccorso da un passante.
È stato trasportato all'ospedale.
È stato portato a casa.

1   Tre giovani hanno rapinato una banca.
2   Una petroliera è affondata vicino alla costa.
3   Stanotte c'è stato un temporale: forti raffiche di vento, inondazioni ...
4   Il Ministro delle Finanze sta per presentare la Finanziaria al Parlamento.

10 Una campagna elettorale

Tu e i tuoi colleghi siete consiglieri comunali da alcuni anni. Fra poco saranno indette le elezioni amministrative. Volete essere rieletti e vi riunite una sera per preparare il vostro programma. Scrivete tutto ciò che è stato fatto finora e quello che sarà/verrà fatto una volta rieletti.

11 Storia della mia scuola/università

Scrivete una descrizione della vostra scuola/università per il giornalino della scuola/università italiana con la quale è stato organizzato un gemellaggio. Cercate di utilizzare il maggior numero possibile di forme passive o si passivanti nella vostra descrizione. Potreste iniziare in questo modo:

La scuola/università è stata fondata nel ... Si chiama ...

12 Un'illusione ottica!

Sei seduto in soggiorno e ti metti a pensare a tutti i lavori che si devono fare all'interno ed all'esterno della casa:

All'esterno della casa due vetri sono rotti, l'erba è alta un metro, i fiori sono morti, i muri e i telai delle finestre sono sporchi, il giardino è pieno di immondizie; all'interno della casa c'è polvere dappertutto, i piatti sono ammucchiati nel lavello, la radio non funziona, non c'è il riscaldamento, le tende sono sporche, le camere di sopra sono in disordine. Poi ci sono tutti i vestiti da stirare. Il colmo è che bisogna ancora pagare tutte le bollette.

Ti addormenti e quando ti risvegli due ore più tardi i tuoi sogni sono stati realizzati. Tutto è stato trasformato. Che cosa è stato fatto?

Esempio:

I due vetri rotti sono stati sostituiti, ...

31 | Impersonal verbs

 **MECCANISMI**

Impersonal verbs are verbs which do not have a personal subject, such as I, you, we. The subject corresponds to 'it' or 'there' in English.

Ci sono notizie sui danni provocati dal temporale?
Is there any news on the damage caused by the storm?

È meglio stare a casa stasera. Fa un freddo cane.
It's better to stay at home this evening. It's freezing cold.

31.1 The weather

Most expressions which describe the weather are impersonal. Many of them use *fare* or *essere*.

Fa freddo	It's cold	*È nuvoloso*	It's cloudy
Fa caldo	It's hot	*È umido*	It's damp
Fa bello	It's nice/fine	*C'è il sole*	It's sunny
Fa brutto	It's bad/awful	*C'è (la) nebbia*	It's foggy
Piove	It rains/It's raining	*Tuona*	It thunders/It's thundering
Nevica	It snows/It's snowing	*Tira/c'è vento*	It's windy

 Exercise 1

31.2 Time of day

(See also Chapter 46, section 46.1.)

Che ore sono?	What time is it?
È l'una	It's one o'clock
Erano le sette	It was seven o'clock

31.3 Other common impersonal verbs

C'è/ci sono	There is, there are
Accade/avviene/succede (che)	It happens (that)
Basta	It is enough/sufficient
Bisogna/occorre	It is necessary to (see also Chapter 26, section 26.1.1 and Chapter 33, section 33.2)
Capita (che)	It happens (that)
Conviene	It is fitting, a good idea
Importa	It matters
Interessa	It interests
Manca	We need, there's … missing
Pare/sembra (che)	It seems (that)
Si tratta di	It is a question of, it is about
Spetta/tocca	It is up to, the duty of
Ci vuole	It takes, requires

*Non **c'è** altra soluzione. Molte strade sono allagate e quindi **conviene** prendere il treno.*
There's no other solution. Many roads are flooded and so **it is better** to take the train.

***Ci vuole** almeno un'ora per arrivarci col treno. – **Non importa**.*
It takes at least an hour to get there by train. – **It doesn't matter**.

***Tocca a** te telefonare alla stazione per chiedere informazioni sull'orario dei treni.*
It's your turn to ring the station to ask for information about the train times.

With the exception of *si tratta di* and *bisogna*, the above verbs can be used in the third person singular and plural, and they are often accompanied by an indirect object:

***Le** conviene partire domani. Ho appena sentito le previsioni del tempo.*
It's better for her to leave tomorrow. I've just heard the weather forecast.

***Gli** importa molto che tu ci sia.*
It matters a lot to him that you should be there.

***Gli** importa molto che lei ci vada oggi.*
It matters a lot to him that she should go today.

***Ci** vogliono due ore per arrivarci.*
It takes two hours to get there.

See also Chapter 33, section 33.2 for impersonal expressions that are followed by the subjunctive after *che*.

➡ **Exercise 2**

31.4 Other impersonal expressions with *essere*

Essere + adjective/adverb + infinitive, or *che* + subjunctive (see Chapters 32 and 33) are considered as being impersonal because they are introduced by 'it'.

Non è necessario *prenotare un tavolo.*
It's not necessary to book a table.

Sarebbe meglio *aspettare.*
It would be better to wait.

È vietato *fumare.*
It's forbidden to smoke (No smoking).

È possibile *che la linea sia occupata.*
It's possible that the line is engaged.

È ora *di partire.*
It's time to leave.

 METTETEVI A PUNTO!

1 Com'è il tempo oggi?

Abbina ogni espressione sul tempo della colonna B con una frase adatta della colonna A.

A	B
1 Le strade sono allagate.	a Sgela.
2 La visibilità è ridotta a 30 metri.	b È afoso.
3 Cielo coperto sulle regioni settentrionali.	c È nuvoloso.
4 Le temperature sono scese sotto zero.	d Piove a catinelle.
5 Mi raccomando, non uscire senza il cappotto.	e È mite.
6 La neve si scioglie.	f C'è (la) nebbia.
7 Sarà consigliabile sedersi all'ombra.	g Fa freddo.
8 Nevicate sulla Valle d'Aosta e sulle Alpi orientali.	h Fa caldo.
9 Con questo tempo si respira a fatica.	i Gela.
10 Mi piace vivere qui perché, anche d'inverno, la temperatura non scende mai sotto i 10 gradi.	l Nevica.

2 Qui bisogna essere impersonali!

Due amici vanno a teatro. Completa il loro dialogo con il presente dei seguenti verbi.

– Quanto . . (1) . . ancora per arrivare a teatro?

– Secondo me . . (2) . . almeno dieci minuti.

– Sbrighiamoci allora, . . (3) . . solo dieci minuti all'inizio dello spettacolo e
. . (4) . . ancora comprare i biglietti. Mi . . (5) . . che siamo arrivati. Giorgio, ti
. . (6) . . parcheggiare la macchina lì, proprio davanti al teatro.

– La commedia che andiamo a vedere, di che cosa .. **(7)** ..?
– Mi dispiace ma non me lo ricordo.
– Non .. **(8)** .. Dammi dei soldi per il biglietto d'ingresso.
– Trenta euro non .. **(9)** .. per un posto in galleria!
– Mi devi scusare ma ho dimenticato il portafoglio a casa.
– Non ti preoccupare, queste cose .. **(10)** ..
– A proposito, – a chi .. **(11)** .. comprare il gelato durante l'intervallo?

succedere   *bastare*   *volerci (x2)*   mancare   bisognare
convenire   *importare*   toccare   *trattare*   *parere*

 # METTETEVI IN MOTO!

3 Non andare in giro con la testa fra le nuvole!

Hai appena trascorso una settimana in Italia. Purtroppo, il tempo è stato meno bello del previsto. Scrivi un'email al (alla) tuo/a corrispondente nella quale spieghi come il tuo programma è stato deciso in gran parte dalle variazioni climatiche.

Esempio:

Il primo giorno avevo intenzione di andare in spiaggia ma faceva troppo freddo e il cielo era tutto coperto. Per fortuna, nel pomeriggio si è rasserenato ...

4 Il bollettino meteorologico per domani

Prova a scrivere il bollettino meteorologico per domani per la Gran Bretagna. Faresti bene a consultare le previsioni del tempo sul giornale italiano, dove troverai molte espressioni utili. Puoi anche servirti di questi simboli meteorologici.

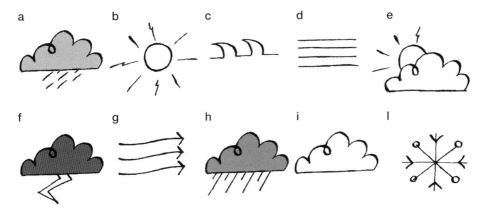

5 Tutto funziona con perfetta regolarità

Lavorate a coppie. Uno studente descrive una serie di attività svolte durante una giornata tipica di una persona che conosce bene. L'altro deve dire che ora è o deve essere. Le ore sbagliate possono essere corrette da chi descrive la giornata.

Esempio:

– *Mio fratello si alza.*
– *Allora, sono le sette e mezza.*
– *No, sono le sette e quaranta. Fa colazione.*
– *Quindi, sono le otto passate.*
– *Hai ragione. Esce di casa, ecc.*

Adesso tocca all'altro descrivere la giornata di una persona che conosce.

Se preferite, potete descrivere una serie di attività quotidiane, quali:

– *Arrivano i netturbini per portare via i rifiuti.*
– *Allora, sono le tre e mezzo di notte.*
– *No, sono le sei e un quarto. Arriva il postino.*
– *Quindi sono le otto passate.*
– *No, sono le due del pomeriggio! Il sole tramonta ecc.*

6 Dammi qualche consiglio

Lavorate a gruppi. Ognuno a turno descrive un problema che gli altri cercano di risolvere, dando qualche consiglio che inizia con un verbo impersonale.

Esempio:

– *Ho la febbre e stasera devo andare a lavorare.*
– *Allora, ti conviene tornare subito a casa.*
– *Sarebbe meglio stare a casa se hai la febbre.*
– *Basta prendere qualche pastiglia e domani ti sentirai meglio.*
– *Non ti preoccupare, si tratta di un virus che c'è in giro, ma non è niente di grave.*
– *Secondo me, bisogna andare subito a letto.*

7 Se vuoi realizzare un'ambizione, bisogna faticare un po'

A coppie. A turno, pensate a un'ambizione che vorreste realizzare e suggerite come realizzarla, utilizzando espressioni impersonali come nell'esempio:

– *Vorrei imparare a suonare bene la chitarra.*

– *Allora basta esercitarsi due o tre ore ogni giorno.*
– *Ti conviene prendere lezioni private con un professore di musica.*
– *Se vuoi suonarla bene ci vuole senz'altro un sacco di pazienza.*
– *Sarebbe meglio iniziare subito.*
– *Se ti interessa, comprati subito una chitarra.*
– *Non c'è bisogno di comprare una chitarra troppo cara per iniziare.*

32 The subjunctive – introduction

MECCANISMI

The subjunctive itself is not a tense, but an alternative form of the verb which has to be used in certain circumstances. Grammar books often refer to it as the subjunctive mood, and it is true that it does often convey a particular mood of, for example, sadness, joy, anger, fear, doubt or uncertainty.

Exactly where and how to use the subjunctive will be explained little by little in the chapters which follow (Chapters 33 to 37). If you follow the explanations and do the exercises and activities which accompany them, you should be well on the way to acquiring a feeling or instinct for the subjunctive.

The subjunctive has four tenses: present, imperfect, perfect and pluperfect. All tenses are widely used both in spoken and written Italian.

32.1 Present subjunctive

The present subjunctive of regular verbs in **-are**, **-ere**, and **-ire** is formed by adding the appropriate endings for each group – highlighted in bold in the table below – to the stem of the infinitive. You would do well to refer back to the explanations and lists in Chapter 14 on the present indicative. (The 'indicative' is the jargon word for the 'normal' present, of which you now have considerable experience.)

32.1.1 Regular verbs

parlare	credere	servire	capire
parli	creda	serva	capisca
parli	creda	serva	capisca
parli	creda	serva	capisca
parliamo	crediamo	serviamo	capiamo
parliate	crediate	serviate	capiate
parlino	credano	servano	capiscano

Verbs of the **capire** type have the same endings as **servire** and the formation is the same as for the present indicative, that is, **-isc** is inserted between the stem and the ending in the first, second and third person singular and the third person plural.

As the endings of the first three persons are identical, the subject pronouns – *io, tu* etc – are often used if the person to whom one is referring is not clear.

*Vuoi che **io** te lo **spieghi** un'altra volta?*
Do you want me to explain it to you once more?

*Può darsi che **tu abbia** ragione.*
Maybe you are right.

*Sarà meglio che **lei vada** in aereo.*
It will be better for her to go by plane.

È importante che paghiate l'abbonamento alla rivista.
It's important that you pay the subscription to the magazine.

32.1.2 Irregular verbs

There are a number of frequently used verbs that are irregular, that is, their formation does not follow the predictable pattern of the regular verbs under section 32.1.1 above. All these verbs are conjugated in full in the Verb list, pages 353–360.

32.2 The perfect subjunctive

This tense is made up of the present subjunctive of **essere** or **avere** and the past participle. You should refer to sections 16.2.1–16.2.3 for detailed information on which verbs take **essere** or **avere**, and also for the rules governing the agreement of the past participle.

parlare	andare	alzarsi
abbia parlato	sia andato/a	mi sia alzato/a
abbia parlato	sia andato/a	ti sia alzato/a
abbia parlato	sia andato/a	si sia alzato/a
abbiamo parlato	siamo andati/e	ci siamo alzati/e
abbiate parlato	siate andati/e	vi siate alzati/e
abbiano parlato	siano andati/e	si siano alzati/e

*Speriamo che **abbiate capito** tutto.*
We hope that you have understood everything.

*Pare che **siano** già **partiti**.*
It seems that they have already left.

*Credo che il gestore del ristorante **si sia trasferito** a Milano.*
I believe the manager of the restaurant has moved to Milan.

32.3 The imperfect subjunctive

To obtain the stem, remove the ending of the infinitive, ie **-are**, **-ere** or **-ire**. The only difference in the endings of the imperfect subjunctive is that each conjugation retains the characteristic vowel of the infinitive – **a**, **e** or **i**.

parlare	**credere**	**servire**
parlassi	credessi	servissi
parlassi	credessi	servissi
parlasse	credesse	servisse
parlassimo	credessimo	servissimo
parlaste	credeste	serviste
parlassero	credessero	servissero

The imperfect subjunctive of verbs of the **capire** type is formed in the same way as for **servire**.

The one completely irregular verb is **essere**:

fossi	fossi	fosse	fossimo	foste	fossero

There are some verbs that have stem changes and a few others use **-ere** endings when you would expect those of the **-are** group.

bere	→	bevessi	dire	→	dicessi	stare	→	stessi
dare	→	dessi	fare	→	facessi			

 Note also verbs ending in **-durre** and **-arre**:

tradurre	→	traducessi	trarre	→	traessi

*Non volevamo che **partissero** così presto.*
We didn't want them to leave so soon.

*Non mi aspettavo che tu mi **telefonassi** a quell'ora.*
I wasn't expecting you to ring me at that time.

*Avevano l'impressione che **andassimo** ai laghi.*
They had the feeling that we were going to the lakes.

32.4 The pluperfect subjunctive

This is formed with the imperfect subjunctive of **essere** or **avere** and the past participle.

parlare	andare	alzarsi
avessi parlato	fossi andato/a	mi fossi alzato/a
avessi parlato	fossi andato/a	ti fossi alzato/a
avesse parlato	fosse andato/a	si fosse alzato/a
avessimo parlato	fossimo andati/e	ci fossimo alzati/e
aveste parlato	foste andati/e	vi foste alzati/e
avessero parlato	fossero andati/e	si fossero alzati/e

*Se **avessimo saputo** che non stavano bene non saremmo venuti.*
If we had known that they were not well we wouldn't have come.

*Era meglio che mia figlia **si fosse iscritta** alla Facoltà di Medicina.*
It was better that my daughter had enrolled in the Faculty of Medicine.

*Pensavo che **fossero arrivati** prima di noi.*
I thought that they had arrived before us.

32.5 Sequence of tenses

On many occasions, the correct tense of the subjunctive to use becomes obvious from the context, as you'll observe from the examples in this chapter and subsequent chapters on the subjunctive.

32.5.1 General guidelines

- Use the present or perfect subjunctive when the verb in the main clause is present, imperative or future.

- Use the imperfect or pluperfect subjunctive when the verb in the main clause is imperfect, perfect, past definite, present conditional or past conditional.

Note also that where the future or conditional is used in the subordinate clause in English, then the same future or conditional tense can be used after certain constructions in Italian; in these cases, there is no obligation to use the subjunctive:

Mi auguro che tutto andrà bene. (future)

or

Mi auguro che tutto vada bene. (subjunctive)
I hope that everything will go well.

Credo che sarebbe impossibile. (conditional)
I think it would be impossible.

32.6 The meaning of the subjunctive

Some students are disconcerted by subjunctive forms and ask what they mean. A subjunctive does not change the basic meaning of the verb. As explained above, it is more a question of feeling, mood or nuance than a complete shift of meaning. Here are a few more examples of sentences containing subjunctives – and some encouragement from the authors:

Siamo contentissimi che abbiate comprato questo libro.
We are very pleased that you have bought this book.

Speriamo che facciate molti progressi e che impariate a scrivere e parlare bene l'italiano.
We hope that you make lots of progress and that you learn to write and speak Italian well.

Spieghiamo qui il congiuntivo perché lo comprendiate e lo utilizziate in modo corretto.
We are explaining the subjunctive here so that you can understand it and use it correctly.

Benché sembri un aspetto difficile della lingua, non bisogna averne paura. Basta che lo studiate bene per averne padronanza.
Although it seems a difficult aspect of the language, you needn't be afraid of it. You only have to study it well to master it.

Per ulteriori informazioni, suggeriamo che leggiate e studiate con cura i capitoli seguenti.
For further information, we suggest that you read and study the following chapters carefully.

33 The subjunctive: influence

MECCANISMI

The subjunctive is used after verbs and other expressions which influence somebody or something to carry out or not carry out an action. These expressions include those of wanting, requiring, ordering, suggesting, urgency, necessity and also preventing and avoiding.

Where there are two verbs, the subjects of the main verb and the dependent verb must be different. Compare the following sentences:

Same subject	Different subjects
Voglio considerare seriamente i pro e i contro della legalizzazione della droga.	Voglio che tu consideri seriamente i pro e i contro della legalizzazione della droga.
I want to consider seriously the pros and cons of the legalization of drugs. (***I** both want and consider –* *dependent verb in the infinitive)*	*I want you to consider seriously the pros and cons of the legalization of drugs.* (***I** want/**you** consider – dependent* *verb in the subjunctive)*
Il nostro insegnante preferisce parlare apertamente dei problemi causati dalla droga.	Il nostro insegnante preferisce che gli studenti parlino apertamente dei problemi causati dalla droga.
Our teacher prefers to talk openly about the problems caused by drugs. (***He** prefers, **he** talks)*	*Our teacher prefers the students to talk openly about the problems caused by drugs.* (***He** prefers, **they** talk)*

33.1 The subjunctive after verbs of wanting, requiring, etc

Some of the verbs which are used with the subjunctive in this way are:

aspettare che	to wait for	*proibire* che*	to prohibit/
ordinare* che	to order		forbid
aspettarsi che	to expect	*desiderare che*	to want
permettere* che	to allow/permit	*sperare che*	to hope
attendere che	to wait for	*impedire* che*	to prevent
piacere che	to like	*suggerire* che*	to suggest
augurarsi che	to wish/hope	*lasciare che*	to let/allow
preferire che	to prefer	*volere che*	to want
comandare* che	to order		

Spero che tu possa resistere alla tentazione di provare le droghe leggere.
I hope that you can resist the temptation to try soft drugs.

Desideriamo che ci siano più centri di recupero per i tossicodipendenti.
We want there to be more rehabilitation centres for drug addicts.

Suggerisco che l'aumento della criminalità **abbia** molto a che fare con la droga.
I suggest that the increase in crime has a lot to do with drugs.

I miei amici **non permettono che io fumi** lo spinello nel loro appartamento.
My friends don't alllow me to smoke a joint in their flat.

Se Marco è arrabbiato con i suoi amici, **lascia che si sfoghi**.
If Marco is annoyed with his friends, allow him to let off steam.

*The verbs in the table marked with an asterisk are also frequently used with an infinitive, even if the subjects of the two verbs are different:

I miei amici non mi permettono di fumare lo spinello nel loro appartamento.
My friends don't allow me to smoke a joint in their flat.

Se Marco è arrabbiato con i suoi amici, lascialo sfogare.
If Marco is annoyed with his friends, allow him to let off steam.

The above constructions are often preferable to the ones followed by the subjunctive.

33.2 Impersonal expressions indicating necessity, importance, etc

basta che	it is enough	*è necessario che*	it is necessary
è bene che	it is a good thing	*occorre che*	it is necessary
bisogna che	it is necessary	*è ora che*	it is time
è essenziale che	it is essential	*pare che*	it seems
importa che	it matters/is	*è peggio che*	it is worse
	important	*è un peccato che*	it is a pity
è importante che	it is important	*sembra che*	it seems
è indispensabile che	it is indispensable	*è urgente che*	it is urgent
è meglio che	it is better		

È importante che *i giovani* **continuino** *ad imparare a scuola i pericoli presentati dalle droghe leggere e pesanti.*
It is important that young people continue to learn at school the dangers of soft and hard drugs.

Sembra che *gli spacciatori* **siano** *più numerosi di prima in questa zona.*
It seems that the dealers are more numerous than before in this area.

È essenziale che *gli idoli di molti giovani* **diano** *il buon esempio.*
It is essential that many young people's idols set a good example.

Note that many of these impersonal expressions will be followed by the infinitive in Italian if they are followed immediately by the infinitive in English.

Mi sembra di averla già vista da qualche parte.
I seem to have already seen her somewhere.

È importante rendersi conto dei vari problemi.
It is important to realise the various problems.

È essenziale dibattere la questione.
It is essential to debate the issue.

Exercises 1, 2, 3

33.3 *Che* + subjunctive

A wish or desire which takes the form of an exclamation may also be expressed by simply using *che* followed by the present subjunctive. It is the equivalent of the English 'let' something happen.

Che lei dica *quello che pensa.*
Let her say what she thinks.

Che facciano *come vogliono loro.*
Let them do what they like.

METTETEVI A PUNTO!

1 Una vita da cane!

Un cane di razza racconta la sua esperienza di vita. Volgi al congiuntivo presente i verbi tra parentesi.

«Dove abito io sembra che le cose . . **(1)** . . (*andare*) di male in peggio. I miei padroni non vogliono che io . . **(2)** . . (*uscire*) dopo le nove di sera. Preferiscono che . . **(3)** . . (*stare*) a casa con loro a guardare i documentari sull'addestramento dei cani. Basta che la cagna che abita di fronte . . **(4)** . . (*venire*) a trovarmi e si arrabbiano subito. Capisco benissimo che è importante che mi . . **(5)** . . (*tenere*) al guinzaglio quando mi portano fuori anche se a volte mi sembra che . . **(6)** . . (*essere*) un po'esagerato. È ora che mi . . **(7)** . . (*dare*) un po' di libertà. È importante che mi . . **(8)** . . (*spiegare*) le regole da seguire ma non è necessario che me le . . **(9)** . . (*ripetere*) ogni giorno. In fin dei conti sono gentili perché non si aspettano che io . . **(10)** . . (*contribuire*) alle mie spese di vitto e alloggio. Spero tanto che, diventando maggiorenne, le cose . . **(11)** . . (*cambiare*) perché non ne posso più di questa vita da cane!»

2 Una buona notizia

Cathy risponde alla lettera della sua corrispondente italiana. Le comunica una buona notizia e le chiede di fare alcune cose. I verbi al congiuntivo sono stati tolti e scritti in ordine sparso qui sotto. Bisogna reinserirli.

Cara Daniela

*ho ricevuto oggi la tua lettera nella quale mi hai parlato della tua ultima vacanza. Spero tanto che . . **(1)** . . Mi sembra che . . **(2)** . . un bel giro.*

*L'anno prossimo voglio che tu . . **(3)** . . a trovarmi in Inghilterra. Adesso che mi sono comprata un appartamento posso ospitare gli amici. Anche i miei genitori ne sono molto contenti e preferiscono che io . . **(4)** . . più indipendenza e non vogliono che . . **(5)** . . ad affittare un appartamento. Per loro, sono soldi sprecati.*

*Allora quando decidi di venire basta che mi . . **(6)** . . un colpo di telefono o che mi . . **(7)** . . due righe. La prossima volta ti suggerisco di prendere il treno da Londra, è molto più veloce.*

*A proposito, se tuo fratello vuole fare il corso di inglese quest'estate, è importante che mi . . **(8)** . . sapere qualcosa. Inoltre occorre che . . **(9)** . . il modulo di iscrizione e che lo . . **(10)** . . a me oppure direttamente alla scuola. Spero che tutto questo . . **(11)** . . chiaro.*

Ci risentiamo presto

Ciao, Cathy

venga   continui   abbia fatto   ti sia divertita   dia   compili

sia   scriva   mandi   abbia   faccia

3 Un'altra decisione da prendere

Il tuo/la tua insegnante d'italiano vuole assicurarsi che tu abbia capito tutte le regole spiegate in questo capitolo e quindi ti chiede di tradurre le seguenti frasi in italiano. Non sarà sempre necessario usare il congiuntivo. Questa è la decisione che devi prendere.

1 It's a pity that your nephew doesn't speak French.
2 It's better that they leave before midday.
3 I seem to have got the wrong number.
4 Let her choose the subjects she wants to study.
5 We don't want them to arrive too early.
6 We hope that all goes well.
7 We hope to go and see them this summer.
8 If you (pl.) want to pass the exam you must revise everything.
9 It's better to buy a return ticket.
10 I am waiting for them to come back from the station.

METTETEVI IN MOTO!

4 Piacere o dispiacere

Fai un elenco delle cose che ti danno fastidio, per esempio, in treno, a scuola, per la strada, nei negozi ecc. Se possibile, introduci ogni idea usando un verbo o una espressione che richiede il congiuntivo per spiegare il perché della tua reazione negativa. Può darsi che il tuo compagno non sia d'accordo con te.

Esempi:

– Quando viaggio in treno non mi piace che tanta gente utilizzi in continuazione il cellulare.
– Fino a un certo punto sono d'accordo con te. E poi è necessario che queste persone parlino ad alta voce?

– Non bisogna che il nostro insegnante d'italiano ci dia sempre un sacco di compiti da fare. È importante che facciamo qualcosa, ma non ogni sera!
– Non sono d'accordo, è meglio che ci faccia studiare tanto perché vuole che tutti gli studenti superino gli esami finali.

5 Organizzare uno scambio culturale

La vostra scuola (o città) organizza uno scambio culturale con una scuola italiana che propone di venire da voi per due settimane a giugno. La scuola italiana desidera ricevere una sollecita risposta riguardo al periodo della visita e al programma di attività. A gruppi dovete mettervi d'accordo sul periodo della visita e su un eventuale programma. Cercate di usare il maggior numero possibile di espressioni che richiedono il congiuntivo, come negli esempi.

Esempi:

– *Personalmente, non voglio che vengano a giugno perché saremo troppo impegnati con gli esami.*
– *Sono d'accordo con te, sarebbe meglio che venissero a Pasqua.*
– *Io suggerisco che il periodo migliore sia qualche settimana prima di Pasqua.*
– *Riguardo al programma, è importante che visitino il parco nazionale. Bisogna che qualcuno li accompagni. Suggerisco che due o tre studenti della nostra classe vadano con loro ...*

6 Una vita migliore!

Lavorate a coppie. Utilizzando espressioni che richiedono il congiuntivo, come negli esempi, discutete i pro e i contro dei seguenti argomenti.

a   La sicurezza nelle grandi città di notte.
b   La legalizzazione della droga.
c   La vivisezione e gli esperimenti sugli animali.
d   L'apertura dei bar 24 ore su 24.
e   L'invecchiamento della popolazione.
f   L'innalzamento dell'età pensionabile.

Esempi:

a   – *Secondo me, è essenziale che ci siano più poliziotti in giro.*
    – *Sono d'accordo. Bisogna inoltre che installino più telecamere nei luoghi pubblici per lottare contro la criminalità e il teppismo.*

Confrontate le vostre idee con quelle di un'altra coppia, discutendo le eventuali differenze.

34 The subjunctive: emotional and mental reactions

MECCANISMI

The subjunctive is used after expressions indicating an emotional or mental reaction to the event in the dependent clause.

34.1 Emotional reactions

The subjunctive is used after verbs and other expressions of joy, sadness, anger, sorrow, fear and other emotions:

> **Siamo contenti che** molte città **abbiano preso** dei provvedimenti per combattere l'inquinamento ambientale.
> We are happy that many cities have taken steps to combat environmental pollution.

> **Mi meraviglio che** gli utenti del 'car sharing' (auto in condivisione fra più persone) **siano** quasi **raddoppiati** negli ultimi 12 mesi.
> I am amazed that the numbers of those who car share have almost doubled in the last 12 months.

Remember that the subjects of the two clauses must be different, otherwise you use an infinitive:

> Siamo contenti di porre delle restrizioni alla circolazione stradale.
> We are happy to place restrictions on road traffic.

Here are some examples of 'emotion' phrases which take the subjunctive:

avere paura che	to be afraid that
dispiacere (mi dispiace, etc) che	to regret, be sorry that
essere arrabbiato che	to be annoyed that
essere contento/felice che	to be pleased/happy that
essere deluso che	to be disappointed that
essere scandalizzato che	to be shocked/outraged that
essere sconvolto che	to be upset that
essere sorpreso/stupito che	to be surprised that
essere spiacente che	to be sorry that
essere triste che	to be sad that
meravigliarsi che	to be amazed that
rincrescere (mi rincresce, etc) che	to regret that
stupirsi che	to be surprised that
temere che	to fear that

34.2 Mental reactions and value judgements

Closely related to all these emotional reactions are all 'value judgements' – reactions of indignation, incredulity, justification, approval, disapproval or concern.

È un peccato che il Comune **non faccia** di più per incentivare la gente ad installare i pannelli solari.
It's a pity that the Local Authority doesn't do more to encourage people to fit solar panels.

È incredibile che continuino a chiudere un occhio sull'inquinamento provocato dai gas di scarico.
It's incredible that they continue to turn a blind eye to the pollution caused by the exhaust fumes.

Sono scandalizzato che non vengano multati i proprietari delle macchine più inquinanti.
I am outraged that the owners of the cars that pollute more don't get fined.

È ridicolo che si debba respirare questa aria velenosa.
It's ridiculous that one has to breathe in this poisonous air.

Here are some examples of 'judgements' that require the subjunctive, but there are many more:

accettare che	to accept that	*è un peccato che*	it's a pity that
piacere che	to like … ing	*è ridicolo che*	it's ridiculous that
è assurdo che	it's absurd that	*è uno scandalo che*	it's a disgrace that
è giusto che	it's right that	*è scandaloso che*	it's scandalous/outrageous that
è incredibile che	it's incredible that	*è una vergogna che*	it's a shame/disgrace that
è indegno che	it's unworthy that	*è vergognoso che*	it's shameful that
è ingiusto che	it's unfair that	*non (mi) importa che*	I don't mind (sb) …ing

Note that the reaction can be expressed in the form of a verb, a noun or an adjective, followed by **che**:

che vergogna che   what a disgrace that
è un'assurdità che   it's an absurdity that

È un'assurdità che i bambini **debbano crescere** in una zona così inquinata.
It's an absurdity that the children have to grow up in such a polluted area.

Exercises 1, 2

METTETEVI A PUNTO!

1 Una lettera al giornale

Una donna scrive una lettera al giornale nella quale dà sfogo ai suoi sentimenti. Bisogna volgere al congiuntivo presente tutti i verbi tra parentesi.

Cari lettori

Abito con mio marito e i miei due figli in un quartiere residenziale vicino al centro. In questo momento mi sento giù di morale perché mio marito ha perso il posto di lavoro due mesi fa e adesso non riesce a trovare più nulla. È una vergogna che il tasso di disoccupazione . . **(1)** . . (*rimanere*) così alto. Non c'è da meravigliarsi che i problemi sociali . . **(2)** . . (*continuare*) ad aumentare. Per molti, la mia famiglia inclusa, ho paura che le cose . . **(3)** . . (*andare*) di male in peggio. Secondo me, non è giusto che alcuni . . **(4)** . . (*percepire*) un salario elevatissimo mentre tanti altri hanno difficoltà a sbarcare il lunario.

Sono contenta che gli abitanti del quartiere . . **(5)** . . (*volere*) organizzare una manifestazione in piazza la settimana prossima. È ridicolo che i nostri consiglieri comunali . . **(6)** . . (*dire*) che l'inquinamento ambientale non ha niente a che fare con la politica del governo. Non accetto che non si . . **(7)** . . (*potere*) fare nulla. È triste che tanti giovani come noi non . . **(8)** . . (*avere*) migliori prospettive per il futuro del nostro pianeta.

Sono spiacente che la mia lettera . . **(9)** . . (*essere*) piena di ira e disperazione ma avevo proprio voglia di sfogarmi.

Antonella

2 Ma dai, fai almeno uno sforzo

Il tuo amico fa tante cose che non riesci ad accettare. Esprimendo il tuo sdegno/la tua incredulità ecc., cerca di fargli capire che non può andare avanti così. Trasforma le frasi utilizzando le espressioni tra parentesi, come nell'esempio.

Esempio:

Non fa mai i compiti. (è un peccato)
È un peccato che tu non faccia mai i compiti.

1 Non si alza mai prima delle undici. (è una vergogna)
2 Non vuole mai studiare. (è incredibile)
3 Non fa niente per aiutare i suoi genitori. (mi meraviglio)
4 Naviga in rete tutte le sere per quattro ore di fila. (è assurdo)
5 Non mangia mai né verdura né frutta fresca. (è un peccato che)
6 Non ha voglia di andare all'università alla fine dell'anno. (mi dispiace)
7 Non dà mai una mano alla sua sorella minore quando ha bisogno di aiuto con i compiti. (sono sorpreso)
8 Non risponde mai alle telefonate dei suoi amici. (sono deluso)

 # METTETEVI IN MOTO!

3 È uno scandalo!

Le autorità della vostra regione hanno già pubblicato i loro progetti per i prossimi dieci anni, e tu e i tuoi compagni dovete esprimere le vostre reazioni a questi progetti. Bisogna quindi approvarli o disapprovarli utilizzando frasi che richiedono il congiuntivo.

Esempio:

• chiudere una delle scuole materne
– Personalmente, è incredibile che abbiano preso una decisione del genere quando, al giorno d'oggi, ci sono sempre più mamme che lavorano.
– Sono sorpreso che vogliano fare una cosa del genere.
– A mio parere, sono contento che chiudano una delle scuole perché l'altra è più moderna, meglio attrezzata ed è abbastanza grande per accogliere tutti i bambini.

Il consiglio regionale propone anche di:

• permettere la costruzione di un altro grande supermercato a cinque chilometri dal centro
• vietare il fumo in tutti i luoghi pubblici
• demolire una fila di case per allargare una strada molto trafficata
• aumentare le tariffe dei parcheggi in centro (città)
• creare un altro campo da golf per attirare più turisti nella zona
• aumentare le tasse comunali per finanziare questi progetti

4 Ma come si possono realizzare cose del genere!

Pensa a delle notizie che hai letto sul giornale oppure che hai sentito alla televisione o alla radio che ti fanno proprio arrabbiare. Scrivi un breve elenco di queste notizie ed esprimi le tue reazioni – come nell'esercizio precedente. Confronta le tue notizie e reazioni con quelle di alcuni tuoi compagni di classe. Sarebbe forse meglio che ti preparassi a casa prima di presentare il lavoro in classe.

5 Che disperazione!

Leggi la seguente lettera inviata ad un giornale. Discuti il contenuto con i tuoi compagni ed esprimi le tue reazioni, utilizzando espressioni che richiedono il congiuntivo, per esempio, *è triste che, mi dispiace che, è una vergogna che, è ingiusto che*, ecc.

Chi vuole, può scrivere una risposta alla lettera, cercando di utilizzare il maggior numero possibile di espressioni emotive, seguite dal congiuntivo.

Io lascio il mio paese natio. È la prima volta che scrivo a un giornale, ma ho proprio bisogno di sfogarmi con qualcuno, anche se mi vergogno moltissimo a confidare ad altri i miei problemi. Sono un giovane di ventidue anni, 'vittima' della crisi economica che sta attraversando il Paese grazie agli errori di chi ci ha governato fino ad ora. Anch'io, come tanti altri, non riesco a trovare un lavoro, nemmeno il più umile. La disperazione mi ha portato a fare una delle cose che ho sempre criticato e odiato: chiedere le raccomandazioni. Comunque, non ho ottenuto nulla.

Adesso non so più che cosa fare. Litigo in continuazione con i miei genitori e non esco quasi mai di casa. Anche il rapporto con la mia ragazza è peggiorato: fino a quando sarà disposta a sopportare? Sto pensando seriamente, perciò, alla possibilità di andare a cercare fortuna all'estero, perché qui non c'è più nulla in cui sperare. Che cosa mi consiglia?

Quando ero bambino, i grandi mi dicevano di godermi la giovinezza, perché la vita mi avrebbe riservato dei dolori. Ci sono arrivato.

35 The subjunctive: doubt, disbelief and possibility

 **MECCANISMI**

The subjunctive is used in various situations where there is an element of doubt, disbelief or possibility.

35.1 Doubt and uncertainty

dire (si dice/dicono) che	to say (one says/they say) that
dubitare che	to doubt that/whether
essere incerto che	to be uncertain that
non essere sicuro/certo che	not to be sure that

Dicono che *le imprese italiane* **offrano** *lavoro a 180 mila immigrati.*
They say that Italian companies are offering work to 180 thousand immigrants.

Non sono sicuro che *le possibilità di trovare lavoro* **siano** *così favorevoli.*
I'm not sure that the opportunities of finding work are so favourable.

Dubito che *le aziende italiane* **possano** *assumere tutti gli immigrati.*
I doubt whether the Italian firms can employ all the immigrants.

Note that **positive** statements of certainty take the indicative:

So che il settore dell'informatica è alla ricerca di più di novecento programmatori.
I know that the IT sector is looking for more than 900 programmers.

Sono sicuro che per l'immigrato si aprono nuove porte.
I am sure that for the immigrant new doors are opening.

È vero che oggi lo straniero istruito e specializzato trova più facilmente lavoro.
It's true that today the educated and skilled foreigner finds work more easily.

È un fatto che non sono più assunti solo per fare i lavori pesanti che molti giovani italiani non vogliono fare.
It's a fact that they are no longer employed just to do the heavy jobs that many young Italians do not want to do.

35.2 Belief, disbelief and denial

The subjunctive is also used after verbs expressing thought and denial. This can be regarded as a further extension of doubt.

Penso che migliaia di stranieri **entrino** clandestinamente nel Paese.
I think that thousands of foreigners enter the country illegally.

Non crediamo che sia possibile accogliere tutti i rifugiati politici.
We don't believe it's possible to take in all the political refugees.

Il giornalista **ritiene che** il Nord **abbia richiesto** il maggior numero di lavoratori.
The journalist thinks that the North has requested the biggest number of workers.

Il preside **ha negato che ci fossero stati problemi** di integrazione.
The headmaster denied that there had been integration problems.

In spoken Italian there is a growing tendency to use the indicative after **pensare**, **credere** and **ritenere**, although it is more correct, and particularly in the written language, to use the subjunctive.

As usual, if the subjects of the two verbs are the same, the infinitive is used:

Riteniamo di aver trovato la soluzione migliore.
We think we have found the best solution.

Non pensano di assumere più operai nell'industria edile.
They are not thinking of taking on more workers in the construction industry.

35.3 Possibility

Possibility is still closely linked to doubt: it might happen or it might not!

The following 'possibility' phrases take the subjunctive:

è impossibile che	it's impossible that
è poco probabile che	it's unlikely that
è possibile che	it's possible that
è probabile che	it's probable/likely that
può darsi che	it may be that

Può darsi che and **è possibile che** provide one of the ways of expressing 'may' or 'might' in Italian, particularly when they are emphasised:

Può darsi che non sappiano parlare la lingua.
Maybe they can't speak the language.

Può darsi che abbiano cambiato idea.
They might have changed their mind.

➠ **Exercises 1, 2**

METTETEVI A PUNTO!

1 Certezza o incertezza!

Il trasloco dei signori Rossi. Completa le frasi con la forma corretta dei verbi tra parentesi, tenendo presenti le regole spiegate precedentemente sull'uso del modo indicativo e congiuntivo.

1 So che ai nostri vicini non ... vivere in questa città (*piacere*). Credo che per loro ... troppo caotica (*essere*).
2 Si dice infatti che ... in un paesino vicino a Cuneo (*trasferirsi*). È probabile che ... già la prossima settimana (*traslocare*).
3 Può darsi che io ... andare ad aiutarli a caricare i mobili sul camion (*dovere*). Non penso che ... molta mobilia, la loro casa è molto piccola (*avere*). Speriamo che ... bel tempo il giorno del trasloco altrimenti i mobili si potrebbero rovinare (*fare*).
4 Sono sicuro che mi ... in quanto sono molto amico del loro figlio minore (*mancare*). Oltretutto, dubito che io ... andare a trovarlo molto spesso perché penso che Cuneo ... a duecento chilometri da qui (*potere/trovarsi*). È vero, però, che il treno ... molto comodo e so che in meno di due ore ... alla stazione di Cuneo (*essere/arrivare*).

2 Illusioni create dall'alcol

Due amici sono appena usciti dal bar e si dirigono verso la fermata dell'autobus. Può darsi che abbiano bevuto un po' troppo poiché la conversazione che si svolge è piuttosto bizzarra. Malgrado il loro stato di ebbrezza, usano molte espressioni che richiedono il congiuntivo. Completa il loro dialogo con i seguenti verbi, volgendoli al congiuntivo.

essere (x2)	risparmiare	chiudere	costare	rimanere	valere	volere	circolare	avere

– Enrico, perché quel signore sta correndo dietro all'autobus?
– Può darsi che . . **(1)** . . risparmiare dei soldi. Penso che il biglietto per una corsa . . **(2)** . . 70 centesimi.
– Credo che tu . . **(3)** . . ragione, Enrico, ma perché non corre dietro a un tassì? Dicono che si . . **(4)** . . molto di più.
– Che furbo che sei! A proposito, quella luce lassù, pensi che . . **(5)** . . la luna o il sole?
– Non lo so, non sono di queste parti. Comunque, è molto probabile che . . **(6)** . . un lampione perché a quest'ora il sole e la luna sono già andati a nanna.
– Non credo che . . **(7)** . . la pena aspettare l'autobus. È poco probabile che i mezzi pubblici . . **(8)** . . alle ore piccole della notte. Torniamo al bar. Penso che . . **(9)** . . aperto tutta la notte.
– Sei sicuro che non . . **(10)** . . alle tre?
– Andiamo a vedere.
– È lontano?
– No, è a due passi!

METTETEVI IN MOTO!

3 Quante possibilità!

Per ogni frase qui sotto bisogna pensare a tutte le possibilità come nell'esempio. Sarebbe meglio lavorare in coppia, scrivere le varie possibilità e poi confrontare le vostre idee con quelle di un'altra coppia.

Esempio: *Perché Maria non viene al cinema con noi?*
Può darsi che sia a corto di denaro.
Penso che abbia già visto il film.
Non credo che le piacciano i film di fantascienza.
È probabile che abbia qualche altro impegno.

1 Il mio amico ha smesso di mangiare il fast food.
2 I nostri vicini sono andati a vivere in campagna.
3 Perché molti studenti sono assenti oggi?
4 La mia amica ha deciso di dimettersi all'età di 53 anni.
5 La mia amica italiana mi ha mandato un'email per dire che non può venire a trovarmi a Pasqua.
6 Come mai il fratello di Silvia si alza così tardi?

4 Ma che strano!

Un tuo amico si comporta in modo insolito. A coppie cercate di indovinare il perché del suo comportamento, utilizzando verbi ed espressioni di dubbio ecc.

Non si alza mai prima delle undici di mattina, il che vale anche per il fine settimana. Ogni giorno scrive un sacco di email. Ogni sera è attaccato al telefono per delle ore. È una persona robusta e normalmente è molto vivace, allegra e spiritosa ma ultimamente sembra molto giù di corda. Inoltre è diventato magrolino e nervoso. Esce quasi tutte le sere ma va a spasso da solo. Da più di un mese non va in giro con i suoi amici, i quali cominciano a preoccuparsi per lui e non riescono a capire cosa gli stia succedendo.

5 Un po' di cultura generale!

Lavorate a coppie. Lo studente A è molto sicuro di sé ed è convinto di aver sempre ragione quando dice qualcosa. Utilizzando espressioni di certezza, bisogna fare delle affermazioni come negli esempi:

Sono sicuro che le banche aprono alle nove.
È un fatto certo che il ristorante italiano è chiuso il lunedì.
So che gli esami iniziano ai primi di giugno.
È vero che molti giovani hanno lasciato questa zona per cercare lavoro altrove.

Facendo questa attività, lo studente A può riferirsi a qualsiasi argomento.

Lo studente B non condivide la certezza del suo compagno. Utilizzando espressioni di dubbio, come negli esempi, vuole mostrare la sua incertezza:

È possibile che alcune banche aprano alle nove ma credo che la maggioranza apra alle nove e mezza.
Non credo che tu abbia ragione, è possibile che il ristorante italiano sia chiuso la domenica ma non il lunedì!
È probabile che molti esami inizino a giugno ma non tutti.

Dopo cinque minuti sarebbe una buon'idea cambiare ruolo!

36 The subjunctive: after conjunctions

 **MECCANISMI**

The subjunctive is used after a number of subordinating conjunctions. A conjunction is a word such as 'and', 'although', 'unless', which joins two clauses. A subordinating conjunction is one that joins a subordinate clause to the main sentence, that is, it cannot exist by itself, for example: 'although we got there early' needs a main clause to say what did or didn't happen to make a complete sentence.

36.1 Purpose

affinché *in maniera che* *in modo che* *perché*	in order that, so that

*Te lo spiegherò un'altra volta **perché/affinché** tutto **sia** chiaro.*
I shall explain it to you once again **so that** everything **is** clear.

*Il nostro insegnante è disposto a ripassare tutto, **in modo/maniera che** gli studenti che sono stati assenti, **non siano svantaggiati**.*
Our teacher is willing to go over everything **so that** the students who have been absent **are not disadvantaged**.

36.2 Condition

a condizione che *a patto che* *purché*	on condition that, provided that
a meno che (non)	unless

***A meno che non faccia** troppo freddo, vado a fare il bagno ogni mattina.*
Unless it's too cold, I go for a swim every morning.

*Ti posso prestare i soldi **purché tu me li restituisca** entro il fine settimana.*
I can lend you the money **provided that you give it back to me** by the weekend.

36.3 Time

prima che	before	*finché non*	until

Finché non abbiano preso *la decisione, non possiamo fare nulla.*
Until they have taken the decision, we can do nothing.

*Speriamo che facciano qualcosa **prima che sia troppo tardi**.*
Let's hope that they do something **before it's too late**.

In the first example it is far more common nowadays to use the perfect or future perfect indicative after *finché*: *Finché non hanno/avranno preso …*

Finché takes the indicative when it means 'as long as/while'.

Finché c'è vita c'è speranza.
While there's life there's hope.

Rimarrò in questa casa finché vivrò.
I shall stay in this house as long as I live.

The indicative is used with the following conjunctions of time:

appena	as soon as	*quando*	when
dopo che	after	*mentre*	while
ogni volta che	} every time that	*una volta che*	once
tutte le volte che			

Mentre finisci di lavare i piatti vado a prepararmi.
While you finish washing up I'll go and get ready.

Appena saprò i risultati dei miei esami, ti manderò un SMS.
As soon as I know the results of my exams, I shall text you.

The future is normally required after conjunctions of time when the verb in the main sentence is also future. Note the use of the future perfect after **quando**, **appena**, **dopo che** in sentences like:

Appena avrò finito questo libro, te lo presterò.
As soon as I have finished this book I'll lend it to you.

36.4 Concession

| benché
sebbene } | although | malgrado (che)
nonostante (che) } | despite the fact that |

Nonostante facesse un freddo da morire, siamo andati a vedere la partita di calcio.
Despite the fact that it was bitterly cold, we went to see the football match.

Benché il concerto **sia gratuito**, non ho voglia di andarci.
Although the concert **is free**, I don't feel like going.

Che is often omitted after *nonostante* and *malgrado*.

Note also the following expressions that are followed by a subjunctive because they always introduce a hypothesis:

| ammettiamo che
mettiamo che
poniamo che
supponiamo che } | let's suppose/assume that |

Ammettiamo che l'aereo **parta** in orario.
Let's assume that the plane **leaves** on time.

36.5 Fear

| per paura che | for fear that, lest, in case … not |

Ho preferito tornare presto **per paura che avessero chiuso** la porta **a chiave**.
I preferred to go back early **in case they had locked** the door.

36.6 Other conjunctions requiring the subjunctive

caso mai	should, in the event that	*qualora*	in case, if
nel caso che	in the event that	*senza che*	without

*Sono riuscito a sostituire il vaso rotto **senza che i miei genitori se ne accorgessero**.*
I managed to replace the broken vase **without my parents noticing**.

***Caso mai tu cambiassi idea**, posso venire a prenderti.*
Should you change your mind, I can come and fetch you.

📝 Note also the expressions:
non è che – it's not that; *non è detto che* – it needn't. These are also followed by the subjunctive.

***Non è che Marco sia pigro**, è solo che quando io sbrigo le faccende domestiche gli piace fare da osservatore.*
It's not that Marco is lazy, it's just that when I am doing the housework he likes to act as an observer.

***Non è detto che costi** un occhio della testa.*
It needn't cost an arm and a leg.

36.7 Subjunctive or infinitive?

When the subject of both verbs is the same, the following prepositional forms are used with the infinitive:

per		*prima di*	before
al fine di	in order to	*per paura di*	for fear of
allo (con lo) scopo di		*senza*	without
in modo/maniera da	so as to		

*Stamattina sono corso alla fermata **per paura di perdere** la corriera.*
This morning I ran to the bus-stop **for fear of missing** the bus.

*Dovete mangiare qualcosa **prima di partire**.*
You must eat something **before leaving**.

***Per capire** i giochi di parole bisogna ascoltare molto attentamente.*
In order to understand the puns you have to listen very carefully.

*Se ne sono andati **senza dire niente**.*
They went off **without saying anything**.

📝 Remember that *dopo* is followed by the perfect infinitive (see Chapter 25, section 25.1):

Dopo aver disfatto le valigie, siamo andati a prendere qualcosa da bere.
After unpacking, we went to get something to drink.

METTETEVI A PUNTO!

1 I pro e i contro

Vuoi organizzare una festa a casa tua, alla quale pensi di invitare una quindicina di amici. I tuoi genitori non ne sono del tutto convinti. Qui sotto sono elencati i loro dubbi e le loro preoccupazioni. Unisci le frasi di sinistra con quelle di destra.

A	B
1 Io vi farò dei tramezzini	a perché la nonna che dorme nella camera di sopra non venga disturbata.
2 Gli invitati non devono bere bevande alcoliche	b finché tua sorella non abbia finito i compiti.
3 Bisognerà abbassare il volume dell'impianto stereo	c per paura che qualcuno lo sporchi con le scarpe.
4 Dovete rimettere tutto in ordine voi	d in modo che siano al corrente di quello che volete fare.
5 Sarà meglio levare il tappeto	e purché tu e i tuoi amici vi occupiate di tutto il resto.
6 Dobbiamo parlare con i vicini	f nel caso che spostiate i mobili.
7 I tuoi amici non possono arrivare	g a condizione che finisca prima di mezzanotte.
8 Ti lasceremo organizzare la festa a casa nostra	h a meno che non abbiano compiuto diciotto anni.

2 Collegamenti

Utilizzando le congiunzioni tra parentesi, unisci le frasi. Attenzione! A volte sarà necessario omettere un connettivo, per esempio *altrimenti*, o alcune parole.

1 Giorgio intende uscire. I suoi genitori non lo sanno. (*senza che*)
2 Piove a catinelle, ma rifiuta di prendere l'ombrello. (*benché*)
3 'Prendi pure la mia macchina, ma solo se mi fai il pieno di benzina' ha detto suo fratello. (*a condizione che*)
4 Ti conviene affrettarti, altrimenti mamma e papà arrivano a casa. (*prima che*)
5 Se il tempo continua a peggiorare, cosa puoi fare? (*ammettiamo che*)
6 Le strade sono sdrucciolevoli. Mi raccomando, non andare troppo forte. (*caso mai*)
7 Mi hai fatto tantissime raccomandazioni, ma riuscirò a ricordarmele tutte lo stesso. (*nonostante*)
8 Se non vuoi darmi altri consigli, finalmente posso andarmene! (*a meno che*)

METTETEVI IN MOTO!

3 Va bene, a condizione che …

Lavorate a coppie. Studente A: Hai sempre voglia di andare da qualche parte o di fare qualcosa. Devi dire quello che vorresti fare stasera, questo fine settimana, durante le vacanze, ecc.

Studente B: Devi assumere il ruolo di un parente/genitore che vuole imporre certe condizioni, utilizzando *a condizione che, purché, a meno che (non)*.

Esempio:

– *Stasera vorrei andare a fare un giro in macchina.*
– *Va bene, puoi andare a condizione che non torni troppo tardi/puoi andare a meno che le strade non siano troppo scivolose dopo la nevicata.*

4 Come evitare gli incidenti in casa

Quando siamo a casa ci sono sempre certi oggetti, prodotti o apparecchi che possono diventare una minaccia alla vita se non stiamo attenti. Quando ci sono bambini in giro, i pericoli tendono a moltiplicarsi perché non si rendono conto dei rischi che stanno dietro a queste cose. Qui sotto c'è un elenco di precauzioni che si possono prendere per non rischiare un incidente. Bisogna suggerire il motivo di ogni precauzione. Utilizzate *perché/per, affinché/al fine di* ecc. nelle vostre risposte.

Esempio:

Bisogna mettere i detersivi e i prodotti per la casa sotto chiave.
– *Perché i bambini non li possano toccare.*
– *Al fine di evitare una situazione pericolosa.*

a   Bisogna mettere le medicine fuori dalla portata dei bambini.
b   Quando fai bollire l'acqua, sposta la pentola sul fornello più lontano.
c   Bisogna usare prese di corrente sicure.
d   Non lasciare un bambino da solo nella vasca mentre fa il bagno.
e   Non permettergli di usare oggetti elettrici.
f   Bisogna evitare che possa prendere coltelli e forbici.

A gruppi fate un elenco di altre precauzioni che si possono prendere e suggerite vari modi per evitare un incidente. Questa volta non limitatevi ai bambini ma pensate anche agli adulti.

a 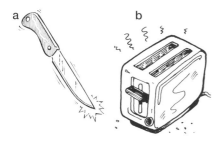 b c  d

5 Nonostante le circostanze

Malgrado la situazione, certe persone reagiscono diversamente da quello che ci si aspetterebbe, forse perché sono disposte a lanciare una sfida. Descrivi ogni situazione utilizzando *benché* o *sebbene*.

Esempio:

a *Benché Marco sia molto bravo a scuola, non fa mai i compiti.*

a Marco è molto bravo a scuola.
b Maria si è comprata una macchina sportiva.
c Gianni ha viaggiato in aereo.
d Mio zio ha un cane e due gatti.
e Elena ha bevuto mezzo litro di vino.
f Paolo compra spesso dei CD.
g Mia sorella non mangia mai la carne.
h Daniela va a letto sempre molto tardi.

Tu hai mai fatto (o farai) delle cose simili? Pensaci un po' e poi scrivi un elenco di tutti gli esempi che ti vengono in mente. Non devono essere tutti veri, puoi anche inventarli, per esempio:

Benché l'acqua fosse gelida, ho fatto il bagno nel fiume. Sebbene io abbia un esame importante domani mattina, stasera vado in discoteca.

Confronta il tuo elenco con quello di un compagno di classe.

37 The subjunctive: other main uses

MECCANISMI

37.1 After certain types of antecedent

The subjunctive is used in relative clauses when the antecedent is indefinite, negative or superlative. The antecedent is the person who, the thing which, the place where, etc.

37.1.1 Indefinite antecedent

The antecedent is 'indefinite' if it is not a specific person, thing or concept, even though it may be required to have certain attributes:

'We're looking for an interpreter who can speak Swedish': the antecedent, 'interpreter', is indefinite because any interpreter will do, as long as he/she meets the requirements of speaking Swedish. On the other hand, in the sentence 'We're looking for that interpreter who speaks Swedish', the interpreter is a definite known one.

*Cerchiamo un interprete **che sappia** parlare svedese.*
(Indefinite: subjunctive.)

Cerchiamo quell'interprete che sa parlare svedese.
(Definite: indicative.)

This construction tends to be used after verbs of wanting, needing, looking for, dreaming of, etc. It is, in fact, a further instance of uncertainty, dictating the need for a subjunctive.

Some more examples to compare indefinite with definite:

Vogliono prendere il treno che parte prima delle otto.
They want to take the train that leaves before eight.
(Indicative: a definite known train.)

*Vogliono prendere un treno **che parta** prima delle otto.*
They want to take a train that leaves before eight.
(Indefinite: **any** train, provided it meets the time requirements, therefore the verb is subjunctive.)

*La ditta ha bisogno di un direttore **che abbia rispetto** per il personale.*
The firm needs a manager who respects the staff.
(**Any** manager who can meet this requirement, so subjunctive.)

Gianni è un direttore che ha rispetto per il personale.
Gianni is a manager who respects the staff.
(Definite: it is known he respects the staff, so indicative.)

37.1.2 Negative antecedent

The subjunctive is also required when the antecedent clause is negative, that is, the antecedent does not exist. This is also an extension of uncertainty and denial of fact.

*Non conosciamo nessuno **che sia** in grado di aiutarci.*
We don't know anyone who is able to help us. (No one exists as far as the speakers are concerned.)

*Non c'è niente **che si possa dire** per fargli cambiare idea.*
There is nothing that can be said to get him to change his mind. (As far as the speaker is concerned, there is no point in anyone saying anything else.)

➥ **Exercises 1, 2**

37.1.3 Superlative antecedent

The subjunctive is also used after an antecedent qualified by a superlative (see Chapter 7, section 7.1) or *l'ultimo*, *il primo*, *il solo*, *l'unico*.

*È **il** film **più divertente che io abbia** mai **visto**.*
It's the most entertaining film I've ever seen.

*Questa è **l'unica** famiglia **che non sia disposta** ad ospitare uno studente.*
This is the only family that is not willing to put up a student.

✍ In contemporary spoken Italian the indicative is often used after a superlative rather than the subjunctive.

37.2 Equivalents of English words ending in '-ever'

There are various ways of getting across these expressions, depending on the context. However, here are a few examples as general guidelines.

37.2.1 Whatever, wherever

qualunque (cosa)	whatever (pronoun)	*quale che*	whatever (adjective)
qualsiasi cosa	whatever (pronoun)	*dovunque*	wherever
qualsiasi/qualunque	whatever (adjective)		

***Qualunque sia** la ragione, non mi importa.*
Whatever the reason may be it doesn't matter to me.

***Qualsiasi cosa compriate**, va bene.*
Whatever you buy is fine.

***Qualsiasi posto** di lavoro **gli venga offerto**, Alessandro lo rifiuta.*
Whatever job he gets offered, Alessandro refuses it.

***Dovunque andiate**, non dimenticate di portare con voi questo libro!*
Wherever you go, don't forget to take this book with you!

Since *quale che* is used with *essere* + noun, the plural form *quali* must be used with a plural noun.

Quali che siano le condizioni di pagamento, saremo costretti ad accettarle.
Whatever the conditions of payment may be, we shall be forced to accept them.

The Italian equivalent of 'whenever', meaning 'every time that' is *ogni volta che* or *tutte le volte che* and takes the indicative:

Ogni volta che prendo in mano questo libro mi viene una gran voglia di studiare!
Whenever (= every time that) I pick up this book I get a great urge to study!

When it means 'at whatever time' simply use *quando*:

Puoi tornare a casa quando vuoi.
You can come back home whenever you want.

37.2.2 Whoever

In the sense of 'whatever person':

Chiunque compri questo libro, darà un piccolo contributo alla mia pensione.
Whoever buys this book will be making a small contribution to my pension.

37.2.3 However

Do not confuse the equivalents of 'however' in this section with the adverbs

però, *comunque*, *tuttavia*, *nondimeno* in the sense of 'however/nevertheless'.

comunque	however
in qualunque/qualsiasi modo	however (= in whatever way)
per quanto + aggettivo + verbo	however + adj. + verb

Comunque vadano le cose, non avremo rimpianti.
However things may go, we shall have no regrets.

In qualunque modo cerchino di risolvere l'attuale crisi economica, non cambierà nulla.
However (= in whatever way) **they try to solve** the present economic crisis, it will not change anything.

Per quanto dotata sia in matematica, Manuela non si vanta mai delle sue capacità.
However gifted she may be in maths, Manuela never boasts about her ability.

37.3 'Whether ... or ...'

Where two alternative actions are expressed in this way, the verbs are in the subjunctive, preceded by *che*:

> *Che piova o che nevichi, andiamo a vedere la partita.*
> Whether it's raining or snowing, we are going to see the match.

> *Che siate stanchi o no, tocca a voi lavare i piatti prima di andare a letto.*
> Whether you are tired or not, it's your turn to wash the dishes before going to bed.

 Exercise 3

 # METTETEVI A PUNTO!

1 Cercasi ...!

Nelle due conversazioni che seguono si cerca qualcuno che sia in grado di fare qualcosa. Volgi ogni verbo tra parentesi al congiuntivo presente.

a

– Cosa stai facendo, Mariella?
– Sto leggendo quest'inserzione sul giornale.
– Di che cosa si tratta?
– Una ditta cerca un assistente alla direzione personale che non . . **(1)** . . *(avere)* più di trent'anni, che . . **(2)** . . *(essere)* laureato in discipline economiche o giuridiche, che . . **(3)** . . *(vivere)* a Milano o nelle immediate vicinanze, che . . **(4)** . . *(sapere)* parlare bene l'inglese o il francese e così via.
– Pensi di fare domanda per questo lavoro?
– Non mi sono ancora decisa.

b

– Ti ricordi che la settimana prossima arriverà quel gruppo di inglesi?
– A dire la verità, non ne so niente. Perché, c'è qualche problema?
– Sì, sono nei pasticci perché devo ancora trovare delle famiglie che . . **(1)** . . *(potere)* ospitare otto componenti della comitiva. A parte questo, ho bisogno di uno studente che . . **(2)** . . *(conoscere)* abbastanza bene la zona, che . . **(3)** . . *(parlare)* benino l'inglese, e che . . **(4)** . . *(volere)* fare loro da guida durante il soggiorno. Inoltre, vorrei trovare qualcuno che . . **(5)** . . *(occuparsi)* del programma.
– Da dove vengono i soldi per finanziare questo programma?
– È la solita storia, devo sempre trovare persone che . . **(6)** . . *(fare)* volontariamente questi compiti. Non conosci mica una ditta che . . **(7)** . . *(sponsorizzare)* questi scambi culturali in cambio di pubblicità?
– Questa mi pare una buon'idea. Chiederò un po' in giro.

2 Cercate e troverete!

Dopo aver cercato per un bel po' di tempo si è riusciti a trovare varie persone che sono in grado di eseguire alcune delle mansioni richieste. Completa le frasi con i seguenti verbi, volgendoli al presente indicativo o congiuntivo secondo il senso.

amare   tagliare   offrire   essere (x2)   annaffiare   occuparsi   fare

permettere   avere (x3)   dare   conoscere   mancare   cavarsela   sapere

1 Io e i miei genitori siamo dovuti andare via per un paio di settimane per cui abbiamo cercato qualcuno che … da mangiare ai gatti, che … del giardino – cioè che … l'erba, … i fiori – e che … dei lavoretti in casa.
2 Alla fine abbiamo chiesto alla figlia dei nostri vicini, la quale … i gatti e … una passione per il giardino e i fiori, di occuparsi di queste cose. Purtroppo lei non ha nessun amico che … capace di fare questi lavoretti in casa.
3 – Tu conosci una ragazza che … tutti i requisiti per fare domanda per questo posto di lavoro?
   – Ho un'amica che … parecchi anni di esperienza come assistente ma non conosco nessuno che … parlare sia francese che inglese.
4 Questo è un programma che … di creatività, di immaginazione. Quando vengono gli inglesi, voglio avere un programma che gli … una scelta di attività e che gli … di approfondire la loro conoscenza della nostra lingua e cultura.
5 Mario è uno studente che … molto bene in inglese e … la zona molto meglio dei suoi coetanei. È così dotato che non c'è niente che non … capace di fare!

3 Bisogna pensarci due volte!

Completa le frasi con le seguenti congiunzioni volgendo ogni verbo tra parentesi al congiuntivo presente.

1 (Tu) … … (accettare) l'invito o … lo … (rifiutare) non mi importa per niente.
2 … bravi … (essere) in italiano, dovreste dedicare più tempo alla lettura.
3 … … (andare) in vacanza, non dimenticarti di mandarmi una cartolina.
4 … … (venire) con me in macchina, deve contribuire al costo della benzina.
5 … strada … (prendere), non eviterete gli ingorghi provocati dai lavori in corso sulla tangenziale.
6 … io … (dire), mio figlio non vuole ascoltare.
7 … … (stare) le cose fra di loro, nessuno è disposto a prendere una decisione.
8 … io … (cercare) di aiutarli, non cambia nulla.

dovunque   qualunque cosa   per quanto   comunque   chiunque   che … che   qualunque

in qualunque modo

METTETEVI IN MOTO!

4 Magari!

A coppie pensate alle cose che vi danno fastidio, per esempio, fare i lavori domestici, fare i compiti ecc. Spiegate come si può ovviare a questi inconvenienti.

Esempi:

Non mi piace affatto spolverare i mobili, passare l'aspirapolvere ecc.
Ho bisogno di un aspirapolvere che sia completamente automatico, che vada su e giù per le scale, che pulisca dappertutto insomma.
Non mi piace per niente il mio orario scolastico. Ci vuole un orario che sia più flessibile e che risponda meglio alle esigenze degli studenti.
Abbiamo bisogno di un'aula che sia meglio attrezzata.

Confrontate le vostre idee con quelle di un'altra coppia.

5 Il mio partner ideale

Come sarebbe il tuo/la tua partner ideale? Descrivilo/la come nell'esempio:

Voglio trovare una ragazza che sia simpatica, gentile e modesta come me, che abbia un ottimo senso dell'umorismo, che mi faccia ridere, a cui piaccia viaggiare, che abbia più o meno gli stessi interessi. Non accetto nessuno che sia egoista, ecc.

Ognuno può appendere il suo annuncio alla parete dell'aula, nella speranza che qualcuno risponda!

6 Convincere qualcuno

Bisogna convincere un tuo compagno a comprare qualcosa, sottolineando e esagerando i benefici dell'oggetto o dell'utensile che vuoi vendere. Cerca di utilizzare delle frasi che richiedono il congiuntivo, come nell'esempio.

Esempio:

Questa è la lavatrice più compatta che esista.
È l'unica lavatrice che sia capace di lavare otto chili per volta.
È l'ultima che si possa comprare a questo prezzo irrisorio, perché domani i prezzi aumenteranno.
È la sola lavatrice che abbia una fama mondiale.

7 Predizione

Immagina che un tuo compagno di classe ti abbia chiesto di predirgli il futuro. Prova a farlo ma cerca di dire cose positive, utilizzando le varie espressioni che hai incontrato in questo capitolo.

Esempio:

Qualunque cosa tu faccia nella vita, avrai successo.
Dovunque tu vada in vacanza, ti divertirai e farai amicizia con qualcuno.
Per quanto sia difficile prendere certe decisioni, non devi averne paura.
Qualsiasi decisione tu prenda, l'esito sarà positivo.
Che tu prosegua gli studi o che decida di smettere, avrai sempre dei bei ricordi di quello che hai fatto.
Non c'è niente che tu non sia capace di fare.
Per quanto gentile tu sia, non devi lasciare che gli altri approfittino della tua gentilezza.

Adesso tocca al tuo compagno predire il tuo futuro.

38 Negatives

MECCANISMI

38.1 Making verbs negative

The verb is made negative by placing *non* immediately before it.

Questo è possibile.   ⟶   *Questo non è possibile.*
This is possible.   ⟶   This isn't possible.

Hanno capito.   ⟶   *Non hanno capito.*
They have understood.   ⟶   They haven't understood.

Non can only be separated from the verb by object pronouns:

L'abbiamo venduto.   ⟶   *Non l'abbiamo venduto.*
We've sold it.   ⟶   We haven't sold it.

38.2 Other negative expressions

Other negative expressions generally require *non* before the verb.

38.2.1 *No* – no

*Ti piace questa foto? – **No**, non mi piace.*
Do you like this photo? – **No**, I don't like it.

38.2.2 *Non ... mai* – never, not ever

***Non** faccio **mai** colazione la mattina.*
I **never** have breakfast in the morning.

Mai can also be used without *non*, meaning 'ever':

Hai mai sentito parlare di questo scrittore?
Have you ever heard of this writer?

38.2.3 *Non ... niente / nulla* – nothing, not anything

***Non** ci hanno dato **niente/nulla**.*
They have given us **nothing**.

38.2.4 *Non … nessuno* – nobody, not anybody, not … any, no

Non *c'è* **nessuno** *in ufficio.*
There's **nobody** in the office.

Non *ho* **nessuna** *difficoltà a capirlo.*
I have **no** difficulty in understanding him.

38.2.5 *Non … alcuno* – not … any, no

I miei figli **non** *hanno* **alcun** *interesse per le scienze.*
My children have **no** interest in science.

Note that *non … nessuno/alcuno*, meaning 'not … any, no' can only be used in the singular and has forms like the indefinite article *un* (see section 3.2.1).

38.2.6 *Non … più* – no longer, not any more

Purtroppo, **non** *li vediamo* **più**.
Unfortunately, we **don't** see them **any more**.

38.2.7 *Non … affatto/per niente, non … mica* (more colloquial) – not … at all

I miei amici **non** *capiscono* **affatto** *perché ho preso questa decisione.*
My friends **don't** understand **at all** why I have taken this decision.

Non *è* **mica** *scemo quel ragazzo!*
That boy is **not** stupid **at all**.

38.2.8 *Non … da nessuna parte* – nowhere, not anywhere

Da quando è stato licenziato, Giorgio **non** *va* **da nessuna parte**.
Since he was sacked, Giorgio **doesn't** go **anywhere**.

38.2.9 *Non … né … né* – neither … nor

Non *ho comprato* **né** *il dizionario* **né** *il libro di testo.*
I've bought **neither** the dictionary **nor** the textbook.

38.2.10 *Non … neanche/nemmeno/neppure* – not even

Non *le* **abbiamo nemmeno** *scritto.*
We **haven't even** written to her.

Don't confuse the positive *anche*, 'also', with the negative *neanche/nemmeno*, 'neither, not either'.

Andate in centro? Allora, vengo anch'io.
Are you going to town? Right, I'll come too.

Non andate alla festa? Allora, non ci vado nemmeno io.
Aren't you going to the party? Well, I won't go either.

38.2.11 *Non ... che* – only

Che precedes the word to which 'only' refers:

Non abbiamo **che** cinque minuti di pausa fra le lezioni.
We **only** have five minutes break between lessons.

Non ... che is in fact a positive expression which is used far less commonly than *solo*, *solamente* or *soltanto*.

Abbiamo solo cinque minuti di pausa fra le lezioni.

Note the use of *non ... che* in the following type of construction with *fare + altro*:

Non fanno altro che criticare il governo.
They do nothing but criticise the government.

Exercise 1

38.3 Negative expressions preceding the verb

When a negative precedes a verb, *non* is omitted:

Nessuno mi ha avvisato del pericolo.
No-one warned me of the danger.

Nessuno dei quadri mi **ha colpito**.
None of the pictures **impressed** me.

Niente può scoraggiarli.
Nothing can discourage them.

Mai in vita mia **sono stato così deluso**.
Never in my life **have I been so disappointed**.

Nemmeno quest'anno **andrò** a trovarla.
Not even this year **shall I go** and see her.

Né mio fratello **né** mia sorella **sanno** dove vado in vacanza.
Neither my brother **nor** my sister **knows** where I am going on holiday.

38.4 Position of negative words

In many cases the position of the negative word occurs naturally, but note the following points:

• In the compound tenses, *mai*, *più*, *affatto*, *mica*, *neanche*, *neppure*, *nemmeno* can either precede or follow the past participle whereas *niente*, *nulla*, *nessuno*, *per niente*, *da nessuna parte* always come after the past participle.

Non ti ho nemmeno ringraziato/non ti ho ringraziato nemmeno per la tua ospitalità.
I haven't even thanked you for your hospitality.

Non mi hanno mai dato/non mi hanno dato mai un passaggio.
They never gave me a lift.

Ultimamente non siamo stati da nessuna parte, non abbiamo visto nessuno e non abbiamo fatto nulla di interessante.
Lately, we've been nowhere, we've seen no-one and we've done nothing interesting.

- With an infinitive or an imperative, **non** comes before and the second half of the negative expression comes after the verb:

Mi hanno consigliato di non dire niente.
They advised me not to say anything.

Non lo ripetere mai a nessuno.
Never repeat it to anyone.

- Order of negative words

It is perfectly acceptable in Italian to have two or more negatives in one sentence. The following combinations are possible:

non ... mai da nessuna parte	*non ... mai niente/nulla*
non ... mai più	*non ... più niente/nulla*
non ... mai nessuno	*non ... più nessuno*

Non *mi dici* **mai niente**.
You **never** tell me **anything**.

Non *ho* **più nessuno** *di cui posso/possa fidarmi.*
I **no longer** have **anyone** I can trust.

Non faremo mai più niente *per aiutarli.*
We shall never do anything again to help them.

➥ **Exercises 2, 3**

38.5 **Negatives without a verb**

Most of these negatives can stand alone without a verb, in which case **non** is not required:

Chi vuole prestarmi cinquanta sterline? – Nessuno.
Who wants to lend me £50? – Nobody.

Che cosa avete mangiato a pranzo? – Niente.
What did you eat for lunch? – Nothing.

Ti è piaciuto il corso? – Per niente/nient'affatto.
Did you like the course? – Not at all/not in the least.

Dove andiamo? – Da nessuna parte.
Where are we going? – Nowhere.

Ti piacerebbe fare il professore? – Mai. – Nemmeno a me.
Would you like to be a teacher? – Never. – Neither would I.

Vuoi qualcosa da bere? – No, grazie.
Do you want something to drink? – No thanks.

Note also the use of **non** with another word:

Come hanno reagito? – Non molto bene.
How did they react? – Not very well.

▶ **Exercise 4**

38.6 *Senza* + infinitive + negative object

With **senza**, meaning 'without', **non** is not required.

*Se ne sono andati **senza dire niente**.*
They went off **without saying anything**.

38.7 A further observation about *non*

Non has no negative meaning when it occurs after certain expressions requiring the subjunctive (see Chapter 36, sections 36.2–36.3):

Oggi pomeriggio abbiamo in programma un torneo di pallavolo a meno che non si metta a piovere.
This afternoon we have a volleyball tournament planned unless it starts raining.

METTETEVI A PUNTO!

1 Un'altra negazione

A coppie. A turno, uno fa la domanda e l'altro completa la risposta con un'espressione negativa adatta, come nell'esempio:

Tu prendi qualcosa per il mal di mare? – No, non prendo niente.

1 Prendi ancora qualcosa da bere? – No, grazie, non prendo …
2 Avete visto gli altri dopo quella baruffa? – No, non abbiamo visto …
3 Andrete ancora in quel ristorante dopo quello che vi hanno fatto pagare? – No, non ci andremo …
4 I tuoi vanno da qualche parte quest'estate? – No, non vanno …
5 Tu bevi alcol se devi guidare la macchina? – No, non bevo …
6 Sono venuti spesso a trovarti i tuoi amici quando eri in ospedale? – No, non è venuto …

2 Neghiamolo due volte!

Siccome volete mettere in rilievo le vostre risposte alle domande dell'esercizio precedente, utilizzate una doppia espressione negativa, come nell'esempio:

Prendi qualcosa per il mal di mare? – No, non prendo mai niente.

Adesso, a coppie, ripetete l'Esercizio 1.

3 Mica male, insomma!

Una persona parla della sua esperienza di studio dell'italiano. Completa il dialogo con le seguenti parole/espressioni negative. Attenzione! Sarà possibile usare la stessa parola o espressione più di una volta.

```
niente        nessun (o/a)        non ... altro che        non ... né ... né        non ... più        non ... mai
        no
non        non ... per niente        non ... niente        non ... nemmeno        non ... nessuno
```

– Quando hai iniziato a studiare l'italiano?
– . . (1) . . mi ricordo esattamente, parecchi anni fa.
– È difficile da imparare?
– . . (2) . . lingua è facile da imparare. Il nostro professore ci ha parlato sempre in italiano e all'inizio . . (3) . . capivo . . (3) . . una parola. Infatti nella mia classe . . (4) . . c'è stato . . (4) . . che sia riuscito a seguire la prima lezione. Quando siamo usciti dall'aula dopo due ore di 'tortura' . . (5) . . ha detto . . (6) . . Dopo questa lezione pensavo di . . (7) . . tornare . . (7) . . , dato che . . (8) . . mi piaceva . . (8) . . il suo modo di insegnare. In passato ero abituato a scrivere e ad avere tutto spiegato in inglese ma durante quella prima lezione . . (9) . . abbiamo fatto . . (9) . . parlare. Dopo averci pensato e ripensato, ho deciso di andare avanti perché . . (10) . . avevo . . (10) . . abbandonato . . (10) . . corso in vita mia. In fin dei conti sono un tipo tenace e . . (11) . . mi scoraggia.
– Hai fatto bene ad andare avanti perché ormai lo parli benissimo. Quante volte sei stato in Italia?
– A dire il vero, . . (12) . . ci sono . . (12) . . andato . . (12) . . una volta.
– Ma come mai lo parli così bene? Avrai senz'altro studiato altre lingue, il francese o il latino
– . . (13) . . , . . (14) . . ho studiato . . (14) . . il francese . . (14) . . il latino. A proposito, perché . . (15) . . vieni anche tu a settembre? Ci sarà un nuovo corso per principianti.
– . . (16) . . , grazie, . . (17) . . ho . . (17) . . voglia di imparare una lingua straniera e poi . . (18) . . conosco . . (18) . . ! Imparare una lingua . . (19) . . mi dice proprio . . (19) . .

4 Risposte negative

Un(a) tuo/a amico/a ti fa sempre un sacco di domande ogni volta che lo/la vedi. L'amico/a ti farà le domande della colonna A e tu risponderai scegliendo una parola o un'espressione adatta dalla colonna B.

A	B
1 Dove vai a Pasqua?	a Mai.
2 Cos'hai fatto ieri sera?	b Neanche per sogno.
3 Hai mandato quella lettera?	c Nessuno.
4 Ti è piaciuto il film?	d No, né l'uno né l'altro.
5 Chi ti ha comprato quella giacca?	e Non ancora.
6 Hai giocato a pallacanestro?	f Da nessuna parte.
7 Faresti il bagno in quell'acqua sporca?	g Niente.
8 Ti hanno detto qualcosa Marco e Gianni?	h Per niente.

 METTETEVI IN MOTO!

5 Rimpianti, dispiaceri …

Hai qualche rimpianto? Ci sono delle cose che ti dispiacciono, ecc.? Scrivi almeno dieci frasi, ognuna delle quali deve contenere un'espressione negativa, come negli esempi. Puoi riferirti a qualsiasi argomento – cibo, vacanze, trasporti, studi, sport, passatempi, e così via.

Esempi:

Non ho mai viaggiato in aereo.
Non mi piace per niente fare i lavori domestici.
Non vado mai da nessuna parte durante le vacanze.
Non bevo più l'acqua del rubinetto.
Non ho mai mangiato né la carne né il pesce.

In seguito, a coppie confrontate le vostre frasi, discutendo in modo più dettagliato le idee espresse.

Esempi:

Non ho mai viaggiato in aereo, però quest'estate …
Non mi piace per niente fare i lavori domestici ma, purtroppo, ogni tanto devo fare uno sforzo e …

6 Aiuto!

Sei disperato/a perché il tuo migliore amico (o la tua migliore amica) è diventato pigro, pignolo, antipatico, demoralizzato, ecc. Scrivi una lettera nella quale metti in rilievo tutti i lati negativi, utilizzando il maggior numero possibile di espressioni negative. Se vuoi, puoi iniziare la lettera in questo modo:

Cari lettori,

Ho bisogno di qualche consiglio perché il mio migliore amico non vuole più uscire con me. Non mi telefona mai. Non capisco proprio perché ...

Ogni membro della classe può appendere la sua lettera alla parete dell'aula in modo che venga letta dagli altri. Chissà, forse qualcuno risponderà alla tua lettera!

7 Un problema sociale

A coppie. Pensate a un problema qualsiasi che influisce sulla zona in cui vivete o, se preferite, che colpisce il Paese in generale. Naturalmente, criticate coloro che sono responsabili del problema e quello che dite (o scrivete) sarà pieno di espressioni negative!

Esempio:

– *Nessuno fa mai nulla per riparare le strade che sono piene di buche. Non si può guidare sulla strada principale della nostra città senza soffrire il mal di mare.*
– *Sono perfettamente d'accordo. E poi le autorità locali non fanno niente per tenere pulite le nostre spiagge. Sono sempre coperte di alghe, cartacce ...*

In seguito, confrontate il vostro 'problema' con quello di un'altra coppia, discutendo i vari punti di vista e contraddicendo le opinioni che non condividete.

8 È vietato usare solo no!

Lavorate a gruppi di quattro. A turno, bisogna fare una domanda a un membro del gruppo che deve rispondere utilizzando un'espressione negativa adatta, eccetto il semplice *no/non*. Se lo studente interrogato risponde *no/non*, toccherà a un altro studente rispondere alla domanda. Naturalmente, l'obiettivo di questa attività è di utilizzare una varietà di espressioni negative.

39 If...

MECCANISMI

39.1 In conditional sentences

Conditional sentences containing 'if' clauses are fairly straightforward in Italian if you follow the guidelines set out below. Although the *se* clause is put first in the examples to highlight it, it may of course follow the main clause.

- With a totally open possibility: use *se* + the present, future or perfect tense (never the present subjunctive). This is usually combined with a main verb in the present, future or imperative:

  Se non ti dispiace, preferisco stare a casa.
  If **you don't mind, I prefer** to stay at home.

  Se piove/pioverà, andremo lo stesso.
  If it rains, we shall go all the same.

  Se cambi idea, ***dammi*** un colpo di telefono.
  If you change your mind, **give me** a ring.

  Se hanno già prenotato una camera, ***non c'è problema***.
  If they have already booked a room, **there's no problem**.

- Where English uses 'if' + the simple past, with the main verb in the conditional, to express a rather more hypothetical or remote condition, in Italian you use *se* + the imperfect subjunctive, also with the main verb in the conditional:

  Se piovesse, andremmo lo stesso.
  If it rained, we would go all the same.

  Se fossi in te, ***non*** ci ***andrei***.
  If I were you, **I wouldn't go**.

- If the statement is contrary to what actually happened, you use *se* + the pluperfect subjunctive, with the main verb in the conditional or conditional perfect. Take care with the choice of auxiliary verbs ***avere*** or ***essere***!

  Se avessero perso l'ultimo treno, ***saremmo andati*** a prenderli.
  If they had missed the last train, **we would have gone** to fetch them.

  Se il treno ***non fosse arrivato*** in orario, ***sarebbero*** ancora alla stazione.
  If the train **hadn't arrived** on time, **they would still be** at the station.

In spoken Italian it is fairly common to use the imperfect indicative in both clauses (instead of the pluperfect subjunctive and conditional perfect):

Se perdevano l'ultimo treno, andavamo a prenderli.
If they had missed the last train, we would have gone to fetch them.

➡ **Exercises 1, 2**

39.2 *Magari*

A strong wish can be expressed by **magari** + the imperfect or pluperfect subjunctive.

Magari fosse *vero!*
If only it were true!

Magari me l'avessero detto *prima!*
I wish they had told me before!

39.3 *E se*

- 'What if …?' is rendered by **e se** + the present indicative, imperfect or pluperfect subjunctive, according to the sense:

E se perdono *l'ultimo treno?*
What if they miss the last train?

E se perdessero *l'ultimo treno?*
What if they missed the last train?

E se avessero perso *l'ultimo treno?*
What if they had/have missed the last train?

39.4 *Come se*

- *Come se* is used to express 'as if' and is followed by the imperfect or pluperfect subjunctive.

Tutti mi guardano **come se fossi** *pazzo.*
They are all looking at me **as if I were** mad.

Tutti mi guardavano **come se fossi arrivato** *da un altro pianeta.*
Everyone was looking at me **as if I had arrived** from another planet.

39.5 In indirect questions

- When 'if' means 'whether' in indirect questions after verbs such as **sapere** 'to know', **domandare/chiedere** 'to ask', **domandarsi/chiedersi** 'to wonder', it can be followed by any indicative tense that makes sense or the appropriate tense of the subjunctive.

Non sappiamo se vengano o no.
We don't know if/whether they are coming or not.

Mi chiedo se verranno con noi.
I am wondering whether they will come with us.

Ci domandiamo se siano già **arrivati**.
We are wondering whether they have already **arrived**.

Mi domandavo se avessero/avrebbero capito la mia spiegazione.
I was wondering if they had/would have understood my explanation.

➠ Exercise 3

 # METTETEVI A PUNTO!

1 Che tempo bisogna usare?

Uno scambio di opinioni tra la maestra e i suoi alunni. Completa le frasi con il tempo adeguato (indicativo/congiuntivo) dei verbi tra parentesi.

1 Ragazzi, se non … (*finire*) questo esercizio in fretta, lo farete per compito.
2 Mi dispiace, ma non ho ancora finito di correggere i compiti della settimana scorsa. Se me li … (*consegnare*) in tempo, li avrei già corretti.
3 E tu, Marco, se non … (*addormentarsi*) quando spiegavo questa regola, non avrei bisogno di spiegartela un'altra volta.
4 Ma se solo la lezione … (*essere*) un po' più interessante, riuscirei a tenere gli occhi aperti.
5 Penso proprio che se (voi) non … (*mettersi*) a studiare seriamente, rimarrete tutti bocciati alla fine di quest'anno.
6 Ma signora maestra, se Lei non ci … (*dare*) così tanti compiti potremmo essere più riposati quando arriviamo a scuola.
7 Se … (*fare*) ogni giorno alcuni esercizi di questo genere, tutti i vostri problemi sarebbero risolti.
8 Se tu, Andrea, … (*volere*) partecipare alla gita scolastica a Torino, sarà meglio che mi porti l'autorizzazione dei tuoi genitori.

2 Trasformazione

Trasforma le seguenti frasi come negli esempi:

Non andiamo all'estero perché non abbiamo abbastanza soldi.
– Se avessimo abbastanza soldi, andremmo all'estero.
Non ho fatto gli esercizi perché sono stato assente.
– Se fossi stato presente, li avrei fatti.

1 Non fanno colazione perché non hanno fame.
2 Non ho comprato la macchina perché non mi piaceva il colore.
3 Non vado con loro perché non ho la macchina.
4 Non mi può dare una mano perché non è bravo in matematica.
5 Non abbiamo affittato l'appartamento perché l'affitto era troppo alto.
6 Ho perso il suo indirizzo e quindi non gli ho scritto.
7 Non leggo questo libro perché non mi piacciono i gialli.
8 Giulia ha trascorso un anno in Inghilterra e adesso parla correntemente l'inglese.

3 Traduzione

Traduci in italiano le seguenti frasi.

1   We can go and see them tomorrow if they are busy today.
2   If I were you, I wouldn't say anything.
3   My sister would have bought it if they had asked her.
4   If my friends had enough money they would buy a sports car.
5   If only they had said something!
6   What if they have gone out?
7   I wonder if they have managed to sell the car.

 # METTETEVI IN MOTO!

4 Un'indagine

Bisogna intervistare almeno quattro o cinque compagni di classe e annotare brevemente le loro riposte.

Cosa faresti se …

– vincessi molti soldi alla lotteria?
– perdessi il lavoro?
– avessi problemi con la grammatica?
– i vicini facessero rumore fino a notte inoltrata?
– il professore fosse assente?
– ti mancassero i soldi per poter andare in vacanza quest'anno?
– non riuscissi a superare tutti gli esami?
– non potessi frequentare tutte le lezioni?
– volessi mantenerti in forma?
– volessi migliorare il tuo italiano scritto/orale?

Scrivi una relazione in base alle loro risposte. Puoi iniziare la tua relazione in questo modo:

Molti hanno detto che se vincessero alla lotteria … Tre su quattro hanno risposto che se perdessero il lavoro …

5 Magari!

Scrivi cinque desideri seguendo il modello:

Magari sapessi parlare correntemente l'italiano.

Fatto questo, bisogna spiegare il perché di ogni desiderio, per esempio:

Se sapessi parlare correntemente l'italiano, non avrei bisogno di frequentare queste lezioni.

Confronta i tuoi desideri ed eventuali motivi con quelli di alcuni tuoi compagni di classe.

6 Rimpianti

Scrivi cinque frasi, ciascuna delle quali descrive qualcosa che finora non hai fatto, per esempio:

Non ho imparato a guidare la macchina.

Fatto questo, bisogna dire cosa avresti fatto se la situazione fosse stata diversa, per esempio:

Se avessi imparato a guidare la macchina, avrei viaggiato molto di più.

Potresti anche scrivere cinque cose che sei contento di aver fatto e spiegare quello che sarebbe successo se non le avessi fatte, per esempio:

Sono andato all'università.
Se non fossi andato all'università, avrei iniziato a lavorare all'età di diciotto anni.

Confronta i tuoi rimpianti ecc. con quelli dei tuoi compagni di classe.

40 How long for?

✖ MECCANISMI

When you want to say in Italian how long an activity went on or has been going on, you need to take a number of factors into consideration.

- Actions which have been going on and are still in progress need the present tense in one of the following structures:

Lavoro qui **da sei mesi**.
Sono sei mesi che lavoro qui.
È da sei mesi che lavoro qui.
I've been working here for six months.

These are all ways of saying the same thing. Note that in the second structure the verb is plural – **sono sei mesi** – whereas in the third structure the third person **singular è** is used. The important thing to remember is that Italian uses the **present** tense, where English uses a past tense. Here are a few more examples:

Mia sorella studia l'italiano **da quasi un anno**.
È da quasi un anno/è quasi un anno che mia sorella **studia** l'italiano.
My sister has been studying Italian **for almost a year**.

I nostri amici vivono in Portogallo **da più di cinque anni**.
È da più di cinque anni/sono più di cinque anni che i nostri amici vivono in Portogallo.
Our friends have been living in Portugal **for more than five years**.

If you ask 'How long have you known her?' you would say:

Da quanto tempo la conosci?
Quanto tempo è che la conosci?
How long have you known her?

If the action had been going on for a period of time, and was still going on at the time of reference, you use the above construction with the **imperfect** in Italian. Note that the verb **essere** used to introduce the other two structures also goes into the imperfect:

Lavoravo lì da sei mesi quando mi è capitata quella cosa molto strana.
Erano sei mesi/era da sei mesi che lavoravo lì quando mi è capitata quella cosa molto strana.
I had been working there for six months when that very strange thing happened to me.

Mia sorella studiava l'italiano **da quasi un anno** quando ha deciso di sposarsi con Arturo. **Era quasi un anno/era da quasi un anno che mia sorella studiava** l'italiano quando ha deciso di sposarsi con Arturo.
My sister had been studying Italian for almost a year when she decided to marry Arthur.

The question form would be:

> *Da quanto tempo/quanto tempo era che lavoravi lì quando ti è capitata quella cosa molto strana?*
> How long had you been working there when that very strange thing happened to you?

You can also use *da* meaning 'since' + a particular date, or *da quando* + a particular occasion, if this involves a clause. The same tense rules apply if the action is or was still going on or the situation up to the present time still remains unchanged.

> *Non li vediamo **da** settembre.*
> We haven't seen them **since** September.

> *Abbiamo la stessa macchina **da quando** ci siamo sposati.*
> We have had the same car **since we** got married.

- If the action in the past is completed, you use the perfect or past definite with *per*:

> *Mia sorella ha frequentato/frequentò l'università **per** quattro anni.*
> My sister was at/attended university **for** four years. (She has now finished).

> *Ieri sera ho navigato in Rete **per** tre ore di fila.*
> Yesterday evening I surfed the Net **for** three hours in a row.

After certain verbs closely associated with time, the completed timespan can come directly after the verb with no preposition.

> *Ho lavorato tutta l'estate in una fabbrica.*
> I worked (for) the whole summer in a factory.

> *Abbiamo vissuto due anni a Firenze.*
> We lived (for) two years in Florence.

Per is also used to convey an intended period of time in the future.

> *Saremo in Italia per due settimane.*
> We shall be in Italy for two weeks.

➡ **Exercises 1, 2, 3**

METTETEVI A PUNTO!

1 Un breve periodo della mia vita

Un signore parla di un breve periodo della sua vita. Volgi i verbi tra parentesi al presente, imperfetto o passato prossimo secondo il senso.

Ormai io . . **(1)** . . (*vivere*) in questa regione dal 1992. Prima di traslocare
. . **(2)** . . (*vivere*) per quattordici anni a Milano. Mi sono trasferito qui per motivi
di salute . . **(3)** . . (*lavorare*) a Milano da dieci anni quando ho avuto un infarto.
Per fortuna, non è stato grave ma per sei mesi non . . **(4)** . . (*potere*) condurre una
vita normale. Il mio dottore mi ha consigliato di smettere di fumare. Questo è
stato proprio difficile, dato che . . **(5)** . . (*fumare*) da quando avevo quindici anni.
. . **(6)** . . (*riprendere*) a lavorare come insegnante di lingue per altri sei mesi e poi
ho deciso di andare in pensione.

Adesso lavoro a casa e da settembre chi ha bisogno di prendere ripetizioni in
francese o italiano . . **(7)** . . (*venire*) da me. . . **(8)** . . (*sperare*) di poter lavorare
così per parecchi anni. Adesso che ho più tempo disponibile, posso riprendere
un'attività sportiva che non . . **(9)** . . (*praticare*) da dodici anni – il golf.
. . **(10)** . . (*essere*) appassionato di questo sport da quando ho iniziato a insegnare e
lo . . **(11)** . . (*praticare*) già da dieci anni quando ho deciso di smettere.

2 Un incontro inaspettato

Un italiano trascorre le vacanze in Inghilterra e incontra per caso uno studente di italiano che aveva conosciuto un paio di anni prima. Completa la loro conversazione con la parola o espressione adatta.

– .. (1) .. ti fermi questa volta?

– Non mi sono ancora deciso, ma probabilmente mi fermerò .. (2) .. almeno tre settimane.

– E sei arrivato quando?

– Sono arrivato sabato scorso.

– Ah, sei qui già .. (3) .. una settimana. Poverino, .. (4) .. sei arrivato non ha fatto altro che piovere.

– A proposito, come sta Maria?

– Non ne ho la più pallida idea. Non ci vediamo .. (5) .. più di un anno. .. (6) .. è andata a vivere a Londra non ho più notizie di lei. Ha lavorato in un'agenzia di viaggi .. (7) .. parecchi anni e mi diceva spesso che voleva cambiare mestiere. Peccato che non siamo rimasti in contatto.

– .. (8) .. studi l'italiano?

– .. (9) .. sette, otto anni.

– Complimenti, perché lo parli molto bene!

---

da quanto tempo	da quando	da	per quanto tempo	per

3 Preparazione per lo scambio culturale

Fra qualche settimana arriverà un gruppo di italiani. Il vostro insegnante ha suggerito di preparare delle domande da rivolgere ai componenti del gruppo allo scopo di rompere il ghiaccio al primo incontro. A coppie traducete in italiano queste domande. Può darsi che abbiate in mente altre domande che vorreste porre!

1 How long have you been studying English?
2 How long have you been attending your present school?
3 How long have you lived in Bologna?
4 How long have you been coming to England?
5 How long had you been studying English before coming to England the first time?
6 How long did it take you to get here?
7 How long did you stay last time?
8 How long will you stay this time?
9 How long have you known your English friends?
10 How long have you been writing to each other?

 **METTETEVI IN MOTO!**

4 Role-play

Studente A: ospiti uno studente italiano e gli rivolgi le domande dell'esercizio 3, le quali sono state tradotte in italiano.

Studente B: tu fai la parte dello studente italiano e devi rispondere alle domande del tuo ospite (studente A).

5 Un'intervista

Devi intervistare un compagno di classe al fine di scoprire da quanto tempo fa determinate cose. Bisogna annotare le sue risposte per poter scrivere una breve biografia della sua vita. Se conosci bene la persona che intervisti, puoi basare le domande sulle sue attività predilette, per esempio:

– Da quanto tempo suoni la chitarra?
– La suono da più di cinque anni.
– Sono molti anni che studi l'italiano?
– No, sono solo sei mesi che lo studio.

Se non conosci bene le abitudini o i passatempi preferiti della persona che intervisti, puoi fare delle domande come quelle negli esempi:

– Dove abiti?
– Suoni uno strumento?
– Pratichi uno sport?
– Sei vegetariano?
– Fumi?
– Sei ambientalista?
– Guardi le telenovele?

… prima di fare domande relative alla durata dell'attività ecc.:

– Da quanto tempo giochi a calcio?
– È da molto che sei vegetariano?

6 Un'altra biografia

Scrivi una breve biografia della tua vita o della vita di un personaggio che pensi di conoscere bene, concentrandoti soprattutto sulla durata delle abitudini o dei passatempi ai quali ti riferisci.

41 Prepositions

Prepositions tell you where somebody or something is in relation to somebody or something else in space or time: 'with', 'in front of', 'before', 'after', etc.

Below are the most common prepositions in Italian. Pay close attention to these notes about their use, since they can convey a number of different meanings according to the context in which they are used and often do not correspond exactly with their apparent English counterparts.

Remember that the simple prepositions *a*, *da*, *di*, *in* and *su* combine with the definite article to form one word, *al*, *alla*, *allo*, etc (see Chapter 3, section 3.1.3).

41.1 *a* – to, at

*Abbiamo regalato una collana **a** Luisa.*
We gave a necklace **to** Luisa.

*Ti vedrò al municipio **alle** dieci.*
I shall see you at the town hall **at** ten o'clock.

- It is used to mean 'at' where this is not expressed in English:

  La nostra fabbrica si trova a cinque chilometri dal centro.
  Our factory is five kilometres from the centre.

- It also means 'in' or 'on' when there is no particular emphasis on being 'inside' or 'on top of':

  Oggi mangiamo all'aperto, all'ombra però, perché al sole fa troppo caldo.
  Today we are eating outdoors (in the open), in the shade however, because in the sun it's too hot.

  Stasera non c'è niente di interessante alla televisione. Cosa c'è alla radio?
  This evening there is nothing interesting on the television. What's on the radio?

- It means 'to', 'at' or 'in' a town or city:

  Ci sarà subito una coincidenza a Pisa e arriveremo a Firenze alle otto di sera.
  There will be a connection straightaway at Pisa and we shall arrive in Florence at 8 p.m.

- It is used to describe manner or means:

  a piedi; a cavallo; fatto a mano; una barca a vela
  on foot; on horseback; made by hand; a sailing boat

imparare a memoria; parlare ad alta voce; ai ferri
to learn by heart; to speak in a loud voice; grilled

- After verbs involving separation, it can mean 'from': ***rubare qualcosa a qualcuno***, etc (see Chapter 28, section 28.2.2).

- It is used to link verbs, nouns and adjectives to an infinitive (see Chapter 27, section 27.2 and Chapter 28, section 28.2).

41.2 *in* – to, in, by

- It is used to convey 'to' or 'in' a place:

  *andare **in** città/centro, andare **in** Svizzera; abitare **in** campagna*
  to go **to** town; to go **to** Switzerland; to live **in** the country

- It expresses 'by' when talking about means of transport:

  *andare **in** aereo/treno/macchina/bicicletta*
  to go **by** plane/train/car/bike

- It is used with many expressions of time:

  ***in** autunno/primavera; arrivare in anticipo/ritardo/orario*
  in autumn/spring; to arrive early/late/on time

- Note also that it indicates the time-span required to perform an action:

  *Ho scritto la lettera **in** un quarto d'ora.*
  I wrote the letter **in** a quarter of an hour.

41.3 *di* – of, from

Di means 'of' and is used to indicate possession, specification and definition:

  *Questo è l'appartamento **di** mio cugino. Dalla terrazza c'è una bellissima vista **del** lago e delle montagne. Mio cugino è professore di storia.*
  This is my cousin**'s** flat. From the terrace there is a most beautiful view **of** the lake and the mountains. My cousin is a history teacher.

- It indicates origin 'from' in some instances:

  *Siamo **di** Roma; la gente **del** Nord.*
  We are **from** Rome; the people **from the** North.

For certain phrases meaning 'from … to …' use *di … in …*:

  di tanto in tanto; di giorno in giorno; andare di male in peggio
  from time to time; from day to day; to go from bad to worse

It is also used:

- After **qualcosa**, **niente** when followed by an adjective:

qualcosa di speciale	something special
niente di interessante	nothing interesting

- In a number of adverbial expressions of manner:

vestire di nero	to dress in black
essere di buon/cattivo umore	to be in a good/bad mood
entrare di corsa	to run inside
bere d'un fiato	to drink in one gulp

- To convey what something is made of or contains:

una medaglia d'oro	a gold medal
una sciarpa di seta	a silk scarf
una bottiglia d'acqua	a bottle of water
un bicchiere di vino	a glass of wine

Remember also that it combines with the definite article to express the partitive 'some, any, of the' (see Chapter 3, section 3.1.3):

Ho comprato dei regali.
I've bought some presents.

un membro della squadra
a member of the team

41.4 *da* – from, by

Some of the most common uses are to convey:

Origin/movement from, by, to or through a place	venire da Pescara	*to come from Pescara*
	uscire dal ristorante	*to come out of the restaurant*
	andare dal medico	*to go to the doctor's*
	uscire dalla finestra	*to go out through the window*
'From/by' after passives (see Chapter 30)	Quest'uomo è ammirato da tutti.	*This man is admired by everyone.*
Purpose	un abito da sera	*an evening dress*
	gli occhiali da sole	*sun glasses*
	la stanza da bagno	*bathroom*
	una tazza da tè	*a tea-cup*

Time, age *(see Chapter 40 for use of verb tenses)*	Non ci vediamo da parecchi anni. L'ho conosciuto da studente.	*We haven't seen each other for several years.* *I knew him as (when he was) a student.*
Price, value	scarpe da cinquanta euro in su una carta telefonica da dieci euro	*shoes from 50 euros* *a 10-euro phone card*
Manner, worthy of	comportarsi da gentiluomo trattare da amico una cena da re	*to behave like a gentleman* *to treat as a friend* *a dinner worthy of a king*
Description	la ragazza dai capelli neri una persona dal cuore d'oro	*the girl with the black hair* *a person with a heart of gold*
After adverbs such as **molto, troppo, tanto,** **poco** *and the indefinite pronouns* **qualcosa** *and* **niente/nulla** *before a following infinitive*	Avete troppo da fare. Non ho niente da dire. Vuoi qualcosa da mangiare?	*You have too much to do.* *I have nothing to say.* *Do you want something to eat?*

 Exercise 1a

41.5 *su* – on, about, concerning

*Ho messo i tuoi occhiali **sulla** sedia.*
I put your glasses **on** the chair.

*Devo informarmi **sull**'orario dei treni.*
I must find out **about** the train times.

*Oggi abbiamo una lezione **sul** sistema scolastico.*
Today we have a lesson **about**/**on** the school system.

• It is also used:

To mean 'by, near'	Abitano in un paesino sul mare.	*They live in a little village by the sea.*
To express approximation	pesare sugli ottanta chili una donna sui settanta anni/sulla settantina Costerà sugli otto euro.	*to weigh around 80 kilos a woman of about 70* *It will cost around 8 euros.*
To mean 'out of'	Questa prova scritta vale otto su dieci.	*This written test is worth 8 out of 10.*

41.6 *per* – for, through

One of its main functions is to indicate destination or intention:

*Questi orecchini sono **per** lei.*
These earrings are **for** her.

*Sono partiti **per** le montagne dove si fermeranno **per** un mese. Passeranno **per** Torino.*
They have set off **for** the mountains where they will stay **for** a month. They will go **through** Turin.

- It is also used to express 'because/out of, by means of':

Per il caldo, abbiamo deciso di stare all'ombra.
Because of the heat, we decided to stay in the shade.

Ho voluto saperlo per curiosità.
I wanted to know it out of curiosity.

È meglio che mi comunichi i dettagli per fax/per iscritto piuttosto che per telefono.
It's better that you let me have the details by fax/in writing rather than by phone.

- It is also used in mathematical calculations:

quattro per quattro   four times four
dividere per cinque   to divide by five

- For the use of ***per*** + infinitive for 'in order to', see Chapter 27, section 27.4.

41.7 *con* – with

*Vengono **con** noi.*
They are coming **with** us.

*Ho un appuntamento **con** lo specialista.*
I have an appointment **with** the specialist.

• It is also used:

Means	Sono arrivati con l'aereo/il treno/il pullman.	*They arrived by plane/train/ coach.*
Description	la ragazza con i capelli ricci	*the girl with the curly hair*
Manner	agire con calma rivalutare la situazione con prudenza	*to act calmly to reassess the situation wisely*
'despite, in view of, with'	Con tutti i soldi che hanno, sono sempre infelici.	*Despite all the money they have, they are always unhappy.*
	Con questo tempo umido ho dolori dappertutto.	*With this damp weather I have aches and pains everywhere.*

41.8 *tra/fra* – between, in/within, among, of

*Arriveremo **fra** le due e le quattro del pomeriggio.*
We shall arrive **between** two and four in the afternoon.

*Lo spettacolo inizierà **fra** un'ora.*
The show will start **in** an hour's time.

*È una discussione **tra** colleghi.*
It's a discussion **among** colleagues.

*Alcuni **tra** i miei compagni di classe pensano di protestare.*
Some **of** my classmates are thinking of protesting.

▶ **Exercise 1b**

41.9 Other prepositions

accanto a	next to, beside	*lontano da*	far from
a causa di	because of, on account of	*malgrado*	in spite of
		mediante	by means of
a favore di	in favour of	*nonostante*	in spite of
ad eccezione di	with the exception of	*per mezzo di*	by means of
a seconda di	according to	*per via di*	by means of, because of
attraverso	across		
circa	about, regarding	*prima di*	before
*contro**	against	*presso**	near, with
davanti a	in front of	*quanto a*	as for
*dentro**	inside	*riguardo a*	regarding

dietro*	behind	rispetto a	regarding, compared to
di fronte a	opposite, facing		
dopo*	after	salvo	except, barring
durante	during	secondo	according to
eccetto	except	senza*	without
fino/sino a	up to, until	sopra*	above, upon
fuori di	outside, out	sotto*	under, beneath
in cima a	at the top of	tramite	through, by means of
in fondo a	at the end/bottom of		
in mezzo a	in the middle of	tranne	except
in testa a	at the head of	verso*	towards, around
intorno a	around		
invece di	instead of	vicino a	near

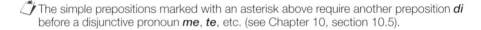 The simple prepositions marked with an asterisk above require another preposition **di** before a disjunctive pronoun **me**, **te**, etc. (see Chapter 10, section 10.5).

 **Exercises 2, 3**

 ## METTETEVI A PUNTO!

1 Una scelta multipla!

1a Cancella le forme errate, come nell'esempio:

I tuoi amici abitano qui? – No, sono a̶/di/i̶n̶ Cuneo.

1 Oggi ho rotto due bicchieri *a/di/da* vino.
2 Cosa vuoi *di/a/da* bere?
3 Ho letto la rivista *in/da/di* un'ora.
4 Comprami due francobolli *di/da/a* 75 centesimi.
5 Stasera andiamo a cena *da/di/a* zia Gina. – Andiamo *in/a/di* piedi o *da/a/in* autobus? Siccome fa caldo possiamo mangiare *nell'/all'/dall'*aperto. Speriamo che la zia ci prepari una bella bistecca *alla/nella/della* griglia.
6 Che cosa avete fatto *a/da/di* bello a Pasqua? Le solite cose, niente *da/di/in* speciale.
7 Devo telefonare a Marinella perché non ci sentiamo *in/da/di* più di un mese.
8 Che bella borsa *di/in/da* cuoio!
9 Dove vai Enrico? – *Al/del/dal* dentista.

1b Di nuovo cancella le forme errate.

1 Per la prova scritta l'insegnante mi ha dato 19 *per/su/tra* 20.
2 Mamma, faccio un salto ai negozi. Tornerò *fra/su/per* un'ora
3 Mandami tutte le informazioni *con/per/su* fax.
4 Quanto fa due *per/su/con* due? Meno di cinque se non sbaglio!
5 Lo voglio vedere solo *per/su/con* interesse.

6   La mia amica avrà *fra i/con i/sui* trent'anni.
7   *Fra/con/su* questo freddo non vado da nessuna parte.
8   Quanto tempo ci è voluto *per/tra/con* arrivarci?
9   Bisogna considerare tutto *per/su/con* cura.

2 Sant'Elena, arriva la tv. Come reagiscono i bimbi?

Ecco un articolo di giornale riguardante l'impatto della televisione sui bambini di Sant'Elena. Molte preposizioni utilizzate nell'articolo sono state tolte. Bisogna riempire gli spazi scegliendo una delle seguenti preposizioni: *contro, per, da, secondo, di, fra, fino a, a, con, senza, dopo, in mezzo a.* Attenzione! Sarà possibile usare alcune preposizioni più di una volta.

LONDRA – . . **(1)** . . oggi i bambini di Sant'Elena hanno vissuto felici e sani
. . **(2)** . . televisione, ma dal mese prossimo anche nell'isoletta britannica
. . **(3)** . . Atlantico del Sud, dove morì Napoleone, comincerà il bombardamento
. . **(4)** . . cartoni animati, sceneggiati e film.
Come reagiranno i bambini? Quale impatto avrà la televisione sul loro
comportamento? A queste domande dovrà rispondere una équipe . . **(5)** . . studiosi
che . . **(6)** . . tre anni, a partire da settembre, controllerà i piccoli isolani. I risultati
saranno posti a confronto con uno studio condotto dallo psicologo Tony Charlton
dal quale è emerso che i ragazzi di Sant'Elena – 5.500 abitanti – sono . . **(7)** . . i
più equilibrati del mondo. La ricerca ha dimostrato che soltanto il 7 per cento dei
bambini di Sant'Elena . . **(8)** . . i 3 e i 14 anni ha problemi . . **(9)** . .
comportamento, . . **(10)** . . il 12 per cento di quelli che vivono . . **(11)** . . Londra.
Nella fascia d'età compresa fra i 9 ed i 12 anni, poi, la percentuale scende
addirittura al 3,4, il che . . **(12)** . . gli esperti costituisce un record mondiale.
Nell'isola, dove nel 1815 . . **(13)** . . la sconfitta di Waterloo fu confinato
Napoleone, ancora oggi non esistono né un cinema, né una pista di atterraggio. I
collegamenti . . **(14)** . . il resto del mondo sono assicurati . . **(15)** . . un traghetto
che arriva ogni 6 settimane.

(*Corriere della Sera*, 11.6.1994)

3 Per concludere!

Traduci in italiano le seguenti frasi.

1   The stadium is at the end of the street.
2   I shall wait for you opposite the station.
3   We organised the holiday through an agency.
4   Our house is at the top of the hill.
5   As for the results of the exams I have something to say.
6   There is a swimming pool in the middle of the park.
7   The bank is next to the chemist's.
8   Because of the rain we didn't go out.
9   They went for a walk through the fields.
10 We studied until ten o'clock.

METTETEVI IN MOTO!

4 La zona in cui abito

Manda un'email a un/una amico/a italiano/a in cui descrivi il più dettagliatamente possibile la zona in cui abiti, utilizzando naturalmente una grande varietà di preposizioni.

Esempio:

Abito a Scarborough, una città turistica sul mare. La mia casa si trova a tre chilometri dal centro e quindi è facilmente raggiungibile a piedi. Comunque, quando devo fare la spesa, vado in centro in macchina o con l'autobus. È più comodo prendere l'autobus e c'è una fermata in fondo alla mia strada. Arrivo in centro dopo una decina di minuti. La mia casa è situata in cima a una collina e di fronte a un bellissimo parco ... ecc.

5 Che bravi che siete!

A coppie parlate dei vostri studi o del vostro lavoro facendo uno sforzo per usare il maggior numero di preposizioni possibile, comprese *malgrado, circa, fino a, intorno a, rispetto a, a causa di, tranne, prima di*:

Esempio:

Malgrado le mie difficoltà con la grammatica, devo dire che, rispetto all'anno scorso, le cose vanno molto meglio. Però, studio per circa tre ore ogni sera. Ieri sera per esempio, ho cominciato intorno alle sette e ho studiato fino a mezzanotte e raramente finisco prima delle undici tranne il venerdì sera, quando mi piace rilassarmi seduto davanti alla televisione con un bicchierino di vino ...

Forse sarebbe meglio preparare degli appunti prima di iniziare a parlare.

6 Dov'è ...?

A coppie fate uno schizzo del vostro soggiorno, scrivendoci accanto un elenco dei vari mobili ecc., per esempio, il tavolo, le poltrone, il televisore, la lampada, la scrivania, lo specchio, i quadri, le piante ecc. Bisogna indicare sullo schizzo la posizione delle porte e delle finestre. In seguito, fatevi delle domande per scoprire la posizione dei mobili ecc.

Esempio:

A: *Allora, il tavolo è in mezzo alla stanza?*
B: *No, non è lì.*
A: *È sotto questa finestra?*
B: *Non esattamente.*

Ogni volta che riuscite a scoprire la posizione di un 'mobile' indicatelo sullo schizzo con una X e la lettera iniziale della parola.

42 Relative pronouns

MECCANISMI

A relative pronoun or adjective is one which joins two clauses in order to give more information about a noun or a pronoun:

the flat in which I live
the person whose daughter is in my class
the woman who helped with the enquiries
the one that didn't turn up

'Who', 'whom', 'which', 'that', 'whose', and also the conjunctions 'where' and 'when' can be used as relatives.

It is important to differentiate between **relative** pronouns, which are link words, and **interrogative** pronouns, which ask questions. In English, words such as 'who', 'what' and 'which' have both a relative and an interrogative function, and the same is true of *chi* and *che* in Italian. Note, however, that *quale* is an interrogative pronoun and *il quale* is a relative pronoun. The function of these words as interrogative pronouns is dealt with in Chapter 43 on questions.

Remember: relative pronouns **do not** ask questions.

42.1 *Che*

Che is used meaning 'who', 'whom', 'which' and 'that' and it can act either as subject or object. *Che* is invariable and is the most frequently used relative pronoun.

*La signora **che** mi ha servito era molto cortese.*
The lady **who** served me was very courteous.

*La ragazza **che** abbiamo appena incontrato è la mia migliore amica.*
The girl (**who(m)/that**) we just met is my best friend.

*I biglietti **che** mi avete dato non sono più validi.*
The tickets (**which/that**) you gave me are no longer valid.

Note that in English the relative pronouns 'who', 'whom', 'which', 'that' are often omitted. You cannot do this in Italian.

42.2 *Cui*

When the relative pronoun follows a preposition you must use *cui* (or the appropriate form of *il quale*, see below), never *che*. *Cui* is invariable.

L'articolo a cui mi riferisco mette in rilievo l'attuale crisi politica.
The article I am referring to emphasises the present political crisis.

La casa in cui abitiamo è molto spaziosa.
The house we live in is very spacious.

In English you can end the clause with the preposition: 'the article I am referring to', 'the house we live in'. You cannot do this in Italian: the preposition must always precede the relative pronoun as in the above examples.

The preposition **a** is the only one that can be omitted before **cui**:

L'articolo (a) cui mi riferisco mette in rilievo l'attuale crisi politica.

42.3 *Il cui, la cui, etc*

Cui placed between the definite article and the noun is used to convey 'whose', 'of whom', 'of which'. In the following examples **cui** conveys the same meaning as **del quale**, **della quale**, **dei quali**, **delle quali**.

*Non mi ricordo il nome di quel pittore locale **i cui** quadri (= i quadri del quale) sono diventati così famosi.*
I can't remember the name of that local painter **whose** pictures have become so famous.

*Questa è l'associazione **ai cui** soci (= ai soci della quale) ho scritto diverse volte.*
This is the association **whose** members I have written **to** several times.

Note the following expressions:

il motivo/la ragione per cui	the reason why
il momento/il giorno in cui	the moment/day when
per cui	and so, therefore

Questa è la ragione per cui ho deciso di smettere di fumare.
This is the reason I decided to stop smoking.

Il giorno in cui siamo arrivati, faceva un caldo da morire.
The day we arrived, it was boiling hot.

Io non mi intendo di computer, per cui è meglio che lo faccia tu.
I have no understanding of computers, so it's better that you do it.

In spoken Italian it has become quite common to replace **in cui** ('when') by **che**:

Il giorno che siamo arrivati faceva un caldo da morire.

42.4 *Il quale/la quale/i quali/le quali*

One of the most common uses of this form is after a preposition and it can, therefore, be a direct substitute for **per cui**, **in cui**, **a cui**, etc.

*I paesini **per i quali** (per cui) siamo passati erano incantevoli.*
The little villages we passed through were charming.

*La famiglia **alla quale** (a cui) abbiamo spedito la cartolina è stata molto ospitale.*
The family we sent the postcard to was very hospitable.

*Questo è il film **del quale** (di cui) ci hai parlato.*
This is the film you spoke to us about.

*Le case **nelle quali** (in cui) abitano risalgono all'inizio del secolo.*
The houses in which they live date back to the beginning of the century.

When using *il quale*, etc care has to be taken to use the appropriate form, ie masculine singular/plural, feminine singular/plural, as in the above examples.

Il quale, etc can never be used as an object and it is rarely used as a subject, except in the following instances:

• To avoid ambiguity:

  Sono andato a trovare il fratello di mia madre, il quale non sta molto bene.
  I went to see my mother's brother, who is not very well.

The use of the masculine form *il quale* makes it obvious that it is the brother who is unwell, not the mother.

• To avoid the repetition of *che*:

  Ho detto che Roberto, il quale (che) lavora nello stesso ufficio, è stato promosso.
  I said that Roberto, who works in the same office, has been promoted.

The adverb *dove* assumes the value of a relative pronoun in the following type of construction:

  Questa è la città dove (nella quale) siamo nati.
  This is the town where we were born.

42.5 *Quello che, quel che, ciò che*

These forms mean 'what', in the sense of 'that which'. It does not matter which form you use.

  ***Quello che** dicono gli altri non mi interessa.*
  What the others say doesn't interest me.

  *Scrivetemi un riassunto di **ciò che** è accaduto.*
  Write me a summary of **what** happened.

  ***Quello che** le dà fastidio è l'atteggiamento di suo figlio nei confronti degli altri.*
  What annoys her is her son's attitude towards others.

When referring back to an idea or sentence, not a particular noun, use the neuter pronoun *il che*:

> *Ho fatto del mio meglio per spiegare tutte queste regole in modo chiaro, **il che** non è stato sempre facile.*
> I have done my best to explain all these rules clearly, **which** has not always been easy.

Quello/quella che can refer to people, in which case it means 'the one who':

> *Quello che era seduto di fronte a noi, sono sicuro di averlo già visto da qualche parte.*
> The one who was sitting opposite us, I'm sure I've already seen him somewhere.

To convey 'all that', 'everything' place *tutto* before *quello che* etc:

> *Scrivetemi un riassunto di **tutto ciò che** è accaduto.*
> Write me a summary of **everything that** happened.

42.6 *Chi*

Chi is used to convey a whole range of meanings such as 'he/she who', 'the one(s) who', 'people who', 'those who', 'anyone who'. The verb after *chi* must always be in the singular.

> ***Chi non studia*** *questo capitolo verrà punito.*
> **Those who do not study** this chapter will be punished.

> *Il nostro professore dà sempre un bel voto **a chi lo merita**.*
> Our teacher always gives a good mark to **the ones who deserve it**.

> *Se vuoi sapere com'è il libro, è meglio chiedere **a chi l'ha letto**.*
> If you want to know what the book is like, it's better to ask **someone who has read it**.

> ***Chi arriva*** *dopo mezzanotte **troverà** la porta chiusa.*
> **Whoever** arrives after midnight **will find** the door closed.

'Those who' can also be expressed by *quelli che* and the more formal *coloro che*, both of which take a plural verb:

> *Quelli/coloro che non studiano questo capitolo verranno puniti.*

'All those who' can be conveyed by placing *tutti* in front of *quelli che* and *coloro che*:

> *Tutti quelli che vogliono partecipare alla gita scolastica devono versare un acconto di cinquanta sterline.*
> All those who want to take part in the school trip must pay a deposit of fifty pounds.

Chi ... chi is also used to mean 'the one(s) ... the other(s)' or 'some ... others':

> *Nel bar c'era chi giocava a carte, chi guardava la televisione.*
> In the bar there were some playing cards and others watching television.

> *Chi vuole fare una cosa, chi un'altra.*
> One wants to do one thing, one (the other) another.

➡ **Exercises 1, 2, 3**

METTETEVI A PUNTO!

1 Un momento di riflessione

Dopo aver studiato attentamente le regole riguardanti l'uso dei pronomi relativi, è ora di mettere in pratica quello che hai imparato. Cancella la forma errata.

1 Ci conviene prendere il treno *chi/che* parte un po' prima.
2 Fammi vedere la borsa *chi/che* hai comprato.
3 La ragazza di *chi/cui* parlo è *quella/quello* che ti ha dato un passaggio in macchina.
4 Mi dispiace ma *che/quello* che dite non è vero.
5 Possiamo rimborsare *cui/chi* ha pagato troppo.
6 Bisogna chiedere qualche consiglio a *cui/chi* ha più esperienza in questo campo.
7 La nonna del tuo vicino, *il quale/la quale* ha appena compiuto novant'anni, è malata.
8 Se non sbaglio, è lo stesso anno in *che/cui* si sposò mia figlia.
9 Per fortuna, io posso mangiare *tutto quello che/tutto che* voglio.
10 Alla fine del corso gli studenti mi hanno invitato a pranzo in un ottimo ristorante italiano, *che/il che* mi ha fatto molto piacere.

2 È tutto relativo, caro Watson!

Per risolvere il mistero devi fare la parte di Sherlock Holmes, il famoso investigatore privato, ed abbinare le frasi della colonna B con quelle della colonna A. Ogni frase della colonna B inizia con un pronome relativo e questo è il mistero da risolvere. Quale scegliere? Pensaci un po' prima di agire.

A	B
1 Quella ragazza, …	a … in cui la polizia ha condotto le indagini?
2 Vi ricordate l'episodio …	b … che hanno firmato stamattina.
3 Loro non sono testimoni …	c … con cui parlavo prima?
4 Non si sa ancora il motivo …	d … quello che ti ha rubato la borsa?
5 Non pensi che la polizia dovrebbe fare di più per rintracciare …	e … il che pone un problema per le nostre indagini.
6 Sei sicura che il signore seduto fuori è …	f … chi ha commesso questo reato?
7 Dicono che la zona …	g … per chi risolve questo mistero?
8 Qual è il paese …	h … il cui nome non mi viene in mente, è l'amica di Roberta?
9 Mi pare che Gianluca abbia lasciato il paese, …	i … di cui posso fidarmi.
10 Conosci la persona …	l … nella quale è accaduto l'episodio sia abbastanza tranquilla.
11 Non riesco a trovare quelle denunce …	m … al quale mi riferisco?
12 È vero che ci sarà una ricompensa …	n … per cui hanno preso questa decisione.

3 Progetti per l'estate

Un giovane parla dei suoi progetti per l'estate. Usando un pronome relativo adatto, trasforma ogni coppia di frasi formandone una sola, come nell'esempio:

– *Vorrei accennare ai miei progetti per quest'estate. Non sono ancora stabiliti.*
– *Vorrei accennare ai miei progetti per quest'estate, i quali non sono ancora stabiliti.*
– *I miei progetti per quest'estate, ai quali vorrei accennare, non sono ancora stabiliti.*

1 I miei zii mi hanno dato dei soldi. Con questi soldi spero di andare in vacanza.
2 Ho fatto vari progetti per quest'estate. Sono veramente interessanti.
3 Un mio amico mi ha prestato una guida illustrata sull'Italia. Non l'ho ancora letta.
4 Sono andato all'agenzia di viaggi per chiedere ulteriori informazioni. Questa agenzia era chiusa.
5 Quella sera sono andato a trovare alcuni amici. Con questi amici spero di andare in vacanza.
6 Mi avevano telefonato per un motivo particolare. Il motivo non era molto chiaro.
7 Volevano accettare un'offerta speciale. Io non mi fido di questa offerta.
8 Alla fine abbiamo deciso di rivedere i nostri progetti. Questa mi sembrava la soluzione migliore.

 # METTETEVI IN MOTO!

4 Un sondaggio

Completa ogni affermazione e poi intervista alcuni compagni di classe, annotando le loro risposte.

La ragione per cui ho deciso di studiare l'italiano è …
Quello che mi interessa di più durante le lezioni è …
Quello che non mi piace molto è …
La lezione durante la quale ho imparato molto/poco è stata … perché …
La città italiana in cui mi piacerebbe vivere è …
Il libro italiano che usiamo in classe …
Il giorno della settimana in cui posso dedicare più tempo all'italiano è …
I problemi grammaticali ai quali vorrei trovare una soluzione sono …

Scegli una delle persone che hai intervistato e scrivi una breve relazione basata sulle sue risposte. Per esempio:

La ragione per cui John ha deciso di studiare l'italiano è che ha alcuni parenti italiani che va a trovare ogni tanto e con i quali vorrebbe parlare italiano.

5 Definizioni

5a A coppie. Cercate di scrivere una definizione per le parole indicate qui sotto. Se volete, potete scrivere più definizioni come nell'esempio. Confrontate le vostre definizioni con quelle di un'altra coppia.

Il dizionario

Il libro **che** consulto se non capisco una parola.
Il libro **al quale/a cui** faccio riferimento quando non riesco a capire qualcosa.
È il libro **in cui/dove** cerco le parole che non capisco.

lo spazzolino da denti	*il cellulare*	l'elenco telefonico	il medico	il supermercato
una piantina della città	*il libro di grammatica*		il motore di ricerca	*l'autobus*

5b Se preferite, potete formare squadre di due o tre studenti ed improvvisare un gioco. A turno, una squadra deve suggerire una parola da definire. Tocca all'altra squadra proporre una definizione, la quale deve contenere un pronome relativo usato in modo corretto, come nella'attività precedente. Ogni definizione corretta vale un punto.

6 Creiamo altri proverbi!

In italiano ci sono vari proverbi che vengono introdotti da **chi**, per esempio:

Chi dorme non piglia pesci. *The early bird catches the worm (literal meaning = the one who sleeps does not catch the fish).*

Chi vivrà, vedrà. *Time will tell (literal meaning = the person who lives will see).*

Adesso tocca a voi creare i vostri 'proverbi'. Cercate di scrivere almeno dieci frasi basate su qualsiasi argomento – cibo, soldi, ambiente, casa, studi, ecc. Confrontate i vostri proverbi con quelli dei compagni di classe.

Esempi:

Chi è diligente, passerà l'esame.
Chi usa sempre la macchina, inquina l'ambiente.

7 Descrizioni

Per fare questa attività, ognuno deve portare in classe una foto, nella quale ci sono parecchie persone, e descriverla ai compagni di classe, utilizzando dove necessario i pronomi relativi adatti.

Esempio:

Questa è una foto che è stata fatta quando ero a scuola. Questa ragazza che sta in piedi è quella con cui giocavo sempre. Tutti quelli che sono seduti ... Quel ragazzo che sorride, il cui nome non mi viene più in mente ... Le persone con cui sono rimasto in contatto ... Mi ricordo sempre il giorno in cui ...

Chi vuole può fare una descrizione scritta di questa foto.

43 Questions – the interrogative

MECCANISMI

43.1 'Yes/no' questions

Questions requiring the answer 'yes' or 'no' can be put in the following ways.

- You can keep the same word order as if you were making a statement:

Roberto sta a casa?
Is Roberto staying at home?

In spoken Italian, the sentence is given a questioning intonation by raising the voice at the end. In writing, the punctuation marks the difference.

- You can invert (= turn round) the subject and the verb:

È cominciato il film?
Has the film started?

This is very common when the subject is a pronoun:

*Hai prenotato **tu** i posti in platea?*
Did **you** book the seats in the stalls?

The inversion puts greater emphasis on the subject pronoun (**tu** in this example).

Note the word order when you invert the verb and subject in a sentence containing **essere**:

La trama era difficile da seguire?
Era difficile da seguire la trama?
Was the plot difficult to follow?

The adjective **difficile** comes before the subject, **la trama**.

43.2 Interrogative (question) words

Not all questions require 'yes/no' as an answer. You often need more specific information such as 'who?', 'what?', 'when?', 'where?'. In questions with a question word the word order is very much the same as in English.

43.2.1 Who(m)?

Chi conveys both 'who' and 'whom'.

> **Chi** *è l'attrice principale?*
> **Who** is the main actress?

> **Chi** *hai incontrato durante l'intervallo?*
> **Who(m)** did you meet during the interval?

Chi is used after a number of prepositions to ask questions.

> **Con chi** *andate a teatro?*
> **Who** are you going to the theatre **with**?

> **A chi** *devo chiedere?*
> **Who** do I have to **ask**?

> **Di chi** *parlate?*
> **Who** are you speaking **about**?

🖉 In Italian you cannot put the preposition at the end as you can in English.

- 'Whose' in a question word with **essere** is **di chi**.

> **Di chi** *è questo programma?*
> **Whose** programme is this?

🖉 Take care not to confuse the interrogative pronoun **di chi** with the relative pronoun **il cui** (see Chapter 42, section 42.3). This also applies to some of the other question words referred to in this chapter.

43.2.2 What?

Italian has three expressions, *che*, *che cosa* and *cosa*, the latter being more frequently used in the spoken language.

> **Che** *fai stasera?*
> **What** are you doing this evening?

> **Cha cosa** *danno al cinema?*
> **What's** on at the cinema?

As in the case of *chi*, *che/che cosa/cosa* can also be used in combination with a number of prepositions:

> **A che cosa** *si riferiscono?*
> **What** are they referring **to**?

> **Di che** *tratta il dramma?*
> **What's** the play **about**?

43.2.3 Which?

You use *quale* (plural *quali*) to clarify a choice. In the first example *quale* accompanies the noun and therefore functions as an adjective. It is used as a pronoun in the other three examples. Note in these examples with *essere* that *quale* shortens to *qual* and the *-e* is **not** replaced by an apostrophe.

Quale scena ti è piaciuta di più?
Which scene did you like most?

Qual è l'ultimo film che hai visto?
Which is the last film you saw?

Qual è il numero di telefono della biglietteria?
What is the box office telephone number?

Qual è il prezzo di questo biglietto?
What is the price of this ticket?

⇒ **Exercise 1**

Quando?	When?	Quanto/a/i/e?	How much/many?
A che ora?	At what time?	Dove?	Where?
Perché?	Why?	Che/che tipo di?	What? What kind of?
Come?	How?/What … like?		

43.2.4 Other common question words

Quando partite?
When are you leaving?

A che ora finisce il concerto in piazza?
At what time does the concert in the square finish?

Perché non hai guardato la seconda puntata?
Why didn't you watch the second episode?

Come sono andate le prove?
How did the rehearsals go?

Com'erano gli effetti speciali?
What were the special effects **like**?

Dove hai comprato il DVD del film?
Where did you buy the DVD of the film?

Che/che tipo di musica ti piace?
What kind of music do you like?

Quante recensioni del libro hai letto?
How many reviews of the book have you read?

⇒ **Exercises 2, 3**

In conversation, it is quite common to put some of the above question words at the end in order to achieve a specific emphasis:

Partite quando?
You are leaving when?

Ne hai lette quante?
You've read how many?

Hai comprato il DVD del film dove?
You bought the DVD of the film where?

Exercise 4

 # METTETEVI A PUNTO!

1 Interrogatorio di terzo grado!

Un'amica ti fa un sacco di domande su una tua passione, la musica. Completa le domande con *chi, a/di/con chi, che cosa, a/di che cosa, quale, qual* secondo il senso.

– . . (**1**) . . stai ascoltando? – Il CD del mio cantante preferito
– . . (**2**) . . te l'ha comprato? – Mia sorella
– . . (**3**) . . tratta la canzone? – Penso che il significato delle parole sia molto chiaro.
– . . (**4**) . . si riferisce quell'ultima frase? – Ma lasciami in pace
– . . (**5**) . . è l'ultimo CD che hai comprato tu? – Non mi ricordo
– . . (**6**) . . concerto vai a vedere domani sera? – Nessuno, domani sera vado al cinema.
– . . (**7**) . . ci vai? – Non sono affari tuoi!
– . . (**8**) . . posso chiedere allora? – Alla persona con cui ci vado?
– . . (**9**) . . è? – Non ho ancora deciso. .
– . . (**10**) . . è questo CD? – Di mia sorella.

2 Conoscersi meglio

Un gruppo di italiani con cui fate uno scambio culturale frequenterà domani mattina la lezione d'italiano. Per conoscere meglio il gruppo, la classe desidera preparare una serie di domande da fare. Completa le seguenti domande scegliendo il corretto interrogativo dal riquadro.

di dove	che cosa	*quanti*	*quali*	*come*	chi	*perché*	*qual(e)*	*quando*

1 ... ti chiami?
2 ... è il tuo cognome?
3 ... si scrive?
4 ... anni hai?
5 ... è il tuo compleanno?
6 ... sei?
7 ... è la zona in cui abiti?
8 ... siete in famiglia?
9 ... sono?
10 ... hai scelto di studiare l'inglese?
11 ... hai incominciato a studiarlo?
12 ... materia ti piace di più a scuola?
13 ... sono i tuoi passatempi preferiti?
14 ... fai in genere durante le vacanze estive?
15 ... sono i tuoi progetti per il futuro?

3 Ecco le risposte!

Le seguenti risposte sono state date dai vari componenti del gruppo di italiani che ha appena fatto lo scambio culturale con la vostra classe. Scrivete le domande che sono state fatte per ottenere queste risposte, facendo attenzione all'ordine delle parole!

1 Siamo venuti in aereo.
2 Siamo arrivati qui verso le cinque del pomeriggio.
3 La mia materia preferita è l'inglese.
4 Sono venuta qui per perfezionare la lingua.
5 Mia sorella ha appena compiuto quindici anni.
6 Per il suo compleanno le ho comprato una collana.
7 Il nostro appartamento è molto spazioso.
8 È al quinto piano.
9 Si trova a due passi dal mare.
10 Per arrivare in centro ci vuole un quarto d'ora.
11 Abitiamo in questo appartamento da sei anni.
12 Frequento il liceo classico.
13 È l'ombrello del nostro professore.
14 Sto pensando alle mie vacanze.
15 Andrò in Austria.

4 Ma non ci posso credere!

Un compagno di classe ti racconta certe cose che ti sbalordiscono. Ogni volta che dice qualcosa tu reagisci mettendo la parola interrogativa alla fine della frase, come nell'esempio (non dimenticare che l'intonazione sale alla fine di ogni frase).

Esempio:

Ieri mi sono comprato una Ferrari.
Ti sei comprato <u>cosa</u>?

1 Stamattina mi sono alzato alle cinque.
2 Quest'estate io e i miei amici andiamo in Islanda.
3 Per il mio compleanno mia zia mi ha regalato una bicicletta.
4 Ieri sera mio fratello ha vinto duecento mila sterline alla lotteria.
5 Abbiamo fatto tutta la strada a piedi.
6 Ho prestato il DVD a Barbara.
7 Stanno parlando delle telenovele.
8 Dei due film preferisco vedere quello comico.

METTETEVI IN MOTO!

5 Voglio sapere tutto

Un(a) amico/a ti racconta una cosa che ha fatto o intende fare – non importa quale sia l'argomento (cinema, teatro, sport, vacanze, studi, passatempi, ecc.) – ma tu, essendo molto curioso, vuoi sapere tutti i dettagli e quindi gli/le rivolgi parecchie domande.

Esempio:

– *A Pasqua, sono andato/a in Italia.*
– *Dove sei andato?*
– *Sono andato a Venezia.*
– *Con chi? Com'era il tempo? Quanto ti sei fermato?*

Finita la conversazione, bisogna cambiare ruolo.

6 Rompiamo il ghiaccio

Intervista almeno tre compagni di classe usando le domande dell'esercizio 2, *Mettetevi a punto!* che ritieni più adatte. Naturalmente, se vuoi, puoi fare delle domande supplementari.

7 Cosa?

A coppie. Lo studente A racconta qualcosa che ha fatto o che gli è successo ultimamente. Lo studente B interviene spesso perché non sente bene quello che dice oppure ne rimane sorpreso.

Esempio:

– *Sabato scorso sono andato a trovare un amico.*
– *Sei andato a trovare chi?*
– *Un amico. Vive in campagna.*
– *Vive dove?*
– *In campagna. Ci conosciamo da quando eravamo alla scuola elementare.*
– *Vi conoscete da quando? ecc.*

Adesso è il turno dello studente B.

8 Scopriamo l'Italia

Lavorate a gruppi di tre o quattro. Ogni gruppo deve preparare venti domande sull'Italia. Naturalmente bisogna conoscere le risposte a queste domande. Lo scopo dell'attività è di conoscere meglio l'Italia e quindi le domande possono riferirsi a qualsiasi cosa, per esempio:

1   Qual è l'attuale popolazione dell'Italia?
2   Qual è la capitale d'Italia?
3   Chi ha dipinto la Cappella Sistina?
4   Come si chiama l'attuale primo ministro?

Finita la preparazione, rivolgete le vostre domande a un altro gruppo che, a turno, vi rivolgerà le sue. Un punto per ogni risposta corretta. La squadra vincente sarà premiata!

9 Cercasi qualcuno con cui dividere l'appartamento

Vuoi trovare qualcuno con cui dividere un appartamento. Naturalmente deve essere una persona con cui andrai d'accordo. Allora devi intervistare almeno tre o quattro persone allo scopo di scegliere la persona più adatta. Sarà necessario quindi pensare bene alle domande che vuoi fare, le quali possono riferirsi a passatempi, abitudini, cibo, carattere, ecc. Presa la decisione, puoi comunicarla e giustificarla a quelli che hai intervistato.

10 Indovina l'oggetto

A coppie. Lo studente A pensa a un oggetto. Lo studente B, facendo un massimo di venti domande, deve indovinare di che cosa si tratta. Lo studente A non deve fornire troppe informazioni sull'oggetto e, secondo la domanda, può rispondere solo 'sì' o 'no'.

Esempio:

– *Che forma ha questo oggetto?*
– *È rettangolare.*
– *Di che colore è?*
– *Potrebbe essere di qualsiasi colore.*
– *È qualcosa che si mangia?*
– *Assolutamente no.*

Adesso tocca allo studente B pensare a un oggetto.

44 Exclamations

MECCANISMI

The following are common types of exclamations. You will notice that some of the words used are also used as interrogatives (see Chapter 43).

44.1 *Che*

This is the equivalent of 'what a … !' or 'what … !'. The indefinite article **un/una**, etc is omitted.

Che bella casa!	What a beautiful house!
Che film meraviglioso!	What a wonderful film!
Che peccato!	What a pity!
Che barba!	What a bore!

Che can also be followed by an adjective and it conveys 'how … !'

Che bravo!	How good!
Che carino!	How cute!

The following type of construction introduced by **che** is even more emphatic and very colloquial:

Che bella casa che hai!	What a beautiful house you have!
Che mangione che sei!	What a big eater you are!
Che bravi che sono!	How good they are!
Che sciocco che sei!	How silly you are!

44.2 *Come* + verb (usually *essere*) + adjective/adverb

This means 'How … !'.

Come sei ambiziosa!	How ambitious you are!
Come parlate bene!	How well you speak!

'(Just) look how … !' is **Guarda (un po') come … !** + verb:

Guarda come nevica!	Look how it's snowing!
Guarda un po' come mangiano!	Just look how they're eating!

44.3 *Quanto*

This means 'what a lot (of) … !'

Quanti sbagli!	What a lot of mistakes!
Quante storie!	What a lot of nonsense!
Quanto abbiamo speso!	What a lot we've spent!
Quanto tempo hanno sprecato!	What a lot of time they've wasted!

 Exercise 1

 # METTETEVI A PUNTO!

1 Una reazione esclamativa!

Reagisci a ciascuna delle seguenti situazioni usando una frase esclamativa adatta scelta dal riquadro.

1 Tutto il giorno non fai altro che stare seduto davanti a quel televisore. Non ti alzi mai prima delle undici, non muovi mai un dito per darmi una mano a fare i lavori domestici, insomma …

2 Ancora una volta, il nostro professore ci fa fare questi esercizi, ci chiede di imparare un sacco di verbi, ci spiega in continuazione le regole grammaticali, ma …

3 Giorgio, mi sono accorto di aver fatto un piccolo sbaglio, ho lavato la macchina dei nostri vicini anziché la nostra!

4 Sai che a giugno sono andato a trascorrere un paio di giorni al mare e in spiaggia ho incontrato alcuni ex-compagni di scuola che non vedevo da anni?

5 Per il mio compleanno, i miei genitori mi hanno comprato dei vestiti, mia sorella mi ha regalato una collana e un paio di orecchini e mio fratello mi ha mandato un bellissimo braccialetto.

6 Mamma, ho messo in ordine la mia camera, ho lavato i piatti, ho dato da mangiare al pappagallo e ho pulito il bagno.

7 Quanto ti hanno fatto pagare per quella bicicletta? – Più di trecento euro. – Ma scherzi! Ha una gomma bucata, è tutta arrugginita, i freni non funzionano …

8 I miei amici volevano andare a vedere la prima visione di un film straniero ma c'era una coda lunga due chilometri e quindi …

9 Posso accendere il riscaldamento? Fa un freddo cane qui dentro. Ogni volta che starnutisco, mi si formano dei ghiaccioli al naso.

10 Non voglio troppo sugo sugli spaghetti. Secondo me, hai messo troppo sale. Questo pane mi sembra un po' secco. Questo coltello non è quello giusto per il pesce.

Che pignolo che sei!   *Quanta gente!*   Che scemo!   Quanti regali!

Che fregatura!

Come sei bravo!   Che freddo!   Che pigrone che sei!   Che barba!   Che coincidenza!

METTETEVI IN MOTO!

2 Reazioni ad esperienze personali

a A coppie. Lo studente A racconta un'esperienza personale – basata su qualsiasi argomento (lavoro, vacanze, studi, casa ecc.) – durante la quale esprime le sue reazioni, come negli esempi sottolineati. Lo studente B non può far altro che esprimere il suo assenso usando delle espressioni esclamative!

Esempio:

A: *Sai, sono appena tornato dall'Italia.*
B: *Ma, come sei abbronzato!*
A: *Ma* <u>*che caldo che ha fatto*</u>*, ogni giorno 28-30 gradi.* <u>*Quanta gente in spiaggia*</u>*! Durante il soggiorno abbiamo girato un bel po'. Ti dico,* <u>*che posti stupendi, che paesaggio magnifico*</u>*! E la gente,* <u>*come era simpatica, gentile, ospitale*</u>*!*
B: *Che bello! Quanti bei ricordi avrai della tua vacanza!*

Adesso tocca allo studente B raccontare una sua esperienza.

b Scrivi brevemente alcune esperienze di questo genere, cercando di includere naturalmente una varietà di frasi esclamative adatte.

3 Com'è bello essere positivi!

Lavorate a gruppi di tre o quattro. Durante questa attività lo scopo è di dire a turno tutte le cose positive che potete in modo da rallegrarvi, per esempio:

– *John, come sei elegante oggi!*
– *Grazie, come sei gentile!*

– *Marta, che bella maglia che hai!*
– *Me l'ha regalata mia sorella per il mio compleanno.*

– *Luisa, come parli bene l'italiano!*
– *Da quando ho partecipato allo scambio ho più fiducia, non ho più paura di parlare.*

– *Quante cose interessanti abbiamo fatto durante la lezione!*
– *Hai perfettamente ragione.*

– *Quanti esercizi abbiamo fatto oggi!*
– *Sì, ma è proprio quello che ci voleva.*

45 Direct and indirect speech

MECCANISMI

45.1 Direct speech

Direct speech is what people actually say – verbatim. Its use is identical in English and Italian, except that direct speech in Italian is indicated by long dashes (– *trattini*) or speech marks (" " / « » *virgolette*), where English uses inverted commas (' ').

> *Elena mi disse: «Non posso aspettare che arrivino gli altri perché ho fretta.»*
> 'I can't wait for the others to arrive because I'm in a hurry,' Elena told me.

> *L'amico rispose: «Ho capito benissimo che devi andare.»*
> 'I understood very well that you have to go', replied the friend.

Note that in the above examples the verbs – *disse* and *rispose* – precede the direct speech, but they could equally come after, in which case the position of subject and verb is inverted:

> *«Non posso aspettare che arrivino gli altri» mi disse Elena.*

45.2 Indirect (or 'reported') speech

This is when quotation marks are not used, and what was said is, indeed, reported:

> *Elena **mi disse che non poteva aspettare** che arrivassero gli altri perché aveva fretta.*
> Elena **told me (that) she couldn't wait for** the others to arrive because she was in a hurry.

> *L'amico **rispose che aveva capito** benissimo che doveva andare.*
> The friend **replied that he had understood** very well that she had to go.

There are three things to notice:

- What was said, stated, answered, etc. is introduced by *che* in Italian; you cannot omit it as you can 'that' in English.

- The subject of the verb changes. The 'I' and 'you', *posso*, *ho*, *devi* in the examples in direct speech, become 'he/she' in reported speech, *poteva*, *aveva*, *doveva*. Similarly the plural forms 'we/you' would change to 'they'. This same rule would also apply, for example, to possessive pronouns and adjectives, so that *il mio* in direct speech would become *il suo* in reported speech.

- When the verb introducing the reported speech is in the past tense – imperfect *diceva*, perfect *ha detto*, past definite *disse* or pluperfect *aveva detto* – then the changes illustrated in the following table, using *fare* as an example, will take place:

Direct speech	Reported speech
fa (present)	faceva (imperfect)
farà (future)	avrebbe fatto (past conditional)
avrà fatto (future perfect)	avrebbe fatto (past conditional)
ha fatto (perfect)	aveva fatto (pluperfect)
farebbe (conditional)	avrebbe fatto (past conditional)
fece (past definite)	aveva fatto (pluperfect)

Risposero: «Fu impossibile.»
'It was impossible', they replied.

Risposero che era stato impossibile.
They replied that it had been impossible.

Dissero: «Non lo faremo/faremmo mai.»
'We shall/would never do it', they said.

Dissero che non lo avrebbero mai fatto.
They said they would never do it.

In addition to **rispondere** and **dire** here are some other verbs you can use to introduce reported speech. In the interest of variety you should try and use them where appropriate.

affermare	to state	*precisare*	to clarify
confermare	to confirm	*promettere*	to promise
dichiarare	to declare	*raccontare*	to tell/relate
esclamare	to exclaim	*sostenere*	to maintain
osservare	to observe	*sottolineare*	to underline
pensare	to think	*spiegare*	to explain

If the verb of reporting, stating, etc is in the present or future, then the verbs in the dependent clauses retain the same tense:

Dice: «Ci vado/andrò io.»
'I am going/shall go there' he says.

Dice che ci va/andrà lui.
He says that he is going/will go there.

After verbs such as **dire**, **pregare**, **ordinare**, the imperative in direct speech is usually replaced by **di** + infinitive in reported speech:

Gianni mi ha detto: «Di' agli altri di venire a trovarmi domani quando mi sentirò un po' meglio.»
'Tell the others to come and see me tomorrow when I shall feel a bit better,' Gianni told me.

Gianni mi ha detto di dire agli altri di andare a trovarlo il giorno dopo quando si sarebbe sentito un po' meglio.
Gianni told me to tell the others to go and see him the day after when he would be feeling a bit better.

Note also other changes that can result from the transformation from direct to indirect speech:

Direct speech	Indirect speech	Direct speech	Indirect speech
questo	quello	domani	il giorno dopo/
qui/qua	lì/là		seguente
ora	allora	il mese/l'anno	il mese/l'anno
oggi	quel giorno	scorso	precedente/prima
ieri	il giorno prima	il mese/l'anno	il mese/l'anno
		prossimo	successivo/seguente
		venire	andare

ⁱⁿᵖ Exercises 1, 2

45.3 Indirect questions

These occur after verbs such as **sapere**, **chiedere**, **domandarsi**. Tense usage is much the same as in English, although verb and noun subject are sometimes inverted:

Sapete dove si trova il duomo?
Do you know where the cathedral is?

Chiedile perché non ha imparato a guidare.
Ask her why she hasn't learned to drive.

Mi domandavo come fossero riusciti a pagare il conto.
I was wondering how they had managed to pay the bill.

(The 'direct' questions would have been: **Dove si trova il duomo?**, **Perché non hai imparato a guidare?** and **Come siete riusciti a pagare il conto?**.)

In indirect questions it is also possible to use the subjunctive and this is particularly common in the written language. In spoken Italian, however, there is an increasing tendency to use the indicative.

'What' in an indirect question is **quello/ciò che** – see section 42.5 – although **che cosa** is frequently used in the spoken language:

Non so quello che ti dà fastidio.
I don't know what is bothering you.

ⁱⁿᵖ Exercises 3, 4

 METTETEVI A PUNTO!

1 Un colloquio

Giorgio deve presentarsi a un colloquio per un posto di lavoro. Bisogna volgere il discorso diretto di Giorgio, della sua mamma e del datore di lavoro al discorso indiretto, completando le frasi.

1   «Domani mattina devo alzarmi alle sette.»
    Giorgio ha detto che …
2   «Mettiti la cravatta e portati i certificati.»
    La sua mamma gli ha suggerito di …
3   «Accetta di cominciare subito se ti offrono il lavoro.»
    Inoltre, gli ha detto di …
4   «Preferirei cominciare a settembre, prima voglio andare in vacanza.»
    Giorgio ha risposto che …
5   «Perché ha fatto domanda per questo lavoro?»
    Il datore di lavoro gli ha chiesto …
6   «Sa parlare tedesco?»
    Nel corso del colloquio gli ha domandato …
7   «Che cosa ha studiato all'università? È disposto a viaggiare per motivi di lavoro?»
    Inoltre gli ha chiesto …
8   «Quale sarà lo stipendio? Se mi offrisse il lavoro, potrei cominciare a settembre?»
    Giorgio ha voluto sapere …
9   «Non posso dirle niente oggi perché domani devo parlare con altri due candidati. Le farò
    sapere la mia decisione alla fine di questa settimana.»
    Il datore di lavoro ha risposto che …

2 Un traduttore indiretto!

Traduci in italiano le seguenti frasi.

1   She explained that she had met them the week before.
2   My friend told me that he wanted to go to university the following year.
3   They maintained that inflation had gone down by 3%.
4   My friend replied that he would be happy to see them again.
5   We confirmed that the decision had been taken the day before.
6   The Ministers stated that they would do all they could to help the developing countries.

3 Facciamo il contrario

Barbara è andata in Italia a trovare la sua amica Roberta. Qui sotto c'è il riassunto di certe
cose che sono state dette o chieste durante la sua visita. Volgi il discorso indiretto al
discorso diretto.

Esempio:

1   *«Posso telefonare ai miei per dire che sono arrivata sana e salva?»*

1   Al mio arrivo ho chiesto alla famiglia se potevo telefonare ai miei per dire che ero arrivata
    sana e salva.
2   La nonna di Roberta mi ha detto di prendere la chiave quando volevo uscire.
3   I suoi genitori mi hanno chiesto perché avevo viaggiato in pullman. Hanno detto che
    l'aereo era molto comodo perché l'aeroporto si trovava a dieci chilometri da casa loro.
    Hanno aggiunto che se fossi arrivata in aereo sarebbero venuti a prendermi.
4   Ho risposto che l'aereo era troppo costoso e a parte quello, non mi piaceva viaggiare in
    aereo.
5   Roberta mi ha chiesto se sarebbe potuta venire a trovarmi dopo i suoi esami.
6   Ho domandato a Roberta se faceva sempre così caldo in estate e le ho spiegato che da
    noi, in Inghilterra, non aveva fatto altro che piovere in quegli ultimi due mesi.
7   Hanno voluto sapere se i miei stavano bene e se mia sorella si era sposata.
8   I genitori di Roberta mi hanno spiegato che si erano divertiti tanto durante il loro
    soggiorno in Inghilterra e avevano intenzione di tornarci l'anno dopo.

4 Alcune interviste

Seguono dei brani di quattro interviste tratte da alcune riviste e giornali. Nel primo brano un attore parla di suo padre. Nel secondo, un'annunciatrice racconta le sue buone abitudini alimentari. Nel terzo, un'attrice parla di una sua relazione e nel quarto una donna parla dell'esperienza di diventare mamma a 38 anni.

Bisogna riscrivere i quattro brani volgendo il discorso diretto al discorso indiretto. Non dimenticare di fare tutti i cambiamenti necessari a pronomi, forme verbali, ecc.

a

«Quando questa estate mio padre mi ha lasciato mi sono sentito orfano. Sono stato molto male, anche perché, proprio nel dolore mi sono accorto di quanto sia stata per me importante, determinante la figura paterna. Io e mio padre siamo sempre andati d'accordo anche se a un certo punto ci fu un problema serio tra di noi: ci trovammo infatti a superare uno scoglio difficile, un nodo cruciale nella mia via.»

(*Gente*, 13.11.1995)

b

«Penso che il mio segreto sia proprio nella dieta perché riesco a seguirla sebbene io sia certamente una che sta a casa calma e tranquilla. Al mattino quando mi sveglio, bevo una grossa spremuta di arancia. Mangio mele, muesli e yogurt fatto in casa.

«Se a metà mattina mi viene fame, mi fermo in qualche bar e mangio uno yogurt. Oppure ho sempre qualche mela nella borsa. Ricorro anche spesso alle spremute d'arancia. Il classico tramezzino non lo prendo mai. A mezzogiorno una insalata e un uovo, se mi trovo dove posso mangiare un piatto così. Alla Rai potrei andare in mensa, si mangia bene lì, ma il tempo non è sufficiente per mangiare e rimettersi in ordine prima di apparire sul video.»

(*Grazia*, 3.11.95)

c

«Io e Giuliano ci amiamo da undici anni. Tutti i nostri amici, i figli, le persone a noi vicine lo hanno sempre saputo. Siamo pure andati a vivere insieme.»
«Se finora nessuno di noi due ne ha parlato o ne ha voluto parlare apertamente è perché non ci piaceva sbandierare un sentimento che per noi è bello e molto profondo e non volevamo ferire nessuno in modo gratuito.»

(*Corriere della Sera*, 31.8.2000)

d

«Ci sono circostanze in cui una donna non può scegliere di avere un figlio a vent'anni. Qualche esempio? Un bambino non arriva subito (ma non è stato il mio caso) oppure non si trova il compagno giusto. Sarebbe bello programmarsi la vita, come si fa con i conti di un'azienda.»

«Credo che decidere di fare carriera e rimandare la maternità sia una decisione più che legittima. Nella stessa maniera in cui va rispettata la donna che vuole subito un figlio: se lo desidera insieme al suo compagno o marito, non esistono privazioni o rinunce. Comunque quando un figlio è voluto, non c'è età, non esistono differenze. E soprattutto non si dovrebbe entrare nel merito della decisione.»

(Corriere della Sera, 1.9.2005)

 METTETEVI IN MOTO!

5 Sottovoce

Lavorate a gruppi di tre. Lo studente A bisbiglia qualcosa all'orecchio dello studente B. Lo studente C, essendo molto curioso, chiede allo studente B di riferire quello che ha detto lo studente A. Cambiate spesso ruolo.

A: (*bisbiglia*) Esci stasera?
B: Che cosa ha detto?
C: Mi ha chiesto se uscivo stasera.

B: Ho lavorato in un bar tutta l'estate.
C: Che cosa ha detto?
A: Mi ha detto che aveva lavorato in un bar tutta l'estate.

6 Autobiografia!

Intervista un compagno di classe sugli avvenimenti più importanti della sua vita, annotando quello che dice. Poi cambiate ruolo. Alla conclusione delle due interviste, bisogna scrivere la biografia l'uno dell'altro, utilizzando frasi come *mi ha detto che*, *ha chiesto se*, *ha risposto che*, *ha aggiunto che*, *ha affermato che*, *ha scoperto che*, *ha spiegato che*, *si è reso/a conto che* …

7 Una conversazione interessante

Cerca di ricordarti di una conversazione interessante che hai fatto ultimamente. Forse vale la pena passare alcuni minuti a prendere dei brevi appunti su questa conversazione prima di riferirla a un compagno di classe.

Esempio:

Stamattina ho incontrato per caso una ragazza che non vedevo da parecchi anni. Le ho chiesto se ... Mi ha risposto che ... Le ho spiegato che ... Lei mi ha detto che ...

Adesso tocca al tuo compagno riferirti la sua conversazione.

8 Raccontami una barzelletta

A coppie. A turno, raccontatevi una barzelletta.

Esempio:

– Allora c'è questo studente che arriva a scuola sempre in ritardo e quando il maestro gli chiede perché arriva in ritardo, lo studente gli dice che ...

In seguito raccontate la barzelletta che avete sentito a un altro compagno di classe.

– Allora James mi ha raccontato una barzelletta riguardante uno studente che arrivava a scuola ...

9 Una giornata indimenticabile!

A coppie. Parlate a turno di una giornata (o un episodio) particolarmente memorabile o divertente. Naturalmente potete farvi delle domande. Non è necessario che sia un monologo. Forse sarebbe meglio prendere degli appunti per non dimenticarsi dei dettagli importanti. Dopo, dovete riferire quello che avete sentito a un'altra coppia.

46 Time, days, dates

 **MECCANISMI**

You are probably familiar with how to tell the time and refer to days and dates by this stage, so this chapter will serve to revise these points and make some observations.

46.1 Time of day

46.1.1 What time is it?

Che ora è/che ore sono?
What time is it/what's the time?

Che ora fai, per favore?
What time do you make it, please?

In Italian, as in English, there is a conversational way and a more formal way – used for train and bus timetables etc – of telling the time.

Partiamo alle sette e un quarto/alle sette e mezza.
We are leaving at a quarter past seven/at half past seven.

Il pullman arriverà alle undici e quindici/alle undici e trenta.
The coach will arrive at eleven fifteen/eleven thirty.
(***Un quarto, mezzo/a*** are replaced by figures in 'formal' announcements.)

When telling the time, use ***è*** for ***l'una, la mezza, mezzogiorno*** and ***mezzanotte; sono*** for the other hours.

È l'una.	It's one o'clock.
Sono le quattro.	It's four o'clock.
Sono le sei e cinque.	It's five past six.
Sono le due e un quarto.	It's a quarter past two.
Sono le due e quindici.	It's two fifteen.
Sono le otto e mezzo/mezza.	It's half past eight.
Sono le otto e trenta.	It's eight thirty.
Sono le nove e cinquanta.	It's nine fifty.
Sono le dieci meno dieci.	It's ten to ten.
Sono le undici meno un quarto.	It's a quarter to eleven.
È mezzogiorno.	It's midday.
È mezzanotte.	It's midnight.
È la mezza.	It's twelve thirty (midday)/midnight.

'a.m.' and 'p.m.' are expressed by ***di/della mattina***, ***di/del pomeriggio***, ***di sera***, ***di notte***.

Siamo partiti di casa alle sette di mattina e siamo arrivati alla costa alle tre del pomeriggio.
We left home at 7 a.m. and we arrived at the coast at 3 p.m.

✏️ Remember however that in timetables, opening hours of shops etc, on TV and radio, and even in ordinary conversation for clarity, the 24-hour clock is used:

Le banche chiudono alle quattordici e trenta.
The banks close at 14.30.

Comincerà alle ore zero e venti.
It will start at 00.20.

➥ **Exercise 1**

46.1.2 'At'

'At' a time is *a*, *all'* or *alle* as appropriate and the question is *a che ora ...?*.

A che ora chiudono i negozi? – Alle dodici e mezza.
At what time do the shops shut? – At 12.30.

A che ora hai finito di lavorare? – All'una.
At what time did you finish working? – At one o'clock.

Verso/circa/intorno a are often used to give an approximate time:

*Ci vediamo **verso le nove/alle nove circa** davanti al cinema.*
We'll see each other/meet **at about nine** in front of the cinema.

*Sono arrivati da noi **intorno alle otto** di sera.*
They arrived at our house **around** 8 p.m.

46.1.3 Morning/afternoon/evening/night

'In the morning/afternoon/evening', 'at night', when no time is expressed can be conveyed as follows: *di/la/alla mattina*, *di/nel pomeriggio*, *di/la/alla sera*, *di notte*.

46.2 Days of the week

lunedì	Monday	*venerdì*	Friday
martedì	Tuesday	*sabato*	Saturday
mercoledì	Wednesday	*domenica*	Sunday
giovedì	Thursday		

Days begin with a small letter, unless of course they start the sentence, and they are all masculine with the exception of *la domenica*.

Note that there is no word for 'on' a day in Italian, and the definite article (*il*/*la*) is used to indicate 'every' Monday etc:

lunedì	Monday/on Monday
il lunedì	on Mondays/every Monday

The idea of 'every' can also be expressed as follows:

ogni domenica/tutte le domeniche	every Sunday

46.3 Months and dates

gennaio	January	*luglio*	July
febbraio	February	*agosto*	August
marzo	March	*settembre*	September
aprile	April	*ottobre*	October
maggio	May	*novembre*	November
giugno	June	*dicembre*	December

Months are written with a small letter.

Use *il primo* for 'the first' of the month, and thereafter the cardinal numbers *due*, *tre*, etc:

Il primo aprile/il 1° aprile	1st April
il ventotto luglio/il 28 luglio	28th July
l'undici ottobre/l'11 ottobre	11th October

The article is *l'* in front of numbers beginning with a vowel, ie *l'otto* and *l'undici*. The numbers *ventuno* and *trentuno* tend to drop the *o* with months beginning with a consonant, eg *il ventun dicembre*.

You cannot put the number after the month, as in English (August 27th).

There is no word for 'on' a date:

il 14 febbraio	on the 14th (of) February

'In' a month can be expressed in the following ways:

a novembre or *nel mese di novembre*	in November/in the month of November

46.4 Years

Years are said in full using the cardinal numbers preceded by the definite article:

il 1966 (millenovecentosessantasei)   1966

This is often shortened in everyday speech to **nel '66**, if the century is known.

'In' a year is **in** + the definite article: **nel 1994**.

When the complete date is written out, the article is omitted before the year:

> *Mia sorella è nata **il 14 novembre, 1979.***
> My sister was born **on the 14th November, 1979.**

✍ Note also the way of expressing decades:

> *Ho sempre preferito la musica degli anni '70 (Settanta).*
> I have always preferred the music of the 70s.

➡ **Exercise 2**

46.5 *Giornata, mattinata, serata*

The long forms **giornata** – day, **mattinata** – morning, **serata** – evening, are used to emphasise the duration of that period of time.

> *Abbiamo passato una serata meravigliosa dai nostri amici.*
> We spent a wonderful evening at our friends' house.

46.6 Time

Don't confuse **il tempo** = the general concept of 'time':

> **Quanto tempo** *ci vuole per imparare una lingua?*
> **How long** (= how much time) does it take to learn a language?

with **il tempo** when it means 'weather':

> **Che tempo farà** *domani?*
> **What will the weather be like** tomorrow?

Una volta = a time, an occasion. It also means 'once upon a time'.

una volta	due volte	molte volte	qualche volta	quante volte?
once	twice	many times	sometimes	how many times?

L'epoca = period of history

all'epoca della prima guerra mondiale   at the time of the First World War

✍ Note: 'To have a good time' is usually **divertirsi molto**.

METTETEVI A PUNTO!

1 Che ore sono, per favore?

A coppie. Dite a turno le seguenti ore, prima in modo formale, poi in modo familiare, come negli esempi:

Esempi:

22.30 Sono le ventidue e trenta. Sono le otto e mezza di sera.

a 05.05	**b** 10.45	**c** 12.09	**d** 14.30	**e** 17.55	**f** 23.40	**g** 02.10
h 00.15	**i** 07.25	**l** 19.07	**m** 11.00	**n** 09.18	**o** 23.20	**p** 06.02

2 Che giorno è oggi?

Detta le date della prima colonna a un compagno di classe senza che le veda. Il tuo compagno le deve scrivere in cifre. Poi, tocca al tuo compagno dettarti le date della seconda colonna.

Esempio:

il 10/4/1980 – il dieci aprile millenovecentoottanta.

a	il 23/6/1965	**b**	l'11/5/1999
c	il 21/8/1850	**d**	il 1/1/1666
e	il 15/2/2006	**f**	il 19/12/1775
g	l'8/3/1941	**h**	il 28/7/2021
i	il 31/10/1313	**l**	il 4/4/1978
m	il 17/11/2000	**n**	il 2/9/1552

 METTETEVI IN MOTO!

3 Una settimana molto intensa

Questa settimana la tua agenda è piena di appuntamenti. Annota sull'agenda almeno quattro appuntamenti diversi per ogni giorno della settimana e indica l'ora precisa di ciascuno.

Esempio:

lunedì 09.00 dentista
10.30 agenzia di viaggi ecc.

In seguito spiega tutto quello che devi fare a un compagno di classe, per esempio:

Allora, lunedì alle nove devo andare dal dentista per una visita di controllo, poi alle dieci e mezza bisogna che io vada all'agenzia di viaggi a ritirare i biglietti dell'aereo ...

Ora tocca al tuo compagno raccontarti la sua settimana.

Se preferite, potete parlare in modo dettagliato di una sola giornata molto impegnata, oppure del vostro orario scolastico o lavorativo.

4 Date significative

Lavorate a gruppi di tre o quattro. Ognuno deve scrivere certi anni o date che hanno un'importanza particolare nella sua vita. A turno bisogna comunicare il significato particolare dell'anno o della data.

Esempio:

Mi ricordo benissimo il 19 agosto 1999 perché ho ricevuto i risultati dei miei esami. Per fortuna, sono riuscito a passarli tutti.

5 Che cosa guardiamo?

A coppie parlate dei vostri programmi televisivi o radiofonici preferiti. Bisogna dire a che ora inizia ogni programma e il giorno della trasmissione.

6 Informazioni varie!

La vostra classe ha avuto l'idea di preparare un opuscolo pieno di informazioni per gli italiani che vengono a visitare la città. Questo opuscolo conterrà molte informazioni relative all'orario di apertura e chiusura di negozi, supermercati, banche, uffici postali, musei, bar, discoteche ecc.

Prima, lavorate a gruppi di tre o quattro e decidete sugli orari che ritenete siano più importanti ed utili. Se non siete sicuri di certi orari, avrete bisogno di fare qualche ricerca prima di iniziare a scrivere l'opuscolo.

Esempio:

Quasi tutti i negozi aprono alle 09.00 e chiudono alle 17.30. Fanno tutti l'orario continuato. Però, i grandi magazzini e i supermercati rimangono aperti fino alle 20.00. Ormai moltissimi negozi aprono anche la domenica. Per quanto riguarda i bar, la maggioranza rimane aperta tutto il giorno, cioè dalle 10.30 fino alle 23.00. Le banche aprono alle 09.30 e chiudono generalmente alle 15.30. Alcune banche aprono anche il sabato ma chiudono alle 12.00.

Prefixes and suffixes

 **MECCANISMI**

Italian uses a considerable number of prefixes and suffixes. They serve to enrich the language either by modifying the words in some way or by giving them an entirely new meaning. This chapter introduces some of them.

47.1 Prefixes

Prefixes are added at the beginning of words, particularly nouns, adjectives and verbs.

47.1.1 Nouns and adjectives

in-, *il-*, *im-*, *ir-*, *s-* and *dis-* are often used to give a word the opposite meaning:

disciplina → *indisciplina*	discipline → indiscipline
legalità → *illegalità*	legality → illegality
possibilità → *impossibilità*	possibility → impossibility
responsabilità → *irresponsabilità*	responsibility → irresponsibility
vantaggio → *svantaggio*	advantage → disadvantage
ubbidienza → *disubbidienza*	obedience → disobedience
felice → *infelice*	happy → unhappy
fortunato → *sfortunato*	fortunate → unfortunate
leggibile → *illeggibile*	legible → illegible
onesto → *disonesto*	honest → dishonest
possibile → *impossibile*	possible → impossible
responsabile → *irresponsabile*	responsible → irresponsible

sovra- and *sopra-* denote excess:

affollamento → *sovraffollamento*	crowding → overcrowding
peso → *sovrappeso*	weight → overweight
affollato → *sovraffollato*	crowded → overcrowded
naturale → *soprannaturale*	natural → supernatural

Note the doubling of the initial consonant after *sovra-* and *sopra-* in the examples above.

sotto- conveys 'under':

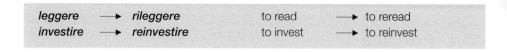

sviluppo → *sottosviluppo*	development → underdevelopment
sviluppato → *sottosviluppato*	developed → underdeveloped

47.1.2 Verbs

ri- and *re-* are frequently used like the English 're-' to indicate repetition:

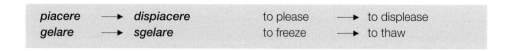

leggere → *rileggere*	to read → to reread
investire → *reinvestire*	to invest → to reinvest

Other meanings conveyed are those of 'sending something back' *rispedire*, 'recovering something' *riacquistare* or 'opposition' *reagire*.

dis- and *s-* often give a verb the opposite meaning:

piacere → *dispiacere*	to please → to displease
gelare → *sgelare*	to freeze → to thaw

Exercise 1

contra- and *contro-* express 'opposition':

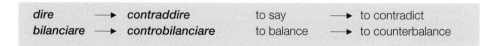

dire → *contraddire*	to say → to contradict
bilanciare → *controbilanciare*	to balance → to counterbalance

mal(e)- conveys the meaning of 'bad, badly or evil':

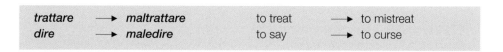

trattare → *maltrattare*	to treat → to mistreat
dire → *maledire*	to say → to curse

47.2 Suffixes

Suffixes are added to the end of a word to modify its meaning and often to convert it to another part of speech.

47.2.1 Noun to verb

A number of verbs are formed by adding *-are* (occasionally *-iare*, *-icare*), *-ire*, *-eggiare*, *-izzare* and *-ificare* to nouns:

arresto → *arrestare*	arrest → to arrest
protesta → *protestare*	protest → to protest
differenza → *differenziare*	difference → to differentiate
neve → *nevicare*	snow → to snow
colpo → *colpire*	blow → to hit
festa → *festeggiare*	party → to celebrate
analisi → *analizzare*	analysis → to analyse
persona → *personificare*	person → to personify

47.2.2 Adjective to verb

The above-mentioned suffixes are also added to adjectives to form verbs:

calmo → *calmare*	calm → to calm
chiaro → *chiarire*	clear → to clarify
bianco → *biancheggiare*	white → to whiten
nazionale → *nazionalizzare*	national → to nationalise
identico → *identificare*	identical → to identify

47.2.3 Verb to noun

Many verbs in *-are* have nouns in *-azione*:

emigrare → *emigrazione*	to emigrate → emigration
formare → *formazione*	to form → formation

A considerable number of nouns derive from the masculine or feminine form of a past participle, and end in *-ato/a*, *-ito/a*, *-uta*:

nevicare → *nevicata*	to snow → snowfall
frullare → *frullato*	to whisk → milk-shake
vendere → *vendita*	to sell → sale
cadere → *caduta*	to fall → fall

-ante, *-ente* are common suffixes for nouns formed from verbs:

cantare → *cantante*	to sing → singer
conoscere → *conoscente*	to know → acquaintance

47.2.4 Verb to adjective

-ante and *-ente* also give rise to the formation of numerous adjectives from verbs:

incoraggiare	→	*incoraggiante*	to encourage	→	encouraging
trasparire	→	*trasparente*	to show through	→	transparent

Note: *-ante* and *-ente* are also the endings of present participles (see Chapter 29, section 29.1.1).

-abile (for *-are* verbs) and *-ibile* (for *-ere* and *-ire* verbs) usually convey a passive meaning, something that can be done, 'possibility':

spiegare	→	*spiegabile*	to explain	→	explicable
credere	→	*credibile*	to believe	→	believable

47.2.5 Adjective to noun

Some common suffixes for nouns formed from adjectives are *-ezza*, *-ia*, *-izia*:

bello	→	*bellezza*	beautiful	→	beauty
allegro	→	*allegria*	cheerful	→	cheerfulness
pigro	→	*pigrizia*	lazy	→	laziness

47.2.6 Noun to adjective

A number of adjectives based on nouns end in **-ale, -ile, -evole, -oso**:

industria	→	*industriale*	industry	→	industrial
musica	→	*musicale*	music	→	musical
giovane	→	*giovanile*	young	→	youthful
primavera	→	*primaverile*	spring	→	spring
amico	→	*amichevole*	friend	→	friendly
avventura	→	*avventuroso*	adventure	→	adventurous
noia	→	*noioso*	boredom	→	boring

Adjectives that derive from geographic names are normally formed using the suffixes *-ano, -ino, -ese*:

America	→	*americano*	America →	American
Parigi	→	*parigino*	Paris →	Parisian
Canada	→	*canadese*	Canada →	Canadian
Milano	→	*milanese*	Milan →	Milanese

47.2.7 Noun to noun

The suffixes *-aio*, *-ario*, *-iere*, *-ista* added to existing nouns generally convey someone's job/profession:

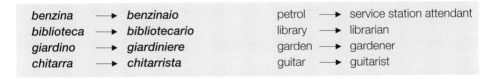

benzina	→ benzinaio	petrol	→ service station attendant
biblioteca	→ bibliotecario	library	→ librarian
giardino	→ giardiniere	garden	→ gardener
chitarra	→ chitarrista	guitar	→ guitarist

-eria, *-ificio* indicate where something is made or sold:

birra	→ birreria	beer	→ brewery
pane	→ panificio	bread	→ bakery

▶ **Exercise 2**

47.3 Diminutives, augmentatives and pejoratives

These are suffixes added to nouns and adjectives to express nuances, particularly of size and of positive or negative nature, indicating, for example, affection or dislike. The equivalent in English generally requires use of adjectives.

47.3.1 Diminutives

-ino/a, *-etto/a* are the most widely used diminutives to indicate smallness:

fratello	→ fratellino	brother	→ little brother
camera	→ cameretta	bedroom	→ small bedroom
caro	→ carino	dear	→ pretty, cute
povero	→ poveretto	poor	→ poor thing

-(i)cino, *-olino* are also fairly common. Sometimes the word loses its final vowel before the suffix is added:

canzone	→ canzoncina	song	→ little song
magro	→ magrolino	thin	→ rather thin
topo	→ topolino	mouse	→ baby mouse

In spoken Italian *-ino* is added to a few adverbs:

bene	→ **benino**	well	→ quite well
poco	→ **pochino**	little	→ rather little
presto	→ **prestino**	early	→ rather early

47.3.2 Augmentatives

-one is a common augmentative denoting largeness:

barca	→ **barcone**	boat	→ a big boat

📝 Note that a feminine noun becomes masculine when *-one* is added to it.

Some nouns that derive from verbs have the *-one* suffix:

chiacchierare	→ **chiacchierone**	to chat	→ a chatterbox
mangiare	→ **mangione**	to eat	→ a big eater

47.3.3 Pejoratives

-astro/a, *-accio/a* tend to create a negative meaning:

poeta	→ **poetastro**	poet	→ worthless poet
parola	→ **parolaccia**	word	→ swear word

📝 Remember that some suffixes can give an entirely new meaning to a word:

la madre	→ **la madrina**	mother	→ godmother
la carta	→ **il cartone**	paper	→ cardboard

📝 Great care should be taken when using prefixes and suffixes. You would be wise to use only those formations you have seen or heard, otherwise you run the risk of 'creating' words that would not be used by the native speaker.

METTETEVI A PUNTO!

1 No, è il contrario

Scrivi il contrario delle parole in neretto, scegliendo uno dei seguenti prefissi: *in-, im-, il-, ir-, s-, dis-*. Serviti del dizionario se necessario.

1 Il bollettino meteorologico è **prevedibile.**
2 Quell'alunno è molto **attento.**
3 Secondo me tutto quello che ha detto era **logico.**
4 Erano tutti **contenti.**
5 Le loro risposte erano **precise.**
6 Vivono in un mondo **reale.**
7 Sono veramente **grati.**
8 Non hanno ancora **caricato** il camion.
9 Hanno lasciato la camera in **ordine.**
10 Che **organizzazione!**
11 È una questione di **uguaglianza** dei sessi.
12 Sarebbe **consigliabile** partire di buon'ora.
13 Il professore **approva** la condotta degli studenti.
14 La sua **decisione** mi ha sconvolto.
15 Che notizia **gradevole!**

2 Formazione di parole!

Utilizzando le parole tra parentesi completa ogni frase con un verbo, sostantivo o aggettivo secondo il senso. Consulta il dizionario se necessario. L'esercizio è basato sui suffissi presentati in questo capitolo.

1 Lei non mi vuole … al matrimonio (*invito*).
2 Queste mele cominciano a … (*marcio*).
3 Tutte queste industrie verranno … (*privato*).
4 Mi puoi … questo palloncino (*gonfio*)?
5 L' … è in continuo aumento (*immigrare*).
6 Dove'è l'… di sicurezza, per favore (*uscire*)?
7 Io prendo una … di limone (*spremere*).
8 Migliaia di … sono scesi in piazza (*manifestare*).
9 Ho appena sentito una notizia molto … (*sconvolgere*).
10 Secondo me, sarebbe … fare questo esercizio a coppie (*preferire*).
11 Il tempo per domani sarà … (*variare*).
12 Il tuo comportamento non è più … (*sopportare*).
13 A mio parere, è una questione di … (*geloso*).
14 Qual è la … di questo fiume (*lungo*)?
15 La serata è stata molto … (*piacere*).
16 Mi piace di più il periodo … (*autunno*).
17 Dobbiamo traslocare perché qui è troppo … (*rumore*).
18 Noi siamo … alla riforma (*favore*).
19 Di che nazionalità è la tua amica? È … (*Giappone*).
20 Mio zio è … e lavora in quella … all'angolo (*tabacco*).

METTETEVI IN MOTO!

3 Che cosa fa un cassiere?

Scrivi un elenco di tutte le parole che terminano per *-aio*, *-ario*, *-iere*, *-ista* che si riferiscono a un mestiere o una professione. Usa il dizionario se necessario.

Adesso confronta il tuo elenco con quello di alcuni compagni di classe. Bisogna definire le parole che qualcuno non capisce, come nell'esempio:

Un cassiere lavora alla cassa in un supermercato o in un negozio, per esempio. È la persona che controlla quello che si compra e a cui bisogna dare i soldi o la carta di credito.

4 Facciamo qualche ricerca

Leggi una rivista o un giornale italiano e fa'un elenco di tutte le parole che trovi con i prefissi o suffissi presentati in questo capitolo.

Porta il tuo elenco in classe e confrontalo con quello di un compagno. Bisogna spiegare il significato delle parole che hai annotato. Naturalmente ci vorrà un po' di tempo per poter svolgere un'attività di questo genere.

48 Introduction to Italian vocabulary

 **MECCANISMI**

48.1 The origins of Italian

Modern Italian is derived from Vulgar Latin, the Latin spoken by ordinary Romans. This broke down into many regional variants or dialects, and in fact, the 'best' Italian used to be associated with Tuscany. Italian comes from the same source as French, Spanish, Portuguese and the other Romance languages.

Much vocabulary in English also comes from Latin, either via Norman French, from other Romance languages, or direct from Latin in more recent times (largely in the fields of science or culture). Hence, Italian and English have a lot of vocabulary in common, and many words new to you in Italian will be recognisable via English or another language you happen to know.

Italian has also imported words from many other languages over the centuries, including a lot of English, especially in recent years, mostly in the fields of sport, pop-music, business, science and computing (eg golf, rugby, computer, mouse, online, intercity, windsurf, weekend). Some imported words keep their original spelling (sometimes with Italian pronunciation): this is usually the case with words adopted in written form, eg **design**. Words imported through spoken language tend to have their spelling adapted to keep the pronunciation similar, such as **gol**, **scuter**. Sometimes Italian re-invents an English word, such as **footing**, which we would not use in English. It is worth noting that verbs based on imported words tend to be in the **-are** verb family, eg **filmare**, **computerizzare**, **fotocopiare**, **chattare**, **surfare**.

48.2 Making sensible guesses

Awareness of important grammatical features will help you to categorise words and get to their base form, either to guess at their meaning or to look them up in a dictionary. For information on types of words, consult Chapter 1, 'Grammar – what is it?'.

New words should not always send you rushing for a dictionary. Often, you will be able to work out the likely meaning for yourself, especially if you already know the base word or recognise it through English or another language you know. (But beware of **falsi amici!** see section 48.5) Clearly, it is easier to make sensible guesses at written words where you can look at them again and again, than at spoken words; for the latter, it helps to visualise the spelling.

It may help to break down a word to get at its core, which may then be recognisable. See section 48.6 for some examples.

48.3 Guessing made easier

An awareness of certain features of spelling between English and Italian words will help you to see connections and provide you with very useful strategies and some **general guidelines** to make sensible guesses. Even a beginner in the language will be able to work out the meaning of hundreds of Italian words they see in Italian newspapers/magazines etc. by applying the following guidelines. You make not be right all the time but 'nothing ventured, nothing gained' – ***chi non risica non rosica***. 'You learn from your mistakes' – ***sbagliando, s'impara***.

English ⟶	Italian	English	Italian
ph	f	*telephone*	telefono
		photo	foto
th	t	*theatre*	teatro
		method	metodo
y	i *or* ia at the end of a word	*system*	sistema
		pharmacy	farmacia
		geography	geografia
x	s *or* ss	*exam*	esame
		prefix	prefisso
ns	s	*transparent*	trasparente
h at the beginning of a word	*no* h	*honest*	onesto
		human	umano
ct	tt	*victim*	vittima
pt	tt	*optimist*	ottimista
dv	vv	*advent*	avvento
dm	mm	*(to) admire*	ammirare
-ble	-ibile	*incredible*	incredibile
-tion	-zione	*station*	stazione
-ction	-zione	*protection*	protezione
-ion	-ione	*decision*	decisione
-nce	-nza	*presence*	presenza
-ty	-tà	*necessity*	necessità
-al	-ale	*central*	centrale
-ary	-ario	*glossary*	glossario
-ive	-ivo	*negative*	negativo
-ous	-oso	*anxious*	ansioso

In words that are otherwise similar in Italian and English, the vowels can be different or the Italian word might have a double consonant whereas the English equivalent has a single one. Do not let these slight differences prevent you from seeing the connections!

English	Italian	English	Italian
participation	partecipazione	independent	indipendente
official	ufficiale	responsible	responsabile
community	comunità	contradictory	contraddittorio

Exercises 1, 2

48.4 Cognates

Cognates are words which come from a common source and are similar to words in another related language. English has an enormous number of words which come from Latin, especially in the fields of science and culture.

Therefore, many Italian words have cognates in English: an awareness of this will help you to work out the meaning of a lot of new words yourself.

There are, of course, **falsi amici** ('false friends'; see section 48.5) which look like a word you know but have an entirely different meaning. Fortunately there are far more genuine cognates than **falsi amici**!

Italian/English cognates can be categorised as follows:

• English words absorbed into Italian without change of meaning

   shopping, design, marketing, bowling, record, tennis, weekend

Some words have spellings adapted into Italian.

• Words which English has borrowed from Italian:

   pasta, vino, allegro, concerto, panini

• Words identical in form to their English equivalent and with comparable pronunciation:

   panorama, idea, mania, motel, scenario

• Words similar but not identical to their English equivalent:

   documento, militare, sistema, clima, movimento, originale

• Verbs whose stem is identical or similar to their English equivalent:

   ammirare, contenere, consistere, limitare, entrare

- Words containing certain common Italian spelling features which, when known, allow easy identification with English equivalents:

  libertà, turismo, indicazione, potenza

48.5 False friends – *falsi amici*

The Italian words in the table look like words you know in English but they have an entirely different meaning. So take care, these are **false friends – *falsi amici***. This is not an exhaustive list, so when you come across others you would be well advised to add them to this list.

Italian	Does NOT mean	DOES mean	Italian equivalent of words in column 2
abito	*habit*	*dress, suit*	abitudine
abusivo	*abusive*	*illegal*	offensivo
accidenti!	*accidents*	*gosh, damn!*	incidenti
annoiare	*to annoy*	*to bore*	infastidire, seccare
argomento	*argument*	*topic, subject*	lite, litigio, discussione
assumere	*to assume*	*to employ, take on*	supporre
attitudine	*attitude*	*aptitude*	atteggiamento
attualmente	*actually*	*currently, at the present time*	in realtà, in verità
bravo	*brave*	*good*	coraggioso
carattere	*character*	*personality*	personaggio
comprensivo	*comprehensive*	*understanding*	esauriente, dettagliato
confidenza	*confidence*	*familiarity, intimacy*	fiducia, sicurezza
delusione	*delusion*	*disappointment*	illusione, inganno
devastato	*devastated, upset*	*ruined, ravaged*	sconvolto
disgrazia	*disgrace*	*misfortune, calamity*	vergogna
educato	*educated*	*polite, well-mannered*	colto, istruito
educazione	*education*	*upbringing*	istruzione
effettivo	*effective*	*actual, real*	efficace
energetico	*energetic*	*energy (needs etc)*	energico
eventualmente	*eventually*	*as/if/where possible etc*	alla fine, infine
facilità	*facilites*	*ease, facility*	attrezzature
finalmente	*finally*	*at last*	infine, per finire
largo	*large*	*wide, broad*	grande , grosso
lettura	*lecture*	*reading*	conferenza, lezione
libreria	*library*	*bookshop, bookcase*	biblioteca

mansione	mansion	task, job	villa, casa signorile
mantenere	to maintain (that)	to keep, maintain (family etc)	affermare, sostenere
miseria	misery	poverty	infelicità, sofferenza
morbido	morbid	soft	morboso
parenti	parents	relatives	genitori
pavimento	pavement	floor	marciapiede
pittura	picture	painting	quadro
pretendere	to pretend	to claim	fingere, fare finta (di)
questione	question (you ask)	issue, matter	domanda
realizzare	to realize	to achieve, fulfil	rendersi conto (di)
restare	to rest	to stay, remain	riposarsi
ricoverare	to recover	to hospitalize	guarire
ritornare	to return, give back	to come back	restituire
sano	sane	healthy	sano di mente
scolaro	scholar	pupil, schoolboy	studioso
sensibile	sensible	sensitive	sensato
simpatia	sympathy	liking	compassione, comprensione
simpatico	sympathetic	nice, likeable	comprensivo etc
soggetto*	subject (you study)	subject (I, you etc), person, individual, topic	materia
sopportare	to support	to stand, endure	fare il tifo per, finanziare, mantenere
spiriti	spirits (whisky etc)	spirit (eg mood/ attitude)	superalcolici
tremendo	tremendous	terrible, awful	enorme, eccezionale
ultimamente	ultimately	recently, lately	alla fine, in definitiva
urlare	to hurl	to shout	lanciare, gettare

Exercises 3

✏ * **soggetto** does not look as much like a 'false friend' as the other words in the table but it is listed here because it is an error that students frequently make.

Some of the words in the above table will have different meanings in different contexts. In order to verify these meanings you need a good dictionary, especially when you progress to the intermediate/advanced stage of language learning. Such a dictionary will provide you with essential information about the grammatical function of the word you are looking up, for example: n = noun; agg = adjective; m = masculine; f = feminine; tr = transitive; intr = intransitive. Many of these terms and their significance are mentioned in Chapter 1. You will also discover on occasions that an entire column is dedicated to certain words in order to illustrate the variety of meanings and contexts in which they are used. Look up the commonly used verbs **andare** and **fare** and it will take you some time to go through the various sections and list of examples. However, we all need to do this from time to time if we are to come up with the right expression for a given context. Words are essential tools in any language learner's kit. A carpenter will struggle to do a good job without the right tools. A language learner will similarly struggle without the right words. A good craftsman always has little tricks and shortcuts to achieve certain tasks more quickly and efficiently. A good linguist can also learn to do the same. Let us take a simple example. You want to express 'to go for a walk' in Italian. If you look up 'to go' you might well find two colums full of different examples. On the other hand, if you look up 'walk' you will almost certainly find the expression you require in a matter of seconds ie **fare una passeggiata**. Don't forget to cross-refer when in doubt. If you are not absolutely sure that the word suggested in the English–Italian section is the right one, then check the same word in the Italian–English section.

You do need to use a dictionary wisely and carefully especially when a word has different sections based on its grammatical function. In answer to the written question **Come stai oggi?** 'How are you today?' why would a student reply **Sto <u>pozzo</u>, grazie**? 'I am **well**, thank you. The reason may be simple. The student has looked up 'well' in a dictionary and has chosen **pozzo** without ploughing through the other sections to find the correct word. Perhaps the student failed to interpret the grammatical signposts i.e avv = adverb; n = noun etc. or was using a pocket-size dictionary that didn't provide enough information. It may well be that the student didn't know that an **adverb** was required in this context, a good reason why a knowledge and understanding of the basic grammatical terms will provide the solid foundation stones on which to build your language competence. In a good dictionary you will find some useful guidance: 'well' n = noun (hole in the ground) **pozzo**. You will probably find that this self-contained section deals exclusively with nouns e.g. well (pool) **sorgente** f, **fonte** f and you will therefore need to look through the other sections.

▶ **Exercise 4**

48.6 Derivatives

These are derived from other words which you may already know, usually with bits added at the beginning or end of the word. You should often be able to work out the meaning of a derivative by breaking it down to get to the base word. You can do the reverse and predict the existence of a word by knowing how it is built up from a base word. It helps to bear in mind the rules for plural forms of nouns, adjectival agreement and verb forms. Here are a few examples of breaking down a word to get to its core/base:

- **indiscutibile**: Remove the prefix **in-**, which is often used to give a word the opposite meaning, and the suffix **-ibile**, and you are left with **discut**, which is the stem of the verb **discutere**. **Indiscutibile** means 'indisputable/unquestionable'.

- **apriscatole**: Italian has a number of compound nouns that consist of combinations of known words. If we break this word down we are left with **apri** < **aprire** and **scatole**, the plural of **scatola** – a 'tin opener', of course! See Chapter 2, section 2.2 for other examples of compound nouns.

For numerous examples of how words are built up from a base word to form other words see Chapter 47 on 'Prefixes and suffixes'.

▶ **Exercises 5, 6**

METTETEVI A PUNTO!

1 Cosa vuol dire …?

Usando le strategie spiegate in questo capitolo, indovina il significato delle seguenti parole.
Poi inventa una frase per una decina delle parole che hai indovinato correttamente!

---

claustrofobia terapia psicologia cattolico stile esistenza esibizione contesto sintomo
trasformare istruttore armonia eroico conflitto corretto battesimo cattività
amministratore avventura accettabile dimenticabile distribuzione inflazione azione
sanzione indecisione escursione resistenza indifferenza capacità libertà elettorale
globale volontario itinerario incentivo radioattivo ambizioso religioso contraddizione
ricostruzione dimostrazione comunicazione

---

2 Facciamo il contrario

Usando le stesse strategie prova a tradurre in italiano le seguenti parole. In bocca al lupo!

---

photography philosophy phenomenon technology tragedy allergy ecology theme
cholesterol expression expert suffix rhythm transport constant instruction helicopter
hypertension honour structure activity positive passive sector .effect architecture to
adopt invisible acceptable concentration evolution immigration integration attraction
fraction digestion recession tension absence influence presence distance digital
virtual international curious anxious furious adversary voluntary anniversary creativity
publicity authority

Sarebbe consigliabile rileggere le informazioni relative alle strategie se non sei riuscito ad
indovinare e a scrivere correttamente la maggior parte delle parole in questi due esercizi.

3 Amici veri o falsi?

a Cancella la forma errata.

1 *Quanti soggetti/quante materie* studi quest'anno? – Allora, te lo dico subito – storia,
   fisica, geografia…
2 Non posso *fare il tifo per/sopportare* questo ragazzo. Quanto *mi secca/annoia*! Non lo
   voglio più vedere. – A dire la verità, dà fastidio anche a me.
3 Questo letto è così *morbido/morboso* che non riesco a dormirci.
4 *Ultimamente/alla fine* non abbiamo più notizie di lei. Ho lasciato parecchi messaggi sulla
   segreteria telefonica ma non mi ha mai chiamato.
5 *Per finire/finalmente* siete arrivati! – Che traffico! Quanti ingorghi stradali!
6 Marco, mi puoi prestare 50 euro? – Certo, ma quando me li *ritorni/restituisci*?
7 Quale *litigio/argomento* hai scelto per la prova orale?
8 Dimmi, stai più attenta a quello che mangi adesso? – Devo dire che la dieta che seguo
   attualmente/in realtà è molto più *sana di mente/sana* di prima.
9 Stai attento a quello che dici a Maria perché è una ragazza molto *sensibile/sensata*. –
   Sì, lo so. L'altro giorno ho cominciato a parlare di un film tragico che avevo visto e lei si è
   messa a piangere. È il suo *personaggio/carattere*.
10 Maria, guarda cos'hai fatto! Hai sciupato la tua camicetta nuova. – Ma mamma, non è
   mica colpa mia, non ho visto il cartello *quadro fresco/pittura fresca*.

11 Se sei stanco, vai a *restare/riposarti* un po'.

12 La mia amica è molto *coraggiosa/brava* in fisica. Mi aiuta sempre in classe.

13 Quando abbiamo dei problemi, il nostro vicino è sempre disposto a darci qualche consiglio. È molto più *simpatico/comprensivo* di alcuni nostri parenti che non vogliono mai ascoltare le nostre difficoltà.

14 Dove hai comprato il dizionario? – In quella *biblioteca/libreria* di fronte alla stazione.

15 Sono sicurissimo che tu sei capace di tradurre questo documento. Ho sempre avuto *fiducia/confidenza* nelle tue capacità.

16 Professore, posso farle una *questione/domanda*? – Sì, certo. – Quando va in pensione?

17 Queste sono le *case signorili/mansioni* che la nostra segretaria deve compiere oggi?

18 Se fossi più *istruito/educato* aiuteresti la signora a portare la valigia.

19 *Il tuo atteggiamento/la tua attitudine* nei confronti degli altri lascia molto a desiderare.

20 Cosa fanno i tuoi *genitori/parenti*? – Mio padre è ingegnere e mia madre è farmacista. Tutti e due lavorano tantissimo per *mantenere/sostenere* la famiglia.

b Scrivi delle frasi che servano a chiarire il significato delle parole che hai cancellato nell'esercizio precedente.

4 Caro dizionario, non mi fare questi scherzi!

A coppie esaminate attentamente le seguenti frasi in cui ci sono errori di vocabolario, i quali sono stati sottolineati. Secondo voi, per quali motivi si possono fare questi errori? Correggeteli consultando, se necessario, il dizionario.

1 Mia cugina abita al quarto <u>pavimento</u> del palazzo accanto al duomo.

2 Questa macchina fotografica non <u>lavora</u>. – Ma l'hai appena comprata!

3 Aspettiamo un po'. Piove <u>cani</u> <u>e</u> <u>gatti</u>.

4 A colazione mangio sempre <u>piccolo</u>.

5 Conosci quella ragazza con i <u>peli</u> lunghi?

6 Siccome avevo caldo <u>ho</u> <u>decollato</u> la giacca.

7 Era difficile guidare <u>perché</u> della nebbia.

8 Non posso <u>orso</u> quel signore. Mi dà proprio fastidio.

5 Cosa c'è dietro?

Da quali due parole sono composti i seguenti sostantivi? Dividendo ogni parola in due cerca di indovinarne il significato, come nell'esempio.

Esempio: *aspirapolvere* = *aspira* (< *aspirare* 'to suck up') + *polvere* 'dust'

Quindi *aspirapolvere* significa 'hoover/vacuum cleaner'.

---

capoufficio senzatetto ficcanaso portachiavi segnalibro portavoce spazzaneve capolinea sottosviluppo tagliafuoco spaventapasseri telespettatore stuzzicadenti rompighiaccio portabagagli tossicodipendente

---

6 Indagine

Leggi questi brani e sottolinea le parole nuove che riesci ad indovinare. Spiega a un compagno di classe o al professore come sei riuscito/a ad indovinarle.

Le scorie radioattive

A proposito dell'energia nucleare, vorrei far osservare a chi non lo ricorda che la radioattività delle scorie dura decine di migliaia di anni e oltre (fino a centinaia di migliaia di anni), quindi il rischio di contaminazione in fase di stoccaggio ha durata analoga. Ricorrendo all'energia nucleare, possiamo immaginare quindi i costi e i rischi che lasceremmo in eredità alle generazioni future e le conseguenze che ne deriverebbero se nel frattempo qualcosa andasse storto.

(*Corriere della Sera*, 26.7.2005)

Alimenti biologici. Per nutrire il tuo benessere.

L'agricoltura biologica ti porta cibi sicuri, ricchi di gusto, ideali per ogni giorno. Per questo dà benessere a te e a chi ti sta accanto. In particolare:

- Gli alimenti biologici sono ottenuti solo con metodi naturali. E nascono dal rispetto e dall'amore per l'ambiente e per gli animali.
- Non si utilizzano Organismi Geneticamente Modificati (Ogm). Nessun intervento chimico di sintesi è previsto per la produzione e la conservazione.
- Sulle confezioni trovi la dicitura "prodotto da agricoltura biologica". Ciò permette il riconoscimento e, al tempo stesso, è garanzia del rispetto, in tutta Europa, degli stessi severi criteri di produzione. A testimonianza del supporto dell'Unione Europea, sulle etichette puoi trovare anche il logo comunitario.
- I cibi biologici sono ideali a tutte le età, a cominciare dalla prima infanzia.

(*Anna*, no. 38, 20.9.2005)

Non ricostruite la città, fra 100 anni non ci sarà più
New Orleans è destinata a morire, fra 100 anni probabilmente non esisterà più e ricostruirla significa buttare miliardi di dollari in un buco nero. L'allarme viene da Klaus Jacob, scienziato geofisico dell'Earth Institute della Columbia University di New York, esperto di disastri naturali e del loro impatto sulle aree urbane.

Era prevedibile quello che è successo?
"È stato un disastro annunciato. Gli esperti avevano messo in guardia da tempo circa i pericoli di quella zona, continuamente minacciata di allagamento dall'oceano, dal Mississippi e dal lago Pontchartrain."

E allora come mai viene in mente di sviluppare una città così popolosa in un'area così vulnerabile?
"Un fattore importante è la pressione degli interessi economici di breve termine: il petrolio, la pesca, il turismo. Ma Madre Natura non perdona. Se qualcosa si può imparare da questo disastro, è la necessità di valutare realmente nel lungo termine i rischi naturali."

(*Corriere della Sera*, 1.9.2005)

49 Pronunciation and spelling

MECCANISMI

49.1 Pronunciation

Italian is largely a phonetic language, in that there is a very close relationship between the written and the spoken word. This relationship is very reliable, so that once you have learnt the system, it is usually easy to predict correctly the spelling of new words you hear for the first time, or to pronounce accurately written words you read for the first time.

49.1.1 Pronunciation of the alphabet

Below is a guide to pronunciation of the alphabet for use when spelling words out. It is a very rough indication, giving the nearest English equivalent: there is no substitute for learning accurate pronunciation by copying Italian native speakers!

Letter	Sound	As in	Letter	Sound	As in
A	ah	car	N**	enne	**ene**my
B	bi	**bee**	O	o	cot
C	chi	**chea**t	P	pi	**peep**
D	di	**deep**	Q	cu	**cu**ckoo
E	e	**E**vita	R	erre	he**red**itary with rolled **r**
F**	effe	**eff**ervescent	S**	esse	**essa**y
G	ji	**gee** (whiz)	T	ti	**tee**total
H	acca	**Aca**pulco but double length c	U	oo	**cu**ckoo
I	ee	**peep**	V	vi/vu	**vee**neck
J*	i lunga	**jazz**	W*	doppio/a vi/vu	
K*	cappa	**cuppa**	X*	eex	
L**	elle	**tele**phone	Y*	ipsilon	
M**	emme	**eme**rald	Z	zeta	

* J, K, W, X, Y are not part of the Italian alphabet but these letters often occur in words of foreign origin: *judo, kiwi, weekend, taxi, yogurt.*

** The first e of each of these letters has an open sound and the final e a closed sound (see section 49.1.2). The length of each consonant is doubled e.g. **F** = ef-fe.

49.1.2 Vowels

The vowels *e* and *o* have two sounds, 'open' and 'closed':

Open *e* as in 'e̲very' and the Italian word ***le̲ttera***. Closed *e*, more like the sound in 'e̲ight' and the Italian word ***me̲la***.

Open *o* as in 'co̲t' and the Italian word ***o̲tto***. Closed *o*, more like the sound in 'co̲re' and the Italian word ***nero̲***.

49.1.3 Consonants

All consonants are always pronounced, wherever they occur in a word with one notable exception, *h*, which is **never** pronounced. However, it does the job of 'protecting' the hard sound of **c** and **g** before **e** and **i**:

> *che, chi* – as in *perché, chitarra, Chianti*
> *ghe, ghi* – as in *lunghezza, Lamborghini, ghiaccio*

When consonants are doubled, you literally make them sound twice as long. This is easier in words such as ***sette***, ***mamma***, ***nonno***, ***babbo*** but much more difficult where certain double consonants are involved e.g. **zz** as in ***ragazzo***. In some cases, if the double consonant is not pronounced correctly it can cause a misunderstanding: ***sette*** = seven, ***sete*** = thirst; ***nonno*** = grandad, ***nono*** = ninth.

Most of the consonants are pronounced as indicated in the alphabet above, but some have sounds different from English and others sound different when in combination with another consonant. It is always easiest to learn them in a model word.

Note and learn the pronunciation of the following consonants:

> *c* – hard *c* before *a*, *o* and *u*: *casa, Como, cupola*
>   – *ch* sound before *e* and *i*: *Cinquecento, Cinzano, Gucci*
> *g* – hard *g* before *a*, *o* and *u*: *galleria, gola, guerra*
>   – *j* sound before *e* and *i*: *generale, Ginevra*

In addition, note the following:

Letters	Sound	Examples	Letters	Sound	Examples
gl	ly	*luglio, Gigli*	*q* is always followed by *u*	kw	*questo, qui, quando*
gn	ny	*lasagne, Mascagni*	*z*	ts **or** ds	*zingaro zero*
sc	sh	*lasciare, scegliere*	*zz*	ts **or** ds	*ragazzo azzurro*

49.1.4 Intonation

Intonation is very sing-song; the voice falls towards the end of a statement, but rises towards the end of a question.

49.1.5 Texting

Texting – *messaggiare/mandare un messaggio a qualcuno* – has now become an integral part of our everyday lives. Here is a list of contractions and abbreviations used by Italians. They should help you to decipher messages you receive from your Italian friends. This is not an exhaustive list but many other abbreviated forms not mentioned here should become obvious from the context e.g. *bnotte* ⟶ *buona notte*.

Contrazione / abbreviazione	Significato	Contrazione / abbreviazione	Significato
+	più	nn	non
–	meno	num	numero
6	sei	gg	oggi
6 +	sei super	x*	per
1	uno	xs	per sempre
ke	che	xke	perché
cm	come	xò	però
cmq	comunque	qnd	quando
cn	con	qnt	quanto
cs	cosa	qst	questo
csì	così	rx	rispondi
d	di, da	sl	solo
dp	dopo	sn	sono
dv	dove	t	ti
gg	giorno	tat	ti amo tanto
h	ho, ha	tvb	ti voglio bene
m	mi	tvtb	ti voglio tanto bene
msg	messaggio, SMS	ttt	tutto

 * x (*per*) can also be used in the middle of words e.g. sxo = *spero* – I hope.

This is an example of a text message. Can you decipher it?
Can you put this message on the screen of a mobile phone?

```
NN SN LIBERA STASERA
X CUI NN POSSO VNIRE.
TVB
```

This is the message written out completely: ***Non sono libera stasera per cui non posso venire. Ti voglio bene.*** I am not free this evening and so I can't come. I love you.

> **Exercise 1**

49.2 Stress patterns

Students in the early stages of language acquisition have to rely a great deal on the teacher or on recordings to act as the model to be imitated. As a general rule, however, the stress falls on the last but one syllable, and on the end of words marked by an accent (the stressed vowels are underlined in the examples):

c<u>a</u>ne, canz<u>o</u>ne, fel<u>i</u>ce, farmac<u>i</u>a, citt<u>à</u>, perch<u>é</u>, virt<u>ù</u>, cos<u>ì</u>, andr<u>ò</u>

There are a number of words where the accent falls on the third from last syllable. These include nouns ending in ***-agine***, ***-igine*** and ***-udine*** and also nouns and adjectives ending in *-abile, -ibile, -evole* and *-ico*:

ind<u>a</u>gine, or<u>i</u>gine, solit<u>u</u>dine, am<u>a</u>bile, imposs<u>i</u>bile, soci<u>e</u>vole, p<u>o</u>rtico, atl<u>e</u>tico

As there are so many exceptions, it makes more sense to learn by using the language. A good dictionary usually indicates where the stress falls if you are in doubt. There are occasions where a misplaced stress can cause confusion as it can give rise to a completely different meaning, as these examples show:

parto s<u>u</u>bito	I'm leaving straightaway
ha sub<u>i</u>to un'operazione	he underwent an operation
una lotta <u>i</u>mpari	an unequal struggle
così imp<u>a</u>ri	that'll teach you
mi hanno segu<u>i</u>to	they followed me
in s<u>e</u>guito all'incidente	following the accident
mi fa male questo t<u>e</u>ndine	this tendon hurts me
ho chiuso le tend<u>i</u>ne	I closed the curtains
che cosa des<u>i</u>deri?	what do you want?
questi sono i loro desid<u>e</u>ri	these are their wishes

> **Exercise 2**

337

49.3 Accents

Italian has two main accents: the acute accent, *l'accento acuto* (´), and the grave accent, *l'accento grave* (`). The circumflex (^) is rarely used nowadays. These accents are placed on the final vowel of a word and they have three main functions:

- On words of two or more syllables, to indicate that the stress falls on the last syllable:

giovedì   *avrò*   *caffè*   *gioventù*   *capacità*

- On words of one syllable:

ciò   *già*   *giù*   *può*   *più*

✎ Note however that *qui/qua* are written without an accent.

- To distinguish between the words that have the same spelling but different meaning:

dà	he/she/it gives (verb *dare*)	*da*	from, by (preposition)
è	he/she/it is (verb)	*e*	and (conjunction)
là	there (adverb of place)	*la*	the, her, you, it (article, pronoun)
lì	there (adverb of place)	*li*	them (pronoun)
né	nor (conjunction)	*ne*	of it, etc (pronoun)
sé	himself, herself, itself, themselves, oneself (pronoun)	*se*	if (conjunction)
sì	yes (adverb)	*si*	himself, herself, etc, one (pronoun)
tè	tea (noun)	*te*	you (pronoun)

- The acute accent indicates a closed sound:

né, benché, perché, ventitré

whereas the grave accent indicates an open sound:

tè, caffè

Although this rule is generally adhered to as far as the vowel *e* is concerned, modern usage tends to prefer the grave accent on the other vowels, *a, i, o, u*. The grave accent is therefore used in the examples and exercises throughout this book.

➡ **Exercise 3**

METTETEVI A PUNTO!

1 Messaggini!

Cosa significano i seguenti SMS?

1
```
CIAO CM STAI? IO
BNE. KE FAI
STASERA? 6
LIBERO? RX
```

2
```
SXO KE TU PASSI
UN BUON
DUEMILA6. XKE NN
VIENI ALLA
FESTA? TVTTB
```

3
```
NN SO CM FAREI
SZA D TE. 6 +.
TAT
```

2 Che stress!

Indica dove cade l'accento sulle seguenti parole, come nell'esempio:

possibile ⟶ *poss**i**bile*

> lago università saprà amichevole abitudine idiomatico illeggibile contento canadese poiché romantico incantevole venerdì stupidaggine ridicolo fantastico nubile gioventù macelleria lentiggine

3 Ci vuole l'accento o no?

Cancella la forma errata, come nell'esempio:

Il cameriere mi ~~da~~/dà il resto.

1 Io prendo un *te/tè* al limone. – Per me, un *caffè/caffe*.
2 Purtroppo la mia amica non *può/puo* venire.
3 Ho ricevuto una lettera *dà/da* Giovanna. *E/È la/là* sulla scrivania.
4 Mi dispiace ma non *né/ne* ho.
5 *Li/Lì* vedo ogni giorno.
6 Non andiamo mai *lì/li*.
7 Hanno detto di *si/sì*.
8 Come *si/sì* scrive il suo cognome?
9 Mi *sentiro/sentirò* meglio domani.
10 *Sé/Se* vuoi, posso arrivare un po' prima.
11 Quel ragazzo pensa solo a *sé/se*.
12 Domani non ci *sara/sarà*.
13 Non *là/la* vedo da *piu/più* di un anno.
14 Vorrei venire con *tè/te*.
15 Mio zio *vende/vendé* la casa una trentina di anni fa.

Key to the *Mettetevi a punto!* exercises

Chapter 2

1 il clima m; l'uomo m; il/la fine mf; l'occhio m; la stazione f; lo yacht m; la mano f; il cane m; lo zingaro m; il jazz m; la miseria f; la domenica f; la voce f; l'infermiera f; l'attore m; il canale m; la moto f; l'uovo m; il costume m; la bici f; l'orecchio m; il sale m; lo sport m; la specie f; il poeta m; il/la turista m/f; lo scultore m; il motel m; la porta f; la felicità f

i climi; gli uomini; i/le fini; gli occhi; le stazioni; gli yacht; le mani; i cani; gli zingari; le miserie; le domeniche; le voci; le infermiere; gli attori; i canali; le moto; le uova; i costumi; le bici; gli orecchi; i sali; gli sport; le specie; i poeti; i turisti/le turiste; gli scultori; i motel; le porte; le felicità

2a il toro – la mucca
 l'avvocato – l'avvocatessa
 il parrucchiere – la parrucchiera
 il ciclista – la ciclista
 l'ingegnere – la donna ingegnere
 il poliziotto – la donna poliziotto
 il cugino – la cugina
 il pesce – il pesce femmina
 l'eroe – l'eroina
 l'elefante – l'elefantessa/la femmina dell'elefante

2b la professoressa – il professore
 la scrittrice – lo scrittore
 la zia – lo zio
 la regina – il re
 la dcollega – il collega
 la signora – il signore
 l'atleta – l'atleta
 l'infermiera – l'infermiere
 la moglie – il marito
 la figlia – il figlio

3 (1) la casa f, (2) il luogo m, (3) (il) Capodanno m, (4) gli italiani m(pl), (5) al ristorante m, (6) i fuochi d'artificio m(pl), (7) le valigie f(pl), (8) il Capodanno m, (9) le statistiche f(pl), (10) l'/un'associazione f, (11) di/dei consumatori m(pl), (12) il 69% m, (13) il 18% m, (14) il 13% m, (15) la nave f, (16) il traghetto m, (17) un periodo m, (18) all'estero m, (19) alle scelte f(pl), (20) le zone f(pl), (21) delle Alpi f(pl), (22) un altro m, (23) l'Unione f, (24) i tropici m(pl), (25) del Sud m, (26) il Brasile m, (27) l'Estremo Oriente m, (28) gli Stati Uniti m(pl), (29) la/le difficolta f(s or pl), (30) il visto m

4 il portacenere, il capolavoro, il cavatappi, l'attaccapanni, l'apriscatole, il grattacielo, il capostazione, la cassaforte, il sottopassaggio, la lavastoviglie

Chapter 3

1 l'angolo, la bicicletta, la carta, il dolore, l'elefante, la farfalla, il generale, l'handicap, l'inglese, i jeans, il kayak, il lavoro, la mano, la nascita, l'opera, il problema, la questione, il ragù, lo spettacolo, la tivù, l'umano, il valore, il weekend, la xenofobia, lo yogurt, lo zucchino

2 (1) le (2) l' (3) – (4) nella (5) – (6) – (7) – (8) il
 (9) – (10) – (11) il (12) – (13) – (14) al (15) alle (16) nella
 (17) i (18) le (19) dei (20) lo (21) al (22) –

3 un aereo, un'arancia, una borsa, un cappello, un chianti, un disegno, un'edicola, un elenco, una foto, un gabbiano, uno gnocco, un'indagine, un invito, un/una jazzista, una lampada, una mano, una moto, un naso, un'oliva, un orologio, una pillola, uno psicologo, una questione, una ruota, un sigaro, una sigaretta, uno spuntino, una televisione, un vino, uno xilofono, una zanzara

4 (1) una (2) – (3) nella (4) il (5) – (6) il (7) il (8) la
 (9) la (10) – (11) la (12) – (13) un (14) – (15) le (16) una
 (17) –

5 (1) Il mio amico è studente a Londra: sta studiando per diventare dottore. (2) Quest'estate andiamo in Francia ed in Italia con l'Inter-Rail. (3) Speriamo di andare a Firenze, Venezia e Roma se abbiamo tempo. (4) Sul treno potremo parlare francese e italiano agli altri passeggeri. (5) Nei due mesi in cui saremo fuori, faremo molta pratica delle lingue. (6) Ho bisogno di trovare lavoro per avere i soldi per il viaggio. (7) Prima di andare, passeremo qualche giorno dal mio amico che abita sulla costa nel sud dell'Inghilterra. (8) Abita vicino alla spiaggia in un paese balneare nel Sussex. (9) Sua sorella forse verrà con noi. (10) Come noi, ama i viaggi e le lingue, ma non è mai stata in Europa.

Chapter 4

1 (1) nuova (2) simpatici (3) difficili (4) grande (5) locali (6) artigianali (7) lunghi
  (8) classica (9) napoletane (10) greche
2 Vale qualsiasi descrizione purché di persona riconoscibile!
3 (1) latino (2) diversi (3) eleganti (4) giapponese (5) elegante (6) nipponica
  (7) centomila (8) difficile (9) grande (10) sofisticati (11) sofisticati (12) privi
  (13) eccellente (14) ogni (15) singolo (16) classico (17) unico (18) suo
  (19) forte (20) undicesimo
4 (1) Vorrei una buona tazza di tè caldo! (2) Abitiamo tutti in un sommergibile giallo. (3) Questa casa è
  troppo animata e rumorosa, e non posso lavorare! (4) Lei aspetta uno sconosciuto alto, bruno e
  bello. (5) Sia gli uomini che le donne hanno paura di invecchiare. (6) Queste biciclette e queste moto
  sono costose. (7) Ho bisogno di pantaloni e di camicie nuovi. (8) Alcuni programmi televisivi sono
  violenti e non sono per niente divertenti. (9) San Francesco d'Assisi era saggio, generoso e umile.
  (10) Cercava qualcosa di economico e pratico.

Chapter 5

1 abusivamente, affettuosamente, brevemente, bene, male, difficilmente, direttamente,
  efficientemente, estremamente, facilmente, gioiosamente, golosamente, impulsivamente,
  innocentemente, inutilmente, liberalmente, meglio, maggiormente, necessariamente, negativamente,
  offensivamente, ovvilmente, particolarmente, peggio, radicalmente, regolarmente, sensibilmente,
  sinceramente, tragicamente, veramente
2 (1) subito (2) già (3) matematicamente (4) davvero (5) molto (6) più
  (7) abbastanza (8) più (9) pubblicamente (10) avanti (11) ben (12) Ora
3 (1) Devi fare i compiti di italiano attentamente. (2) Domani mattina dobbiamo andare in orario dal
  dottore. (3) La prossima volta, dovresti guidare la macchina più piano. (4) L'anno prossimo, andremo
  in Francia insieme, va bene? (5) Sarebbe meglio che il cane dormisse fuori in giardino. (6) È meglio
  andare regolarmente dal dentista. (7) Se vuoi andare all'università, dovresti lavorare sodo.
  (8) Quando arrivi a casa dopo mezzanotte, dovresti entrare silenziosamente. (9) Quando vai dal
  preside, devi parlargli educatamente. (10) Se vuoi che la tua ragazza ti ami, devi trattarla
  dolcemente.

Chapter 6

1 (1) del (2) di (3) che (4) più grande; meno di (5) che; migliore del
2 1h 2f 3i 4a 5c 6e 7g 8b 9l 10d
3 (1) Più studio, più mi piace. (2) In genere, le lezioni che frequento sono più interessanti che noiose.
  (3) Nella nostra classe ci sono tante ragazze quanti ragazzi. (4) Nella loro zona ci sono più scuole
  elementari che scuole medie. (5) Quando mia sorella studia a casa mangia più pesce che carne. (6)
  Il corso è più caro di quel che pensavamo/di quanto pensassimo. (7) Il nostro insegnante/professore
  di chimica è più paziente di quello che avevo l'anno scorso. (8) L'altra scuola è più vicino/a al centro
  ma ci piace di più questa. (9) Siccome ho dato tutti i miei esami/tutti gli esami esco più spesso di
  prima. (10) A scuola facciamo più sport d'inverno che d'estate.

Chapter 7

1 (1) Erano gli ospiti più educati che (io) abbia mai conosciuto. (2) Era l'appartamento più spazioso che
  abbia mai affittato. (3) Sono le cartoline più care che abbia mai comprato. (4) È la guida più
  simpatica che abbia mai avuto. (5) Era il paesaggio più selvaggio che abbia mai visto. (6) È stata la
  decisione più difficile che abbia mai preso. (7) Era la più lunga lettera di reclamo che abbia mai
  scritto. (8) Sono le più belle foto che abbia mai fatto. (9) È la guida della città più dettagliata che
  abbia mai letto. (10) Era il vino da tavola più buono che abbia mai bevuto.
2 (1) bellissime (2) lunghissimo (3) tardissimo (4) stanchissimo (5) comodissimo (6) benissimo
  (7) prestissimo (8) raffinatissima (9) cortesissimo (10) tantissimo (11) malissimo (12) pochissimo
  (13) interessantissime (14) simpaticissima (15) vicinissimo (16) affollatissima (17) caldissima
  (18) limpidissima (19) abbronzatissimo (20) bassissimo

Chapter 8

1 (1) questo … queste/quelle … questa (qui) … quella (lì) … . (2) questi … questa/quella … .
   (3) questa … quella … quelle … . (4) questi … questo/quello … questo/quello … quelli … .
   (5) questa … questa/quella … quell' … quegli … . (6) questi … questo … questo/quello …
   questa/quella … .

2 (The following is only a suggested version: many permutations are possible.) (1) queste (2) quelle (là)
   (3) questo (qui) (4) quello (là) (5) questi (qui) (6) quelli (là) (7) queste (8) quelle (là) (9) queste (qui)
   (10) quelle (11) questo (12) quello (13) questa … qui (14) quell' … lì (15) questa/quella
   (16) queste/quelle (17) questi/quelli (18) questi/quegli (19) questi/quelli (20) questi/quei
   (21) questi/quei (22) qui/lì

Chapter 9

1 Examples: there are other possibilities. (1) È di Luigi./È il cappello di Luigi. (2) È di Elisa. (3) Sono di
   papà. (4) No, non sono i suoi, sono i tuoi. (5) È di Rosella. (6) No, è di Sandra. (7) No, è di Gianni. (8)
   No, è il maglione di Alessandro. (9) Non sono né di Iolanda né di mamma. Sono le mie!
   (10) No, non è il suo. È di Franco.

2 (1) Mia madre è più bella della tua. (2) La nostra (macchina) è più veloce della vostra. (3) La tua
   (casa) è più grande della sua. (4) La mia (ragazza) è più intelligente della tua. (5) I tuoi (occhiali)
   costano più dei loro. (6) Le mie scarpe sono più comode delle tue.

3 (1) mia (2) i nostri (3) la nostra (4) la mia (5) mio (6) i miei (7) il loro (8) i loro (9) il loro (10) i suoi
   (11) le loro (12) i suoi

Chapter 10

1 (1) le (2) mi; mi (3) gli (4) mi; lo; mi (5) li (6) la (7) ti; lo (8) ci

2 (1) me (2) tu (3) io (4) ne (5) te (6) ne (7) ne (8) me (9) ne; dille

3 (1) gliel' (gliela) (2) gliene (3) me lo (me l') (4) te lo (te l') (5) gliel' (glielo) (6) ve li (7) se li (8) ce le

4 (1) Li (2) La (3) l' (4) me l' (5) gli (6) ne (7) ci (8) ne (9) le (10) la (11) le

5 (1) gli (2) ci/lo/ce lo (3) lo (4) lo (5) gli (6) li (7) gli (8) celi (9) lo (10) gli (11) lo (12) mi (13) ci (14) ci
   (15) gliene

Chapter 11

1 a   due virgola sette, quattro virgola sei, cinque virgola tre, sette virgola due
   b   quarantanove, sessantotto, settantuno, novantatré
   c   centouno, centoquarantacinque, duecentoquarantasei, duecentocinquantasette
   d   trecentoquarantotto, trecentocinquantasette, quattrocentosettantotto, quattrocentoottantanove
   e   cinquecentocinquantacinque, cinquecentosessantasei, seicentosessantotto, seicentottantanove
   f   settecentosettantasette, settecentoquarantanove, ottocentoquarantatré,
       ottocentosettantotto
   g   novecentosessantanove, novecentonovantanove, milleuno, milleottocentosettantacinque
   h   tremilaquattrocentotrentacinque, cinquemilaseicentoquarantuno,
       settemilasettecentoottantaquattro, novemilaquattrocentosettantacinque
   i   dodicimilaottocentosettantasei, quindicimilaseicentosettantotto,
       trentatremilacinquecentoquarantatré, quarantasettemilaottocentonovantasette
   l   un milionecento, quattromilioninovecentoquarantatrémilacinquecentotrentadue,
       sessantasettemilionitrecentoquarantatremila,
       quattrocentocinquantaduemilioniseicentonovantaquattromilacinquecentosettanta

2 Elisabetta seconda del Regno Unito
   (Il) Papa Pio dodicesimo
   (Il) re Luigi quattordicesimo
   Il venticinquesimo anniversario
   Il suo decimo compleanno
   il quattro febbraio
   il primo marzo
   il sedici aprile
   il diciotto maggio
   il ventiquattro luglio

il ventun agosto
il due settembre
millequattrocentonovantadue
milleottocentosessantotto
millenovecentoventisei

Chapter 12

1   Other variations to these answers will also be possible. You should consult your teacher.
(a) Questo tavolo misura/ha un metro di diametro ed è alto 65 centimetri. (b) Lo schermo è largo 80 centimetri. (c) La chiesa è alta 21 metri e lunga 45 metri. (d) La porta è alta 2 metri e larga 77 centimetri. (e) La ruota misura 70 centimetri di diametro e 220 centimetri di circonferenza. (f) Il libro misura 234 millimetri per 158. (g) L'albero è alto 13 metri e 50 e spesso 42 centimetri. (h) La vasca ha 57 centimetri di profondità. La lunghezza superiore è di 152 centimetri e la lunghezza inferiore è di 128 centimetri.

2   La casa misura 14 metri e 20 per 9 metri. L'ingresso è largo un metro. La cucina misura 3 metri per 2 metri e 40. Il soggiorno è lungo 11 metri e 80 e largo 4 metri. La camera 2 misura 5 metri per 3 metri e 10. Il bagno è lungo 3 metri e largo 3 metri e 90. La camera 1 misura 5 metri per 6 metri e 20. La terrazza ha 9 metri e 50 di lunghezza e 4 metri e 50 di larghezza.

3   (a) questo fa 50 per cento (b) trentatré virgola trentatré % (c) venti % (d) dieci % (e) novanta % (f) sessantadue virgola venticinque % (g) cinquantacinque % (h) trentasette virgola cinque % (i) settantasei virgola quattro % (l) novantasette virgola trentasei % (m) centodieci % (n) settantatré virgola ottantotto %

Chapter 13

1   Spaghetti alla carbonara: degli spaghetti, delle uova, del prosciutto, dell'aglio, dell'olio, della panna per cucinare.
Minestrone: delle carote, dei peperoni, della cipolla, degli zucchini, delle melanzane, degli spaghetti.
Pizza napoletana: della farina, del lievito, dei pomodori, dell'olio, delle olive, delle acciughe, del sale.
Tiramisù: del pan di Spagna, del caffè, del cognac, del mascarpone, del cioccolato.
Gelato al cioccolato: del latte, delle uova, dello zucchero, della panna, del cioccolato.
Macedonia di frutta: delle fragole, del melone, delle pesche, delle banane, dei mandarini, del succo di limone.
Cappuccino: del caffè, dell'acqua, del latte, del cioccolato, dello zucchero.
Pane all'aglio: del pane, dell'aglio, dell'olio, dell'origano.
Frittata al prosciutto: delle uova, del prosciutto, dell'olio
Cannelloni: dei cannelloni, dei pomodori, della carne tritata, del formaggio, dell'aglio, dell'olio, della salsa alla Besciamella.

2   (1) delle (2) alcuni tranci/qualche trancio (3) della (4) – (5) altrettanti (6) diverse/varie/parecchie (7) tanti (8) poco (9) Pochi (10) ciascuno

3   (These are examples only.) (1) Oggi non ho bisogno di latte … (2) … ma puoi comprare dei fiammiferi? (3) E puoi comprare dello zucchero al supermercato. (4) La macchina ha bisogno di benzina … (5) … ma non ha bisogno d'olio. (6) A papà piace avere della frutta in casa. (7) Devi comprare delle scarpe nuove. (8) Perché i tuoi fratelli non si comprano dei bei vestiti? (9) Che cosa c'è al cinema? Ornella Muti ha fatto dei film molto belli … (10) … ma non ho ancora visto alcun/nessun film con questa attrice.

Chapter 14

1   (1) parto (2) dirigo (3) trova (4) mancano (5) faccio (6) chiedo (7) sento (8) risponde (9) vengo (10) ho (11) è (12) arriva (13) saliamo (14) cerchiamo (15) è (16) dobbiamo (17) arriviamo (18) decidiamo (19) voglio/vogliamo (20) siamo (21) offre (22) ho (23) vediamo (24) dico (25) vado (26) spingo (27) apre (28) suono (29) risponde (30) sento (31) apro (32) è (33) suona (34) devo

2   (1) abito (2) chiama (3) trovano (4) ha (5) sono (6) sono (7) coltivano (8) vedono (9) è (10) è (11) vengono (12) può (13) è (14) scende (15) getta (16) vengono (17) vedono (18) è

Chapter 15

1a (1) spegni (2) accendi (3) apri (4) va'/vai (5) da'/dai (6) lava (7) pulisci (8) finisci (9) abbi (10) Vieni (11) sta'/stai (12) lascia (13) fa'/fai (14) paga (15) di'

1b (1) spegnete (2) accendete (3) aprite (4) andate (5) date (6) lavate (7) pulite (8) finite (9) abbiate (10) Venite (11) state (12) lasciate (13) fate (14) pagate (15) dite

1c (1) spenga (2) accenda (3) apra (4) vada (5) dia (6) lavi (7) pulisca (8) finisca (9) abbia (10) Venga (11) stia (12) lasci (13) faccia (14) paghi (15) dica

2 (1) stiamo (2) diamo (3) giochiamo (4) Mettiamo (5) Lasciamo (6) prendiamo (7) finiamo (8) navighiamo (9) usciamo

3 Esempi degli imperativi sottolineati
pulite (pulisci) affettateli (affettali) tagliate (taglia) preparate (prepara) fate (fa'/fai) spruzzate (spruzza) unite (unisci) fate (fa'/fai) aggiustate (aggiusta) lessate (lessa) scolatele (scolale) conditele (condiscile) pepate (pepa) servite (servi)

4 (1) alzati (2) smetti (3) va'/vai (4) scendi (5) guarda/cerca (6) fa'/fai (7) gridare (8) abbi (9) cerca (10) vieni (11) ricordati (12) dimenticare (13) torna

5 (1) Venga (2) Si accomodi (3) Attenda (4) si serva (5) Abbia (6) si preoccupi (7) faccia (8) mi dica (9) me lo lasci (10) Mi stia (11) mi spedisca (12) Mi scusi

Chapter 16

1 (1) Ho lavato (2) Ho fatto (3) Ho venduto (4) Ho risposto (5) Ho scritto (6) Ho letto (7) Ho visto (8) Ho detto (9) ho compiuto (10) ho invitato (11) ho bevuto (12) ho preso (13) ho messo (14) ho rotto (15) ho pianto (16) ho finito

2 (1) è piaciuto (2) è stato (3) sono scoppiato (4) È venuta (5) è rimasta (6) è successo (7) è caduta (8) sei uscito (9) sono tornato (10) sono andato (11) sono costate (12) sei dimagrito (13) sono ingrassato (14) sono diventati

3 (1) sono aumentati (2) è migliorata (3) è cambiata (4) È cominciato (5) è durata (6) hanno cambiato (7) è costato (8) ci sono volute (9) è ingrassato (10) sono peggiorate

4 (1) mi sono alzato (2) ho fatto (3) ho mangiato (4) ho preso (5) sono andato (6) sono rimasti (7) hanno raggiunto (8) ho incontrato (9) ci siamo divertiti (10) ci siamo messi (11) è/ha piovuto (12) siamo rimasti (13) abbiamo guardato (14) abbiamo scritto (15) abbiamo noleggiato (16) abbiamo visitato (17) è piaciuto (18) è stato (19) siamo stati (20) abbiamo fatto (21) abbiamo preso (22) siamo partiti (23) siamo tornati (24) è finita

5 (1) sono terminate (2) ho trascorso (3) ho conosciuto (4) mi sono divertita (5) è stata (6) ho lavorato (7) ho potuto (8) ho applicato (9) hai fatto

6 (1) ho passato (2) ho vissuto (3) ho visto (4) ho perso (5) ha sommerso (6) si è salvato (7) hanno vissuto (8) ha spazzato (9) hanno nuotato (10) abbiamo saputo (11) ha raccontato (12) ha cominciato (13) ha fatta (14) è tornato (15) è rimasta

Chapter 17

1 (1) ero (2) andavo (3) bisticciavamo (4) frequentavamo (5) aveva (6) faceva (7) piaceva (8) dicevo (9) doveva (10) dava (11) entrava (12) usciva (13) era (14) avevo (15) eravamo (16) lavorava (17) si occupava (18) andavamo (19) si trovava (20) sembrava (21) dovevamo (22) aveva (23) erano

2 (1) si alzava (2) andava (3) (si) faceva (4) stava (5) voleva (6) andava (7) mangiava (8) beveva (9) usciva (10) piaceva (11) era (12) pioveva (13) faceva (14) usciva (15) era (16) aveva

3 (1) parlavi … ho visto (2) ero … ho sognato (3) ci siamo messi … erano … abbiamo fatto (4) faceva … hanno deciso (5) dicevi … sei andato/a (6) pensavate … potevo (7) tornava … si sentiva … diceva (8) avevo … è successo … ho deciso

Chapter 18

1 (1) sta succedendo (2) sta lavando (3) stanno tagliando (4) sta finendo (5) sta dormendo (6) sta guardando (7) sta facendo (8) si sta preparando (9) sta mettendo (10 sta traducendo (11) stanno giocando (12) sta piangendo

2 (1) Stavano prendendo un caffè. (2) Stavano cogliendo fiori. (3) Si stavano baciando. (4) Stavano guardando un film. (5) Si stavano abbracciando. (6) Stavano cenando. (7) Stavano facendo il bagno. (8) Stavano ritirando dei soldi. (9) Stavano guardando l'orario dei treni. (10) Stavano fuggendo.

Chapter 19

1 (1) Le pulirò domani! (2) La laverò domani! (3) Li farò domani! (4) Li laverò domani! (5) La farò domani! (6) La preparerò domani! (7) Lo leggerò domani! (8) Gli darò da mangiare domani! (9) Ci andrò domani!/Andrò a trovarli domani! (10) La metterò in garage domani! (11) Li comprerò domani! (12) Gli scriverò domani! (13) Ci tornerò domani! (14) Lo finirò domani!

2 a (1) andrò (2) dovrò (3) prenoterò (4) potrò (5) avrò (6) sceglierò (7) andrò (8) avrò (9) sarà (10) sarà (11) cercherò (12) sarà (13) potrò (14) farò (15) prenderò (16) tornerò

b andremo, dovremo, prenoteremo, potremo, avremo, sceglieremo, andremo, avremo, sarà, sarà, cercheremo, sarà, potremo, faremo, prenderemo, torneremo

andrà, dovrà, prenoterà, potrà, avrà, sceglierà, andrà, avrà, sarà, sarà, cercherà, sarà, potrà, farà, prenderà, tornerà

andranno, dovranno, prenoteranno, potranno, avranno, sceglieranno, andranno, avranno, sarà, sarà, cercheranno, sarà, potranno, faranno, prenderanno, torneranno

Chapter 20

1 la spazzerebbe il mio robot, la preparerebbe …, la laverebbe …, li finirebbe …, la taglierebbe …, la farebbe …, le stirerebbe …, le pulirebbe …, le scriverebbe …, lo riparerebbe …

2 (1) pagherei (2) comprerei (3) sarebbe (4) avrei (5) farei (6) continuerei (7) attirerebbe (8) avrei (9) potrei (10) sarei

3 Il padrone gli ha portato il tiramisu, e gli ha domandato se tutto andava/andasse bene.
Il cliente ha ditto di sì, e ha domandato quando ci sarebbero stati più clienti.
Il padrone ha risposto che sarebbero venuti/andati stati molti clienti il venerdì e il sabato.
Il cliente ha ditto che aveva voluto saperlo perché avrebbe preferito cenare tranquillamente, quando non ci fosse stata troppa gente.
Il padrone ha detto che Domenica sera non ci sarebbero stati molti clienti, e che avrebbero chiuso presto. Lunedì sarebbe andato in banca, e ha detto anche che l'avrebbero aspettato domenica sera.
Il cliente ha risposto che sicuramente sarebbe tornado.

Chapter 21

1 (1) era giunto (2) erano cambiate (3) avevano lasciato (4) avevano dovuto (5) erano morti (6) erano andati (7) aveva chiuso (8) avevano lanciato (9) erano servite (10) aveva preso (11) si erano trasferiti (12) avevano venduta (13) si erano comprati (14) aveva deluso (15) era stato

2 (1) avrò risposto (2) mi sarò comprato/a (3) sarò uscito/a (4) avrò imparato (5) mi sarò fatto/a tagliare (6) avrà compiuto (7) sarà tornata (8) si saranno sposati

3 (1) saremmo venuti (2) avrei dato (3) sarebbero stati (4) ti saresti addormentato (5) avremmo potuto (6) si sarebbe sposata (7) sarebbero già arrivati (8) avrei mai fatto

Chapter 22

1 (1) fece; indusse; ammonì (2) rimproverò (3) causò; incominciarono; dovettero; spiegò; chiese; ottenne

2
stesi	stendesti	stese	stendemmo	stendeste	stesero
giunsi	giungesti	giunse	giungemmo	giungeste	giunsero
divisi	dividesti	divise	dividemmo	divideste	divisero
produssi	producesti	produsse	producemmo	produceste	produssero
rimasi	rimanesti	rimase	rimanemmo	rimaneste	rimasero
chiusi	chiudesti	chiuse	chiudemmo	chiudeste	chiusero
nacqui	nascesti	nacque	nascemmo	nasceste	nacquero
scrissi	scrivesti	scrisse	scrivemmo	scriveste	scrissero
assunsi	assumesti	assunse	assumemmo	assumeste	assunsero
ebbi	avesti	ebbe	avemmo	aveste	ebbero

3 (1) incontrò (2) si innamorò (3) fu (4) si sposarono (5) partirono (6) rimase (7) riprese (8) ebbe (9) riuscì (10) si sentì (11) fece (12) durò (13) disse (14) fu (15) poté (16) uscì (17) decise (18) svenne (19) nacque (20) chiamarono

4 (1) lo vidi (2) sentii (3) risposi (4) continuò (5) dissi (6) mi girai (7) notai (8) sorrise (9) si presentò (10) fece (11) replicò (12) divenne (13) farfugliò (14) si arrese (15) ricominciò

Chapter 23

1 1 mi sono iscritto 2 ho superato 3 siamo usciti 4 ci siamo divertiti 5 ho avuto 6 pioveva 7 erano 8 ero 9 sono salito 10 ha visto 11 è scoppiato 12 mi sono messo 13 ho acceso 14 siamo partiti 15 mi giravo 16 passeggiavano 17 rischiavo 18 ha rimproverato 19 ha detto 20 ho commesso 21 siamo andati 22 è rimasto 23 ha proposto 24 suggeriva 25 Ho avuto 26 pensavo

2 (1) misi (2) mi imbattei (3) girava (4) faceva (5) Era (6) aveva (7) era (8) aprii (9) misi (10) continuava (11) dissi (12) accompagnai (13) fece (14) scomparve (15) dissi (16) tornò (17) Miagolava (18) si avvicinava (19) fecero (20) urlarono (21) mi arresi (22) entrò (23) Piaceva (24) coccolava (25) decidemmo (26) mi affezionai (27) ero (28) preparavo

Chapter 24

1 (1) mi sveglio (2) mi faccio (3) mi preparo (4) spostarmi (5) mi fermo (6) abituarmi (7) annoiarmi (8) mi lamento (9) mi sprofondo (10) mi metto (11) mi addormento (12) mi concedo (13) mi corico (14) rilassarmi

2 (1) ci siamo visti (2) ci siamo guardati (3) ci siamo presentati (4) non vi siete nemmeno presentati (5) ci siamo incontrati (6) ci siamo fermati (7) ci siamo messi (8) ci siamo scritti (9) ci siamo telefonati (10) ci siamo promessi (11) vi siete sposati (12) ci siamo frequentati (13) ci siamo innamorati (14) ci siamo sposati (15) non ci siamo mai lasciati

3 (2) mi sarei fatto male (3) mi sarei rotto (4) mi sarei tagliato (5) mi sarei bruciato (6) mi sarei sciolto (7) mi sarei storto

Chapter 25

1 (1) dormire (2) distendersi (3) approfittare (4) compilare (5) partecipare (6) telefonare (7) entrare (8) provare (9) scegliere (10) dormire (11) stare

2 1e   2h   3g   4a   5i   6b   7l   8c   9f   10d

3 (1) Leggi bene le istruzioni prima di accendere il gas, *or* Dopo aver letto bene (2) Dopo aver fatto bollire l'acqua (3) Per imparare come si fanno queste cose (4) Invece di stare lì (5) Metti le patate al forno senza sbucciarle (6) Prima di versare il vino (7) Dopo aver servito il vino (8) Non portare via i piatti senza chiedere agli ospiti, *or* Prima di portare via (9) Invece di usare la lavastoviglie (10) Dopo aver lavato i piatti sciacquali bene prima di asciugarli.

4 (1) Dopo essere entrata in gioielleria, la ragazza ha chiesto … (2) Dopo averle mostrato alcuni articoli, il proprietario si è girato. (3) Dopo essere riuscita ad arraffare alcuni braccialetti d'oro, la falsa cliente è uscita dal negozio. (4) Dopo essersi accorto del furto, … (5) Dopo essere arrivati subito sul posto, i due agenti di polizia hanno interrogato …

Chapter 26

1a (1) Dobbiamo (2) Dovresti (3) avrebbe dovuto (4) ha dovuto (5) Devono (6) dovremo

1b (1) posso (2) sai (3) avresti potuto; ho potuto (4) potrei (5) potevano (6) Sapete (7) potrebbe (8) sai; posso

2 (1) so (2) devo/dovrò (3) puoi/potresti (4) vuole (5) sa (6) voglio/vorrei (7) voglio/vorrei/devo/ dovrei/posso/potrei (8) deve/dovrà/dovrebbe (9) poter(e) (10) dovrebbero (11) sappiamo

3 (1) vuoi (2) devi/dovresti (3) devi/dovresti (4) sai (5) posso (6) so (7) deve/dovrebbe (8) devi/dovresti (9) volevo (10) ho dovuto (11) potevo (12) possiamo/potremmo (13) voglio (14) hai voluto (15) avresti dovuto/dovevi (16) sapevo (17) avrei potuto/potevo (18) sapeva (19) ha dovuto (20) vuole (21) devo/dovrò.

4 (1) avrebbe dovuto (2) avrebbe potuto (3) avrebbe voluto (4) avrebbe potuto (5) avrebbe dovuto (6) avrebbe voluto (7) avrebbe potuto (8) avrebbe dovuto

5 Posso chiederti un piacere/favore? Puoi darmi una mano/aiutarmi a tradurre questa lettera in tedesco? – Mi dispiace, vorrei aiutarti ma non so parlare tedesco. Avrei voluto/mi sarebbe piaciuto studiarlo a scuola ma ho cambiato idea all'ultimo momento e ho fatto lo spagnolo. – Dovrei imparare il tedesco perché è molto utile per il lavoro che faccio in questo momento/attualmente. Avrei dovuto frequentare una classe serale l'anno scorso ma non ho avuto (il) tempo. Alcuni/degli amici tedeschi vorrebbero venire a trovarci l'estate prossima per cui/e quindi dovrò fare qualcosa. – Sono sicuro che i tuoi amici sanno parlare inglese. – Hai ragione ma voglio saper dire qualche parola/alcune parole in tedesco, è una questione di cortesia. – A proposito, se vuoi una traduzione della lettera, dovresti chiedere a mia nipote. Lei sa parlare parecchie lingue.

Chapter 27

1a (1) – (2) – (3) a (4) – (5) a (6) – (7) a (8) ad (9) – (10) a (11) – (12) a

1b (1) di (2) di; di (3) ad; a (4) a; di; di

2 (1) di (2) a (3) – (= no preposition required) (4) a (5) di (6) a/ad (7) a (8) a (9) a/ad (10) di (11) – (12) a (13) a (14) di (15) di (16) a (17) di (18) di (19) a (20) a (21) di (22) di (23) di (24) – (25) di (26) a (27) di

3 Quest'estate ho deciso di fare un corso di lingua a Siena perché ho bisogno di migliorare il mio italiano. Il mio insegnante d'italiano è stato il primo a consigliarmi di frequentare questo corso e sono riuscito a convincere i miei genitori a lasciarmi andare. Penso di andarci all'inizio di agosto poiché/perché ho intenzione di lavorare per almeno un mese prima di partire. Mia sorella si è offerta gentilmente di pagarmi le spese di viaggio e un mio amico italiano mi ha invitato a stare dai suoi genitori/a casa dei suoi genitori. Non vedo l'ora di visitare questa città storica. Mio fratello è ansioso di accompagnarmi poiché/dato che ha sempre avuto il desiderio/ha sempre voluto/desiderato visitare questa parte d'Italia. Io dovrò fare da interprete perché non sa dire una parola in italiano.

Chapter 28

1 (1) – (2) al (3) alla (4) di (5) di (6) di (7) di (8) a (9) sull' (10) alla (11) a (12) dal (13) verso (14) di (15) a/alla (16) –

2 (1) resisterà (2) fidarsi (3) dipende/dipenderà (4) occuparsi (5) incide (6) mi arrabbio (7) rimediare (8) pensare (9) si lamenta (10) accontentarsi (11) hanno (sempre) bisogno (12) rinunciano

Chapter 29

1 introdotto; offeso; protetto; sorriso; incluso; composto; commosso; capovolto; scoperto; tolto; insistito; estratto; sconfitto; taciuto; cresciuto

2 (1) chiuso (2) corse (3) caduta (4) rotta (5) perso/perduto (6) messa (7) accorta (8) smesso (9) visto (10) successo (11) offerto (12) giunti (13) deciso (14) analizzata (15) rivolto (16) condotto (17) sofferto (18) chiesto (19) dovuto (20) risposto

3 (1) scomparsa (2) vista (3) sorriso (4) scritto (5) offerta (6) malinteso (7) sconfitta (8) proposta (9) spinta (10) difesa

4 1b   2b   3a   4c   5c   6b   7a   8c

5 a (1) passeggiando (2) raccolte le bottiglie (3) tornata (4) avendo (5) riguardanti … fatte <u>dal</u> (6) alzandovi (7) attestante (8) mandatomi <u>da</u>

   b (1) dopo essere uscito (2) siccome/poiché non avevo (3) mentre aspettavo (4) dopo essere sceso/quando sono sceso (5) poiché/perché mi volevano (fare) (6) quando ho aperto

Chapter 30

1 (a) i biglietti sono prenotati/sono stati prenotati (b) il frigorifero è aggiustato/è stato aggiustato (c) le cartoline sono imbucate/sono state imbucate (d) la spesa è fatta/è stata fatta (e) il bagno è pulito/è stato pulito (f) la bolletta del gas è pagata/è stata pagata (g) i tuoi pantaloni sono stirati/sono stati stirati (h) la pattumiera è svuotata/è stata svuotata

2 (1) chiudono (2) ha spezzato (3) è stata scritta (4) parlavano (5) è bloccato … sono stati trasportati (6) saranno fatti (7) era scritto (8) era stata organizzata (9) ha aperto (10) sarebbe stato condotto *or* è stato condotto

3 (a) vanno arrestati (b) è rimasto bloccato; è stato trainato (c) verrà restituito (d) possono essere usate (e) è stato ratificato, accettato e approvato; sono obbligati; sono stati inclusi (f) erano state soppresse; sono stati accompagnati; saranno coinvolte (g) saranno uccise; sono minacciati; è stato ucciso; verranno adottate; rimangono nascoste

4 (1) Dovrebbe essere rifatto tutto il lavoro. (2) Saranno tenuti corsi di recupero. (3) Un fax potrebbe essere mandato. (4) Deve essere riformata la scuola. (5) Non sono accettate le carte di credito. (6) Non dovrebbe essere criticata la direzione. (7) Sono stati moltiplicati i problemi. (8) Può essere respinta la proposta.

5 * = *si* passivante; ** = *si* impersonale
   (a) si possono seguire (i programmi)* (b) si sa** (c) si aggiungeranno (i viaggiatori)* (d) si scoprono (le magagne)*; si ha diritto**; si riesce**; si perde (il denaro)*

6 (1) Non si è mai partiti così presto. (2) Se vengono fermati dalla polizia è colpa loro. (3) Queste immagini si possono trasferire/possono essere trasferite sul computer. (4) Quando si è nervosi ci si arrabbia più facilmente. (5) Alcuni voli sono stati cancellati per (a causa della) la nebbia. (6) Questi teppisti hanno commesso un reato e vanno puniti /devono essere puniti. (7) Si devono risolvere/devono essere risolti questi problemi/questi problemi vanno risolti. (8) Ci hanno chiesto/domandato di aspettare fuori. (9) L'autostrada sarà chiusa/rimarrà chiusa per due settimane. (10) Non si poteva fumare nei bagni della scuola. (11) Le case erano state danneggiate dall'alluvione/inondazione. (12) Da sabato si potranno acquistare i biglietti del treno nei principali supermercati.

Chapter 31

1 (1) d (2) f (3) c (4) i (5) g (6) a (7) h (8) l (9) b (10) e
2 (1) ci vuole (2) ci vogliono (3) mancano (4) bisogna (5) pare (6) conviene (7) tratta (8) importa (9) bastano (10) succedono (11) tocca

Chapter 33

1 (1) vadano (2) esca (3) stia (4) venga (5) tengano (6) sia (7) diano (8) spieghino (9) ripetano (10) contribuisca (11) cambino
2 (1) ti sia divertita (2) abbia fatto (3) venga (4) abbia (5) continui (6) dia (7) scriva (8) faccia (9) compili (10) mandi (11) sia
3 (1) È un peccato che tuo nipote non parli francese. (2) È meglio che partano prima di mezzogiorno. (3) Mi pare/sembra di aver sbagliato numero. (4) Che lei scelga le materie che vuole studiare. (5) Non vogliamo che arrivino troppo presto. (6) Speriamo che tutto vada bene. (7) Speriamo di andare a trovarli quest'estate. (8) Se volete passare/superare l'esame dovete ripassare tutto. (9) È meglio comprare un biglietto di andata e ritorno. (10) Aspetto che tornino dalla stazione.

Chapter 34

1 (1) rimanga (2) continuino (3) vadano (4) percepiscano (5) vogliano (6) dicano (7) possa (8) abbiano (9) sia
2 (1) ti alzi (2) voglia (3) faccia (4) navighi (5) mangi (6) abbia (7) dia (8) risponda

Chapter 35

1 (1) piace … sia (2) si trasferiscano … traslochino (3) debba … abbiano … faccia (4) mancheranno … possa/potrò … si trovi … è … arriva.
2 (1) voglia (2) costi (3) abbia (4) risparmi (5) sia (6) sia (7) valga (8) circolino (9) rimanga (10) chiuda

Chapter 36

1 (1) e (2) h (3) a (4) f (5) c (6) d (7) b (8) g
2 (1) Giorgio intende uscire senza che i suoi genitori lo sappiano. (2) Benché piova a catinelle, rifiuta di prendere l'ombrello. (3) 'Prendi pure la mia macchina, ma a condizione che tu mi faccia il pieno di benzina,' ha detto suo fratello. (4) Ti conviene affrettarti prima che mamma e papà arrivino a casa. (5) Ammettiamo che il tempo continui a peggiorare, cosa puoi fare? (6) Mi raccomando, non andare troppo forte caso mai le strade siano sdrucciolevoli. (7) Nonostante tu mi abbia fatto tantissime raccomandazioni, riuscirò a ricordarmele tutte lo stesso. (8) A meno che tu non voglia darmi altri consigli, posso andarmene.

Chapter 37

1 (a) (1) abbia (2) sia (3) viva (4) sappia
  (b) (1) possano (2) conosca (3) parli (4) voglia (5) si occupi (6) facciano (7) sponsorizzi
2 (1) dia; si occupi; tagli; annaffi; faccia
  (2) ama; ha; sia
  (3) abbia; ha; sappia
  (4) manca; offra; permetta
  (5) se la cava; conosce; sia
3 (1) Che accetti l'invito o che lo rifiuti … (2) Per quanto bravi siate … (3) Dovunque vada …
  (4) Chiunque venga … (5) Qualunque strada prendiate … (6) Qualunque cosa io dica …
  (7) Comunque stiano … (8) In qualunque modo io cerchi …

Chapter 38

1 (1) niente/nulla (2) nessuno (3) più (4) da nessuna parte (5) niente/nulla (6) nessuno
2 (1) più niente/nulla (2) più nessuno (3) mai più (4) mai da nessuna parte (5) mai niente/nulla (6) mai nessuno
3 (1) non (2) nessuna (3) non … nemmeno/mai (4) non … nessuno (5) nessuno (6) niente (7) non … più (8) non … per niente (9) non … altro che (10) non … mai … nessun (11) niente (12) non … mai … nemmeno/neanche (13) no (14) non … né … né (15) non (16) no (17) non … nessuna (18) non … nessuno (19) non … niente
4 (1) f (2) g (3) e (4) h (5) c (6) a (7) b (8) d

Chapter 39

1 (1) finite (2) aveste consegnati (3) ti fossi addormentato (4) fosse (5) vi mettete (6) desse (7) faceste (8) vuoi
2 (1) Se avessero fame, farebbero colazione. (2) Se mi fosse piaciuto il colore, l'avrei comprata. (3) Se avessi la macchina, andrei con loro. (4) Se fosse bravo in matematica, mi potrebbe dare una mano. (5) Se l'affitto non fosse stato così alto/fosse stato meno alto/caro, l'avremmo affittato. (6) Se non avessi perso il suo indirizzo, gli avrei scritto. (7) Se mi piacessero i gialli, leggerei questo libro. (8) Se Giulia non avesse trascorso un anno in Inghilterra, non parlerebbe correntemente l'inglese.
3 (1) Possiamo andare a trovarli domani se sono occupati/impegnati oggi. (2) Se fossi in te, non direi niente/nulla. (3) Mia sorella l'avrebbe comprato se glielo avessero chiesto. (4) Se i miei amici avessero abbastanza soldi, comprerebbero una macchina sportiva. (5) Magari avessero detto qualcosa! (6) E se fossero usciti? (7) Mi domando/chiedo se siano/sono riusciti a vendere la macchina.

Chapter 40

1 (1) vivo (2) ho vissuto (3) lavoravo (4) ho potuto (5) fumavo (6) ho ripreso (7) viene (8) spero (9) pratico (10) sono (11) praticavo
2 (1) per quanto tempo (2) per (3) da (4) da quando (5) da (6) da quando (7) per (8) da quanto tempo (9) da
3 (1) Da quanto tempo/quanto tempo è che studi l'inglese? (2) Da quanto tempo frequenti la tua scuola? (3) Da quanto tempo vivi a Bologna? (4) Da quanti anni/da quando vieni in Inghilterra? (5) Da quanto tempo studiavi l'inglese prima di venire in Inghilterra per la prima volta? (6) Quanto tempo ci hai messo/hai impiegato/ci è voluto per arrivare qui? (7) (Per) quanto tempo ti sei fermato/a l'ultima volta? (8) (Per) quanto tempo ti fermerai questa volta? (9) Da quanto tempo conosci i tuoi amici inglesi? (10) Da quanto tempo vi scrivete?

Chapter 41

1a (1) da (2) da (3) in (4) da (5) da; a; in; all' (6) di; di (7) da (8) di (9) dal
1b (1) su (2) fra (3) per (4) per (5) per (6) sui (7) con (8) per (9) con
2 (1) fino a (2) senza (3) in mezzo all' (4) di (5) di (6) per (7) fra (8) fra (9) di (10) contro (11) a (12) secondo (13) dopo (14) con (15) da
3 (1) Lo stadio è <u>in fondo al</u>la strada. (2) Ti/vi aspetterò <u>di fronte al</u>la stazione. (3) Abbiamo organizzato la vacanza <u>tramite</u> un'agenzia. (4) La nostra casa è <u>in cima al</u>la collina. (5) <u>Quanto ai</u> risultati degli esami ho qualcosa da dire. (6) C'è una piscina <u>in mezzo al</u> parco. (7) La banca è <u>accanto al</u>la farmacia. (8) <u>A causa/per via del</u>la pioggia non siamo usciti. (9) Sono andati a fare una passeggiata <u>attraverso</u> i campi. (10) Abbiamo studiato <u>fino/sino al</u>le dieci.

Chapter 42

1 Forme corrette: (1) che (2) che (3) cui … quella (4) quello che (5) chi (6) chi (7) la quale (8) cui (9) tutto quello che (10) il che
2 (1) h (2) m (3) i (4) n (5) f (6) d (7) l (8) a (9) e (10) c (11) b (12) g
3 (1) dei soldi con i quali/con cui (2) i quali/che sono veramente interessanti/i vari progetti che ho fatto (3) che non ho ancora letto (4) L'agenzia alla quale/a cui/dove sono andato per chiedere ulteriori informazioni era chiusa. (5) con cui/con i quali spero di andare in vacanza (6) Il motivo per cui/per il quale mi avevano telefonato non era molto chiaro/un motivo particolare che non era molto chiaro (7) della quale/di cui non mi fido (8) il che mi sembrava la soluzione migliore

Chapter 43

1 (1) Che cosa (2) Chi (3) Di che cosa (4) A che cosa (5) Qual (6) Quale (7) Con chi (8) A chi (9) Chi (10) Di chi

2 (1) Come (2) Qual (3) Come (4) Quanti (5) Quando (6) Di dove (7) Come/com' (8) Quanti (9) Chi (10) Perché (11) Quando (12) Quale (13) Quali (14) Che cosa (15) Quali

3 (1) Come siete venuti? (2) A che ora siete arrivati? ()3 Qual è la tua materia preferita? (4) Perché sei venuta qui? (5) Quanti anni ha tua sorella? (6) Che cosa le hai comprato per il suo compleanno? (7) Com'è il vostro appartamento? (8) A che piano è? (9) Dove si trova? (10) Quanto (tempo) ci vuole per arrivare in centro? (11) Da quanto tempo/da quando abitate in questo appartamento? (12) Che (tipo di) scuola frequenti? (13) Di chi è questo ombrello? (14) A che cosa stai pensando? (15) Dove andrai?

4 (1) Ti sei alzato/a a che ora? (2) Andate dove? (3) Ti ha regalato cosa? (4) Ha vinto quanto? (5) L'avete fatta come? (6) L'hai prestato a chi? (7) Stanno parlando di cosa/che cosa? (8) Preferisci vedere quale?

Chapter 44

1 (1) Che pigrone che sei! (2) Che barba! (3) Che scemo! (4) Che coincidenza! (5) Quanti regali! (6) Come sei bravo! (7) Che fregatura! (8) Quanta gente! (9) Che freddo! (10) Che pignolo che sei!

Chapter 45

1 Alterations to the direct speech are underlined.
(1) la mattina seguente doveva alzarsi alle sette (2) mettersi la cravatta e portarsi i certificati (3) accettare di cominciare subito se gli offrissero il lavoro (4) avrebbe preferito cominciare a settembre, prima voleva andare in vacanza (5) perché aveva/avesse fatto domanda per quel lavoro (6) se sapesse/sapeva parlare tedesco (7) quello che aveva studiato all'università e se fosse/era disposto a viaggiare per motivi di lavoro (8) quale sarebbe stato lo stipendio e se gli avesse offerto il lavoro, avrebbe potuto cominciare a settembre (9) non poteva dirgli niente quel giorno perché il giorno dopo doveva parlare con altri due candidati. Gli avrebbe fatto sapere la sua decisione alla fine di quella settimana.

2 (1) (Lei) Spiegò/ha spiegato che li aveva incontrati la settimana precedente. (2) Il mio amico mi disse/ha detto che voleva andare all'università l'anno successivo. (3) Sostennero/hanno sostenuto che l'inflazione era scesa del 3 per cento. (4) Il mio amico rispose/ha risposto che sarebbe stato contento di rivederli. (5) Confermammo/abbiamo confermato che la decisione era stata presa il giorno precedente. (6) I ministri affermarono/hanno affermato che avrebbero fatto di tutto/tutto il possibile per aiutare i Paesi in via di sviluppo.

3 (1) «Posso … sono arrivata.» (2) «Prendi/a … vuoi/vuole.» (3) «Perché hai viaggiato …? L'aereo è … l'aeroporto si trova … da casa nostra … saremmo venuti a prenderti.» (4) «L'aereo è … a parte questo, non mi piace …» (5) «Potrei venire a trovarti dopo i miei esami?» (6) «Fa sempre … ? Da noi … non ha fatto … in questi ultimi …» (7) «I tuoi stanno bene e tua sorella si è sposata?» (8) «Ci siamo divertiti … nostro soggiorno … abbiamo intenzione … l'anno prossimo.»

4 The alterations that need to be made are underlined.
   a quella estate … suo padre l'aveva lasciato si era sentito … Era stato … si era accorto di quanto fosse stata per lui … Lui e suo padre erano sempre andati … c'era stato un problema … tra di loro: si erano trovati … nella sua vita.
   b Pensava … il suo segreto fosse … riusciva … lei fosse … stava … si svegliava, beveva … mangiava … le veniva … si fermava … mangiava … aveva … ricorreva … prendeva … si trovava … poteva … sarebbe potuta andare … si mangiava … era
   c Lei e Giuliano si amavano … Tutti i loro amici … le persone a loro vicine lo avevano sempre saputo. Erano pure andati … nessuno di loro due ne aveva parlato o ne aveva voluto parlare … era perché non gli era piaciuto … per loro era bello … avevano voluto …
   d C'erano … poteva … arrivava … era stato il suo caso … si trovava … Sarebbe stato bello … si faceva … Credeva … fosse … andava rispettata … voleva subito un figlio: se lo desiderava … esistevano … era voluto, non c'era età, non esistevano … si sarebbe dovuto entrare …

Chapter 46

1 (a) Sono le cinque e cinque. (b) Sono le dieci e quarantacinque/le undici meno un quarto/meno quindici. (c) Sono le dodici e nove/è mezzogiorno e nove. (d) Sono le quattordici e trenta/le due e mezza del pomeriggio. (e) Sono le diciassette e cinquantacinque/le sei meno cinque di sera. (f) Sono le ventitré e quaranta/è mezzanotte meno venti. (g) Sono le due e dieci di notte. (h) Sono le ore zero e quindici/è mezzanotte e un quarto. (i) Sono le sette e venticinque/le sette e venticinque di mattina. (l) Sono le diciannove e sette/le sette e sette di sera. (m) Sono le undici. (n) Sono le nove e diciotto. (o) Sono le ventitré e venti/le undici e venti di sera. (p) Sono le sei e due.

2 (a) il ventitré giugno millenovecentosessantacinque (b) l'undici maggio millenovecentonovantanove (c) il ventuno agosto milleottocentocinquanta (d) il primo/il I° gennaio milleseicentosessantasei (e) il quindici febbraio duemilasei (f) il diciannove dicembre millesettecentosettantacinque (g) l'otto marzo millenovecentoquarantuno (h) il ventotto luglio duemilaventuno (i) il trentuno ottobre milletrecentotredici (l) il quattro aprile millenovecentosettantotto (m) il diciassette novembre duemila (n) il due settembre millecinquecentocinquantadue

Chapter 47

1 (1) imprevedibile (2) disattento (3) illogico (4) scontenti (5) imprecise (6) irreale (7) ingrati (8) scaricato (9) disordine (10) disorganizzazione (11) disuguaglianza (12 sconsigliabile (13) disapprova (14) indecisione (15) sgradevole

2 (1) invitare (2) marcire (3) privatizzate (4) gonfiare (5) immigrazione (6) uscita (7) spremuta (8) manifestanti (9) sconvolgente (10) preferibile (11) variabile (12) sopportabile (13) gelosia (14) lunghezza (15) piacevole (16) autunnale (17) rumoroso (18) favorevoli (19) giapponese (20) tabaccaio; tabaccheria

Chapter 48

1 claustrophobia; therapy; psychology; catholic; style; existence; exhibition; context; symptom; to transform; instructor; harmony; heroic; conflict; correct; baptism; captivity; administrator; adventure; acceptable; forgettable; distribution; inflation; action; sanction; indecision; excursion; resistence; indifference; capacity; liberty; electoral; global; voluntary; itinerary; incentive; radioactive; ambitious; religious; contradiction; reconstruction; demonstration; communication

2 fotografia; filosofia; fenomeno; tecnologia; tragedia; allergia; ecologia; tema; colesterolo; espressione; esperto; suffisso; ritmo; trasporto; costante; istruzione; elicottero; ipertensione; onore; struttura; attività; positivo; passivo; settore; effetto; architettura; adottare; invisibile; accettabile; concentrazione; evoluzione; immigrazione; integrazione; attrazione; frazione; digestione; recessione; tensione; assenza; influenza; presenza; distanza; digitale; virtuale; internazionale; curioso; ansioso; furioso; avversario; volontario; anniversario; creatività; pubblicità; autorità

3a (1) quante materie (2) sopportare … secca (3) morbido (4) Ultimamente (5) finalmente (6) restituisci (7) argomento (8) attualmente … sana (9) sensibile … carattere (10) pittura fresca (11) riposarti (12) brava (13) comprensivo (14) libreria (15) fiducia (16) domanda (17) mansioni (18) educato (19) Il tuo atteggiamento (20) genitori … mantenere

4 Correct words are underlined
(1) pavimento = floor of room; <u>piano</u> = floor of building (1st floor etc) (2) lavora<lavorare = to work (eg in a bank); <u>funziona</u><funzionare = to work in the sense of to function (machine etc) (3) cani e gatti = cats and dogs (literal translation); piove <u>a catinelle</u> (4) piccolo = little, small used as an adjective (questo ragazzo è piccolo per la sua età); <u>poco</u> = not much, used as an adverb (5) peli = hair of an animal; <u>capelli</u> (hair on the head of a person) (6) ho decollato< decollare = to take off (plane); <u>ho tolto</u><togliere /<u>mi sono tolto</u><togliersi = to take off (item of clothing) (7) perché = because (conjunction: mangio perché ho fame); <u>a causa di</u> = because of (8) orso = bear (animal); <u>sopportare</u> = to bear (someone/something)

5 capo 'head' ufficio 'office' (head/person in charge); senza 'without' tetto 'roof' (a homeless person); ficca< ficcare 'to poke/stick' naso 'nose' (nosy parker); porta<portare 'to carry' chiavi 'keys' (key-ring); segna<segnare 'to mark' libro 'book' (bookmark); porta<portare 'to carry' voce 'voice' (spokesperson); spazza<spazzare 'to sweep' neve 'snow' (snowplough); capo 'head' linea 'line' (terminus); sotto 'under' sviluppo 'development' (underdevelopment); taglia<tagliare 'to cut' fuoco 'fire' (firebreak); spaventa<spaventare 'to frighten' passeri 'sparrows' (scarecrow); tele<televisione

'television' spettatore 'spectator' (TV watcher/viewer); stuzzica<stuzzicare 'to pick' denti 'teeth' (toothpick); rompi<rompere 'to break' ghiaccio 'ice' (ice-breaker); porta<portare 'to carry' bagagli 'luggage' (luggage rack); tossico 'toxic' dipendente 'dependent' (drug addict)

Chapter 49

1 (1) Ciao, come stai? Io bene. Che fai stasera? Sei libero? Rispondi.

(2) Spero che tu passi un buon duemilasei (2006). Perché non vieni alla festa? Ti voglio tanto tanto bene.

(3) Non so come farei senza di te. Sei super. Ti amo tanto.

2

lago	università	saprà	amichevole	abitudine	idiomatico
illeggibile	contento	canadese	poiché	romantico	incantevole
venerdì	stupidaggine	ridicolo	fantastico	nubile	gioventù
macelleria	lentiggine				

3 Forme corrette:

(1) tè ... caffè (2) può (3) da ... È ... là (4) ne (5) Li (6) lì (7) sì (8) si (9) sentirò (10) Se (11) sé (12) sarà (13) la ... più (14) te (15) vendé

Verb list

Please also refer to relevant chapters.

Present tense of regular verbs

See also Chapter 14, section 14.2.
The verb endings for each group are in bold.

parlare	**parlo** par**li** par**la** parl**iamo** parl**ate** parl**ano**
vendere	vend**o** vend**i** vend**e** vend**iamo** vend**ete** vend**ono**
aprire	apr**o** apr**i** apr**e** apr**iamo** apr**ite** apr**ono**
finire (1)	fin**isco** fin**isci** fin**isce** fin**iamo** fin**ite** fin**iscono**

1 Other verbs modelled on *finire* are:

abolire, capire, colpire, condire, contribuire, costruire, digerire, diminuire, distribuire, fallire, favorire, garantire, gradire, impazzire, impedire, inserire, istruire, patire, preferire, proibire, pulire, punire, reagire, restituire, riunire, sostituire, sparire, spedire, stabilire, stupire, suggerire, trasferire, ubbidire, unire

Present tense of regular *-are* verbs with spelling adjustments

See Chapter 14, section 14.2.2.

cercare (1)	cerc**o** cerc**hi** cerc**a** cerc**hiamo** cerc**ate** cerc**ano**
pagare (1)	pag**o** pag**hi** pag**a** pag**hiamo** pag**ate** pag**ano**
studiare (2)	studi**o** stud**i** studi**a** studi**amo** studi**ate** studi**ano**

1 Verbs ending in *-care* and *-gare* insert *h* when the *c* or *g* is followed by *i*.
2 Verbs ending in *-iare* with an unstressed *i* have only one *i* in the *tu* (*studi*) and *noi* (*studiamo*) forms. This applies also to verbs ending in *-ciare*, *-giare* and *-sciare*, for example *cominciare*, *viaggiare* and *lasciare*. However, verbs ending in *-iare* that have a stressed *i*, for example *sciare*, *inviare*, double the *i* in the *tu* form, *tu scii*.

Present tense of irregular verbs

See Chapter 14, section 14.2.3.

andare	vado vai va andiamo andate vanno
apparire (1)	appaio appari appare appariamo apparite appaiono
avere	ho hai ha abbiamo avete hanno
bere	bevo bevi beve beviamo bevete bevono
cogliere (2)	colgo cogli coglie cogliamo cogliete colgono
condurre (3)	conduco conduci conduce conduciamo conducete conducono
dare	do dai dà diamo date danno
dire	dico dici dice diciamo dite dicono
dovere	devo (debbo) devi deve dobbiamo dovete devono (debbono)
essere	sono sei è siamo siete sono
fare	faccio fai fa facciamo fate fanno
morire	muoio muori muore moriamo morite muoiono
parere	paio pari pare paiamo parete paiono
piacere (4)	piaccio piaci piace piacciamo piacete piacciono

porre (5)	pongo poni pone poniamo ponete pongono
potere	posso puoi può possiamo potete possono
rimanere	rimango rimani rimane rimaniamo rimanete rimangono
salire	salgo sali sale saliamo salite salgono
sapere	so sai sa sappiamo sapete sanno
scegliere	scelgo scegli sceglie scegliamo scegliete scelgono
sedere *	siedo siedi siede sediamo sedete siedono
spegnere	spengo spegni spegne spegniamo spegnete spengono
stare	sto stai sta stiamo state stanno
tenere (6)	tengo tieni tiene teniamo tenete tengono
trarre (7)	traggo trai trae traiamo traete traggono
uscire	esco esci esce usciamo uscite escono
valere	valgo vali vale valiamo valete valgono
venire (8)	vengo vieni viene veniamo venite vengono
volere	voglio vuoi vuole vogliamo volete vogliono

Note that the following verbs are modelled on those in the above table:

1. comparire, scomparire
2. accogliere, raccogliere, sciogliere, togliere
3. produrre, ridurre, tradurre
4. dispiacere, giacere, spiacere, tacere
5. disporre, proporre, supporre
6. appartenere, mantenere, ottenere, ritenere, sostenere
7. attrarre, distrarre, estrarre, sottrarre
8. avvenire, divenire, svenire

* *sedere* is normally used as a reflexive verb: sedersi

Future of regular and irregular verbs

Future of regular verbs

See Chapter 19, section 19.2.

The verb endings for each group are the same and are in bold. Remember that the stem of *-are* verbs changes to *-er-* in the future.

parlare	parler**ò** parler**ai** parler**à** parler**emo** parler**ete** parler**anno**
vendere	vender**ò** vender**ai** vender**à** vender**emo** vender**ete** vender**anno**
aprire	aprir**ò** aprir**ai** aprir**à** aprir**emo** aprir**ete** aprir**anno**
finire	finir**ò** finir**ai** finir**à** finir**emo** finir**ete** finir**anno**

Regular -are verbs with spelling adjustments

cercare (1)	cercher**ò** cercher**ai** cercher**à** cercher**emo** cercher**ete** cercher**anno**
pagare (1)	pagher**ò** pagher**ai** pagher**à** pagher**emo** pagher**ete** pagher**anno**
mangiare (2)	manger**ò** manger**ai** manger**à** manger**emo** manger**ete** manger**anno**

1. Verbs ending in *-care* and *-gare* retain *h* after the *c* or *g* throughout the future.
2. Verbs ending in *-ciare*, *-giare* and *-sciare*, for example *cominciare*, *viaggiare* and *lasciare* drop the *i* of the stem throughout the future: *comincerò*, *viaggerò*, *lascerò*.

Future of irregular verbs

Only the first person of each verb is provided. Once you know how the verb starts then the future endings are the same as for the regular verbs:

io	tu	lui/lei	noi	voi	loro
-ò	-ai	-à	-emo	-ete	-anno

andare	andrò	potere	potrò
avere	avrò	rimanere	rimarrò
bere	berrò	sapere	saprò
cadere	cadrò	stare	starò
condurre	condurrò	tenere	terrò
dare	darò	trarre	trarrò
dovere	dovrò	valere	varrò
essere	sarò	vedere	vedrò
fare	farò	venire	verrò
parere	parrò	vivere	vivrò
porre	porrò	volere	vorrò

1   Verbs ending in *-durre* will follow the pattern of *condurre*, for example *tradurre* —→ *tradurrò*.
2   The same applies to compound forms of the above verbs, for example: *proporre* —→
     proporrò, *mantenere* —→ *manterrò*, *sopravvivere* —→ *sopravvivrò*

Conditional of regular and irregular verbs

See Chapter 20, section 20.2.

Once you know how to form the future of both regular and irregular verbs then to form the conditional you simply substitute the future endings with the following:

io	tu	lui/lei	noi	voi	loro
-ei	-esti	-ebbe	-emmo	-este	-ebbero

Imperfect of regular verbs

See Chapter 17, section 17.2.

The verb endings for each group are in bold. Except for the fact that each group retains the *a, e, i* of the infinitive, the imperfect endings are the same.

parlare	parl**avo** parl**avi** parl**ava** parl**avamo** parl**avate** parl**avano**
vendere	vend**evo** vend**evi** vend**eva** vend**evamo** vend**evate** vend**evano**
aprire	apr**ivo** apr**ivi** apr**iva** apr**ivamo** apr**ivate** apr**ivano**

Note also the following verbs which, apart from *essere*, have the same endings as *vendere*.

bere	bev**evo**	condurre (2)	conduc**evo**
dire	dic**evo**	porre (3)	pon**evo**
essere (1)	ero eri era eravamo eravate erano	trarre (4)	tra**evo**
fare	fac**evo**		

1 *Essere* is the only completely irregular verb in the imperfect tense.
2 Verbs ending in *-durre* will follow the pattern of *condurre*, for example *tradurre* —→ *traducevo*.
3 Compound forms of *porre* will form the imperfect in the same way, for example: *proporre* —→
  proponevo, *comporre* —→ *componevo*
4 The same applies to compound forms of *trarre*: *attrarre* —→ *attraevo*

Perfect tense

See Chapter 16, section 16.2.

The perfect tense consists of the the present tense of **essere** or **avere** plus the past participle. For guidance on which verbs take **essere** or **avere** see Chapter 16, sections 16.2.1–16.2.3. The past participle of regular verbs is formed by removing the *-are*, *-ere* or *-ire* and replacing them with *-ato*, *-uto* and *-ito* respectively: *parlare* ⟶ *ho parl<u>ato</u>*; *vendere* ⟶ *ho vend<u>uto</u>*; *finire* ⟶ *ho fin<u>ito</u>*. The following table only lists the verbs that have **irregular** past participles. Some verbs in the table take **essere** or **avere**, depending on whether they are used **transitively** or **intransitively** (see Chapter 16, section 16.2.2).

accendere (1)	**ho acceso**	muovere (18)	**ho mosso**
accorgersi	**mi sono accorto**	nascere	**sono nato**
apparire (2)	**sono apparso**	nascondere (19)	**ho nascosto**
aprire (3)	**ho aperto**	parere	**sono parso**
assistere (4)	**ho assistito**	perdere	**ho perso (perduto)**
assumere	**ho assunto**	persuadere (20)	**ho persuaso**
bere	**ho bevuto**	piacere (21)	**sono piaciuto**
chiedere (5)	**ho chiesto**	piangere (22)	**ho pianto**
chiudere (6)	**ho chiuso**	porre (23)	**ho posto**
cogliere (7)	**ho colto**	rimanere	**sono rimasto**
condurre (8)	**ho condotto**	rompere (24)	**ho rotto**
conoscere (9)	**ho conosciuto**	scegliere	**ho scelto**
correre (10)	**ho/sono corso**	sconfiggere (25)	**ho sconfitto**
cuocere	**ho cotto**	scrivere (26)	**ho scritto**
decidere (11)	**ho deciso**	scuotere	**ho scosso**
dire (12)	**ho detto**	spegnere	**ho spento**
discutere	**ho discusso**	spingere (27)	**ho spinto**
distruggere	**ho distrutto**	stringere (28)	**ho stretto**
esprimere (13)	**ho espresso**	succedere	**è successo**
essere	**sono stato**	trarre (29)	**ho tratto**
fare (14)	**ho fatto**	valere (30)	**è valso**
giungere (15)	**ho/sono giunto**	vedere (31)	**ho visto**
leggere (16)	**ho letto**	venire (32)	**sono venuto**
mettere (17)	**ho messo**	vincere (33)	**ho vinto**
mordere	**ho morso**	vivere (34)	**ho/sono vissuto**
morire	**è morto**	volgere (35)	**ho volto**

Here are examples of other verbs whose past participles are modelled on those in the above table. Most of these are compound forms. Verbs marked * take **essere**. Those marked ** take **essere** or **avere**, depending on whether they are used **transitively** or **intransitively**.

1 apprendere, comprendere, difendere, intendere, offendere, prendere, rendere, scendere**, sorprendere, sospendere, spendere

2 comparire*, scomparire*

3 coprire, offrire, scoprire, soffrire

4 esistere*, insistere, resistere

6 richiedere

6 racchiudere, socchiudere

7 accogliere, raccogliere, sciogliere, togliere

8 produrre, ridurre, tradurre

9 crescere**, riconoscere

10 percorrere, ricorrere, soccorrere, trascorrere

11 dividere, ridere, sorridere, uccidere

12 benedire, contraddire, disdire, maledire, predire

13 reprimere, sopprimere

14 disfare, soddisfare

15 aggiungere, raggiungere

16 eleggere, correggere, proteggere
17 ammettere, commettere, permettere, promettere, smettere
18 commuovere, promuovere
19 rispondere
20 dissuadere, evadere, invadere
21 dispiacere*, giacere*, spiacere*
22 rimpiangere
23 disporre, proporre, supporre
24 corrompere, interrompere
25 friggere
26 descrivere, iscrivere, prescrivere, sottoscrivere
27 dipingere, fingere, respingere, tingere
28 costringere
29 attrarre, distrarre, estrarre, sottrarre
30 equivalere**, prevalere**
31 prevedere
32 avvenire*, divenire*, svenire*
33 convincere
34 convivere, sopravvivere*
35 avvolgere, capovolgere, rivolgere, sconvolgere

Past definite

accendere	accesi accendesti accese accendemmo accendeste accesero
accorgersi	mi accorsi ti accorgesti si accorse ci accorgemmo vi accorgeste si accorsero
apparire	apparvi appariesti apparve aparimmo appariste apparvero
assumere	assunsi assumesti assunse assumemmo assumeste assunsero
avere	ebbi avesti ebbe avemmo aveste ebbero
bere	bevvi bevesti bevve bevemmo beveste bevvero
cadere	caddi cadesti cadde cademmo cadeste caddero
chiedere	chiesi chiedesti chiese chiedemmo chiedeste chiesero
chiudere	chiusi chiudesti chiuse chiudemmo chiudeste chiusero
cogliere	colsi cogliesti colse cogliemmo coglieste colsero
condurre	condussi conducesti condusse conducemmo conduceste condussero
conoscere	conobbi conoscesti conobbe conoscemmo conosceste conobbero
correre	corsi corresti corse corremmo correste corsero
dare	diedi (detti) desti diede (dette) demmo deste diedero (dettero)
decidere	decisi decidesti decise decidemmo decideste decisero
dipingere	dipinsi dipingesti dipinse dipingemmo dipingeste dipinsero
dire	dissi dicesti disse dicemmo diceste dissero
discutere	discussi discutesti discusse discutemmo discuteste discussero
distruggere	distrussi distruggesti distrusse distruggemmo distruggeste distrussero
esprimere	espressi esprimesti espresse esprimemmo esprimeste espressero
essere	fui fosti fu fummo foste furono
fare	feci facesti fece facemmo faceste fecero
giungere	giunsi giungesti giunse giungemmo giungeste giunsero
leggere	lessi leggesti lesse leggemmo leggeste lessero
mettere	misi mettesti mise mettemmo metteste misero
mordere	morsi mordesti morse mordemmo mordeste morsero
muovere	mossi movesti mosse movemmo moveste mossero
nascere	nacqui nascesti nacque nascemmo nasceste nacquero
nascondere	nascosi nascondesti nascose nascondemmo nascondeste nascosero
parere	parvi paresti parve paremmo pareste parvero
perdere	persi perdesti perse perdemmo perdeste persero
persuadere	persuasi persuadesti persuase persuademmo persuadeste persuasero
piacere	piacqui pacesti piacque piacemmo piaceste piacquero

piangere	piansi piangesti pianse piangemmo piangeste piansero
porre	posi ponesti pose ponemmo poneste posero
rimanere	rimasi rimanesti rimase rimanemmo rimaneste rimasero
rompere	ruppi rompesti ruppe rompemmo rompeste ruppero
sapere	seppi sapesti seppe sapemmo sapeste seppero
scegliere	scelsi scegliesti scelse scegliemmo sceglieste scelsero
sconfiggere	sconfissi sconfiggesti sconfisse sconfiggemmo sconfiggeste sconfissero
scrivere	scrissi scrivesti scrisse scrivemmo scriveste scrissero
scuotere	scossi scotesti scosse scotemmo scoteste scossero
spingere	spinsi spingesti spinse spingemmo spingeste spinsero
stare	stetti stesti stette stemmo steste stettero
stringere	strinsi stringesti strinse stringemmo stringeste strinsero
tenere	tenni tenesti tenne tenemmo teneste tennero
trarre	trassi traesti trasse traemmo traeste trassero
valere	valsi valesti valse valemmo valeste valsero
vedere	vidi vedesti vide vedemmo vedeste videro
venire	venni venisti venne venimmo veniste vennero
vincere	vinsi vincesti vinse vincemmo vinceste vinsero
vivere	vissi vivesti visse vivemmo viveste vissero
volere	volli volesti volle volemmo voleste vollero
volgere	volsi volgesti volse volgemmo volgeste volsero

Note that other verbs whose past definite is modelled on the verbs above are listed under the table of verbs in the perfect tense.

Present subjunctive of regular verbs

See Chapter 32, section 32.1.

parlare	parli parli parli parliamo parliate parlino
vendere	venda venda venda vendiamo vendiate vendano
aprire	apra apra apra apriamo apriate aprano
finire (1)	finisca finisca finisca finiamo finiate finiscano

1 For other verbs modelled on *finire* see page 353.

Present subjunctive of regular -are verbs with spelling adjustments

cercare (1)	cerchi cerchi cerchi cerchiamo cerchiate cerchino
pagare (1)	paghi paghi paghi paghiamo paghiate paghino
studiare (2)	studi studi studi studiamo studiate studino

1 Verbs ending in *-care* and *-gare* insert *h* when the *c* or *g* is followed by *i*.
2 Verbs ending in *-iare* with an unstressed *i* have only one *i* throughout the present subjunctive. This applies also to verbs ending in *-ciare*, *-giare* and *-sciare*, for example *cominciare*, *viaggiare* and *lasciare*. However, verbs ending in *-iare* that have a stressed *i*, for example *sciare*, *inviare* double the *i* in the first three persons singular (*scii*, *invii*) and in the third person plural (*sciino*, *inviino*).

Present subjunctive of irregular verbs

See Chapter 32, section 32.1.2.

andare	vada vada vada andiamo andiate vadano
apparire (1)	appaia appaia appaia appariamo appariate appaiano
avere	abbia abbia abbia abbiamo abbiate abbiano
bere	beva beva beva beviamo beviate bevano
cogliere (2)	colga colga colga cogliamo cogliate colgano
condurre (3)	conduca conduca conduca conduciamo conduciate conducano
dare	dia dia dia diamo diate diano
dire	dica dica dica diciamo diciate dicano
dovere	deva/debba deva/debba deva/debba dobbiamo dobbiate devano/debbano
essere	sia sia sia siamo siate siano
fare	faccia faccia faccia facciamo facciate facciano
morire	muoia muoia muoia moriamo moriate muoiano
parere	paia paia paia paiamo paiate paiano
piacere (4)	piaccia piaccia piaccia piacciamo piacciate piacciano
porre (5)	ponga ponga ponga poniamo poniate pongano
potere	possa possa possa possiamo possiate possano
rimanere	rimanga rimanga rimanga rimaniamo rimaniate rimangano
salire	salga salga salga saliamo saliate salgano
sapere	sappia sappia sappia sappiamo sappiate sappiano
scegliere	scelga scelga scelga scegliamo scegliate scelgano
sedere *	sieda sieda sieda sediamo sediate siedano
stare	stia stia stia stiamo stiate stiano
tenere (6)	tenga tenga tenga teniamo teniate tengano
trarre (7)	tragga tragga tragga traiamo traiate traggano
uscire	esca esca esca usciamo usciate escano
valere	valga valga valga valiamo valiate valgano
venire (8)	venga venga venga veniamo veniate vengano
volere	voglia voglia voglia vogliamo vogliate vogliano

Note that the following verbs are modelled on those in the above table:

1. comparire, scomparire
2. accogliere, raccogliere, sciogliere, togliere
3. produrre, ridurre, tradurre
4. dispiacere, giacere, spiacere, tacere
5. disporre, proporre, supporre
6. appartenere, mantenere, ottenere, ritenere, sostenere
7. attrarre, distrarre, estrarre, sottrarre
8. avvenire, divenire, svenire

*sedere is normally used as a reflexive verb: sedersi

Imperfect subjunctive of regular verbs

See Chapter 32, section 32.3.

The verb endings for each group are in bold. Except for the fact that each group retains the 'a', 'e' 'i' of the infinitive, the imperfect endings are the same.

parlare	parl**assi** parl**assi** parl**asse** parl**assimo** parl**aste** parl**assero**
vendere	vend**essi** vend**essi** vend**esse** vend**essimo** vend**este** vend**essero**
aprire	apr**issi** apr**issi** apr**isse** apr**issimo** apr**iste** apr**issero**

Note also the following verbs which, apart from *essere*, have the same endings as *vendere*.

bere	bev**essi**	condurre (2)	conduc**essi**
dare	d**essi**	porre (3)	pon**essi**
dire	dic**essi**	stare	st**essi**
essere (1)	fossi fossi fosse fossimo foste fossero	trarre (4)	tra**essi**
fare	fac**essi**		

1 *Essere* is the only completely irregular verb in the imperfect subjunctive.
2 Verbs ending in *-durre* will follow the pattern of *condurre*, for example: *tradurre* ⟶ *traducessi*.
3 Compound forms of *porre* will form the imperfect in the same way, for example: *proporre* ⟶ *proponessi*, *comporre* ⟶ *componessi*.
4 The same applies to compound forms of ⟶: *attrarre* ⟶ *attraessi*.

Imperative of regular verbs

See Chapter 15, section 15.2.

In addition to the *tu*, *Lei*, *voi* and *Loro* forms the following tables also include *noi* 'let's'.

	tu	Lei	noi	voi	Loro
mangiare	mangia	mangi	mangiamo	mangiate	mangino
mettere	metti	metta	mettiamo	mettete	mettano
finire	finisci	finisca	finiamo	finite	finiscano
aprire	apri	apra	apriamo	aprite	aprano

Imperative of regular *-are* verbs with spelling adjustments

	tu	Lei	noi	voi	Loro
cercare	cerca	cerchi	cerchiamo	cercate	cerchino
pagare	paga	paghi	paghiamo	pagate	paghino
studiare	studia	studi	studiamo	studiate	studino

Some verbs are irregular in the *tu* and, occasionally, *voi* forms. These are highlighted in the table.

	tu	Lei	noi	voi	Loro
andare	**va' / vai**	vada	andiamo	andate	vadano
avere	**abbi**	abbia	abbiamo	**abbiate**	abbiano
dare	**da' / dai**	dia	diamo	date	diano
dire	**di'**	dica	diciamo	dite	dicano
essere	**sii**	sia	siamo	**siate**	siano
fare	**fa' / fai**	faccia	facciamo	fate	facciano
sapere	**sappi**	sappia	sappiamo	**sappiate**	sappiano
stare	**sta' / stai**	stia	stiamo	state	stiano

For information on the formation of the gerund and present participle see Chapter 29, sections 29.3.1 and 29.1.1.

Index

Section numbers are given first, followed by page numbers in brackets.

361